働くことの人類学【活字版】

松村圭一郎+コクヨ野外学習センター・編

画・安藤智

目次

本書は、コクヨ野外学習センター企画・制作によるポッドキャスト番組「働くことの人類学」（2020年7月〜2021年2月）にて公開された6つのエピソードと、2020年11月21日土曜日に開催されたイベント「コクヨ野外学習センター presents《働くことの人類学》タウンホールミーティング」の内容を加筆・編集し、オリジナル企画を加えて書籍化したものです。

巻頭対談

柴崎友香 × 松村圭一郎　進行=若林恵

ありえたかもしれない世界について

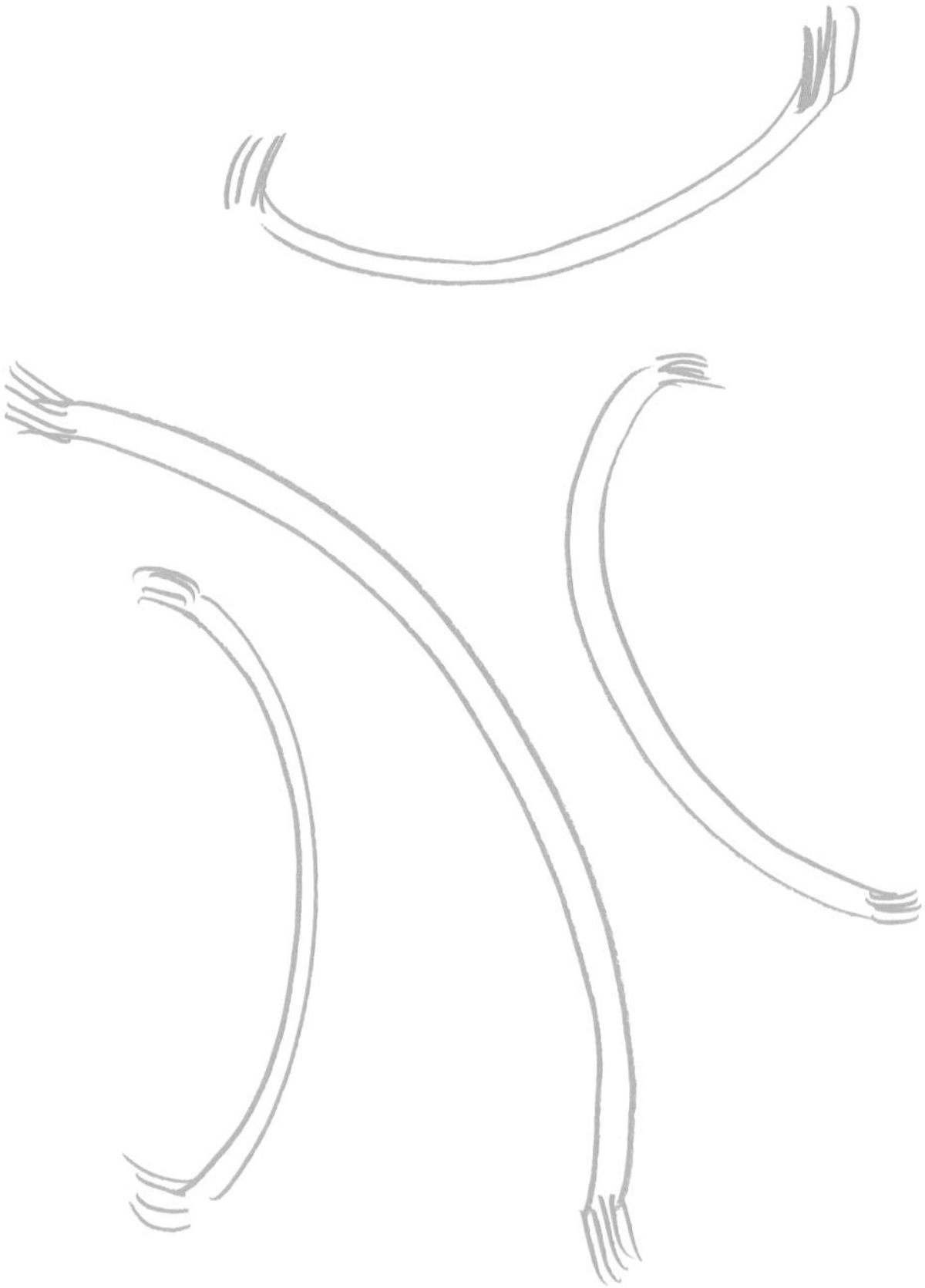

——柴崎さんは、〈働くことの人類学〉のポッドキャストシリーズをずっと聴いてくださって、Twitterでも応援していただいています。どうもありがとうございます。

柴崎　はい。みんなもっと聴いたらいいのにと思ってるんですけどね（笑）。

松村　この番組はどういった経緯で知られたんですか？

柴崎　番組のことは松村さんのTwitterで知りました。大学で人文地理の勉強をしていたこともあって、元々人類学にはずっと興味があります。子供のときから「自分と違う考えを知りたい」とか「違う感覚を知りたい」という思いがあって、別の場所に行けば、別の暮らし方、価値観や別のやり方があるということを知るのがとても好きなんです。小学生の頃に旅行先で屋根の形が違うことがすごく気になったりしていました。

番組を聞いていると、自分が普段考えていることや思い込みのようなものが崩されていくというか「あ、そういう方法があるのか」とか「なるほど」と思うことが多くて、楽しかったです。わたしは、「違う」ということを知るだけで楽しいタイプなんだと思います。

松村　そうでした。人文地理学を専攻されていたんですよね。

柴崎　人文地理学のなかにもいろいろなジャンルや分野がありますが、人類学とも近い感じはありつつ、「地理」なのでそれぞれの要素が地理的要因とどう結びついているかを考える部分が強くあります。人の生活や社会が、地形や場所であったり、その町の歴史といった要因と、どのように関係しているかをクローズアップする学問ですね。大学で受けた授業自体は、大阪の街がどのように形成され発展してきたかや、地域社会の特徴や変化についてがメインでした。

わたしはオギュスタン・ベルクというフランスの地理学者の風土学や、イーフー・トゥアン、エドワード・レルフなど、風景や場所に関する研究に興味を持って、風景やそのイメージについて勉強していました。

――卒論はどんなテーマで書かれたんですか？

柴崎　「写真による都市のイメージの考察」というタイトルで書きました。主に日本の写真家が写した写真を集めて、人びとが都市に対して持っているイメージや期待、求めているものを考察する論文を書いたんです。わたしは大阪出身ということもあって、大阪を対象にしました。一般的に、都市に対するイメージは、高層ビルなどがあって「便利で、きれい」なステレオタイプがあるかと思いますが、「都市の写真」となると猥雑なところを写したものが人気だったりしますよね。そういったイメージについて、都市に関する写真を集めて考察したんです。近代以降の資料的な写真から、大阪や京都を撮り続けている妹尾豊孝さんや、都市の写真として人気を博してきた森山大道さんや荒木経惟さんなど、いろいろなタイプの写真を集めました。卒論を書いたのは１９９０年代後半だったんですけど、バブルを経て都市の様子や風景が激変して、その対比を写した写真も多かったですし、かえってその隙間に残る古いものが注目されたりと、興味深い時期でした。

松村　ご自身でも写真を撮られるんですよね。

柴崎　大学で写真部に入って以来、趣味で写真を撮っています。これまで書いてきた小説も写真や地理や場所などが関係しているんですけど、元々持っていた関心が、人文地理の勉強になったり、小説になったり、写真になったり、という感じなんですよね。大学で研究していたことと小説は、全く別のものではないというか、表現の仕方が違うだけだと思っています。

松村　小説のなかでも写真が登場する場面が多いですよね。『その街の今は』（新潮文庫）もそうでしたし。昔の写真と出会って、そのとき流れていた時間と現在の街並みを重ねるシーンが印象的です。

柴崎　はい。視覚的なイメージが自分にとっては関心の大きな部分を占めています。大学でテーマにしていた風景も視覚的なイメージですが、風景とは、自然や環境と、人間の思考や行動のせめぎ合いが形になって表れているものだと思うんですね。表面のイメージのなかに社会や歴史がどれだけ見えるかといったことを考えていたので、それは小説を書くことにもつながっていると思います。

――松村さんも映画を撮られていますよね。

松村　「映画」というほどのものではないですが、フィールドの記録として映像も撮りますし、写真も撮ります。人類学者は見たものをとりあえず記録に残す必要があるので、調査道具のひとつとして必ずカメラを持っていくんです。基本的には現地の人たちが、こういう道具を使っているとか、儀礼の場面でこんなことをしているみたいな記録をとるんですけど、住み込みの調査をしている間は結構暇なので、調査とは関係ない子供たちの様子とか日常の風景を撮ることも多いです。映像を撮り始めたのは、現地の村に通いつづけて10年ぐらい経って、博士論文を書いて本を出したあと、２００８年にビデオカメラを持っていったのがきっかけでした。ちょうど女性の海外出稼ぎブームが始まっていて、それをテーマに短編作品をつくりました。目の前で起きている状況をちゃんと映像で記録すべきじゃないか、と思ったのもあります。

——小説を書かれる際にビジュアルな景色などがイメージとしておありになると、本の装幀にも、やはり強いこだわりを持たれるのでしょうか？

柴崎　わたしはあまり「こういうのにしてください」と具体的な希望はないほうで、デザイナーの方にお任せすることがほとんどです。やはりプロフェッショナルの視点のほうが確かですし。写真かイラストかなど各段階でいくつかの候補や案があって、そのときに希望を伝えたりはします。できあがったものを見せていただくときは「なるほど、こうなったのか」といつも楽しみです。それから、自分の小説はいままで９つの外国語に翻訳されていますが、直接話してもいない外国の方がデザインした装幀で内容がすごく伝わっているのがわかってとてもうれしいということが何度もありました。

——出し戻しのようなこともおありなんですか？

柴崎　たまにはあります。でもそれはわたしと編集さんの求めるイメージがずれてるとか、わたしからの伝え方が今ひとつだったりの場合もありますし、そこで話し合うのは大事ですね。内容を表すことと、読みたくなるような、実際に手に取ってもらいやすいデザインはまた違ったりしますし、それはこちらも勉強させてもらってます。

松村　人類学の本って、だいたい表紙がフィールドの写真になるのがお決まりなんですよね。エキゾチックな感じでインパクトはあるんですが、写真で対象のイメージが固定される危険性もありますよね。小説は、ビジュアルなイメージがないからこそ、読者の頭のなかでいろんなイメージが湧いてきますよね。登場人物の顔とか、風景も、見たことないはずなのに、ちゃんと「見える」。今回のこの本でも、写真を掲載すべきか、迷っています。耳で聴いていただいていたものを文字で読み直すわけですが、ポッドキャストを聴いてくださっていた方々が頭のなかで思い浮かべていたイメージを、写真で塗り替えてしまうのもどうかな、と思うところもあります。

柴崎　アフリカというと、多くの人はステレオタイプなイメージを持っていたりしますよね。１枚の写真でイメージが決まってしまうよりは、番組を聴きながら広がっていくイメージを大切にしたほうがいいのかもしれませんね。耳で聴いて想像するイメージのようなものがとても面白かったりしますから。

松村　たしかにそうですね。

柴崎　〈働くことの人類学〉のポッドキャストは印象に残ることばかりでしたが、最初に「おおっ」と思ったのは、深田淳太郎さんが出演されている第1回目のエピソードで、トーライの人びとにとっての「公」と「私」の関係についてのものでした。仕事に関することが「私」、つまりプライベートの領域で、共同体や家族などに関することが「公」の領域にあたるというお話を最初に聴いたときは、「へー！　そんな考え方もあるのか！」と思ったんですよね。ただ、そのあとに「あ、岸和田でだんじり祭のときに会社を休むのもそういう話か」と思ったんです。

松村　なるほど、たしかに！

柴崎　わたしが住んでいた地域は大阪でもだんじり祭をやっているところから離れていたので直接参加する人から話を聞いたことはないのですが、会社などでだんじりの時期になると参加する町内の人は会社を休むという話を聞いたことはありました。たいていちょっと面白く誇張して語られていたのですが、トーライの人びとの話を聞いて、すごく納得できました。地域のお祭りのときに会社を休むのは別におかしくないというか、それほど変わったことではないんですよね。

――日本でも民間企業のことは「私企業」と呼ばれますから、働くこと、経済活動が「私」という認識がないわけではないとも思うのですが、それがいつの間にか「公」になっている雰囲気もあって、線引きが徐々に動いているのかもしれません。

柴崎　たぶん昔に比べたら、だんじり祭で仕事を休む人は少なくなっていると思いますし、そういう風に「プライベート」と「パブリック」の領域がどこにあたるかという感覚は、時代とともに変わっていくものだと感じます。女の人が産休や子供のことで会社を休むと「自分の都合で休んで」などと言われますよね。その一方で「子供を預けて働きに行くなんて、子供がかわいそう」「子供より自分を優先している」と逆の言われ方もする。いまはそういう二重の価値観を両方求められていることも、女性がとてもつらい状況にある要因なんだなと、この話をきっかけに「公」と「私」について考えが広がりました。トーライの人びとのような話を聞くと、「あれ？ いま自分がやっていることはなんだろう？」と、当たり前だと思っていたことについて違った視点や意識を持てますよね。

松村　まさにそういうふうに考えるきっかけにしてもらいたいと思ってやってきたので、うれしいです。日本における「公」と「私」の関係は、必ずしもトーライの人びとの対極にあるのではなくて、柴崎さんがおっしゃったように日本で女性は「公」と「私」への異なる価値付けが交錯していて苦しめられているんですよね。あるときは「公」の仕事を優先するのが当たり前だと言われ、あるときは子育てという「私」の領域こそが女性の務めだとされる。「公」と「私」という領域がどう意味付けられ、社会のなかに配置されているかという視点から、日本の現状が見えてくるわけですね。トーライ社会が日本と違っていて面白いというだけでなく、「公」と「私」がさまざまに設定されうるという視点で考えていくと、日本で起きている問題の見え方も変わると思うんです。

――日本に「会社」というものが入ってきたときに、最初はいろいろな言葉があてられて、「社会」とあてることもあったそうなんです。それが明治時代の後半になると「会社」という言葉に収斂していったらしいですが、「社会」という言葉と「会社」という言葉が実はとても混同されていて、そういったある種の混線が、日本にはずっと残っているのかもしれないと思ったことがあります。

柴崎　たしかに「会社」と「社会」って漢字が逆になっているだけですからね。会社に就職すると「社会人」と言われるようになりますよね。本来は「会社」だけが「社会」ではないはずなのに、会社的なところに勤めることが「社会人」になることだとイメージされている。そんなところにも、ある種の混線が残っているのかもしれません。

松村　いま大学も「実務家教員を増やせ」と言われているんですが、おそらく「実務家教員」って、会社で働いた経験がある人ということだと思うんですけど、それって「会社＝社会」で、会社に勤めていた人のほうが世間のことをよく知っている、みたいな考えですよね。こちらとしては、「大学で教えたり、海外で調査したりすることって実務じゃないんですか？」とか「教育現場で若い学生たちと関わったり、アフリカのことに詳しくても、社会を知らないことになるんですか？」みたいな反論をしたくもなります。

柴崎　よく「象牙の塔」のような言い方で、大学の人は世間知らずとか、社会を知らないと言われますよね。でも、わたしは大学を卒業して会社勤めをしたときに「会社の人も会社のことしか知らないのでは」と思ったんです。会社の人も自分が働く会社やその周辺の世界しか知らなくて、そういう意味では大して変わらないのに、なぜ大学の研究者や教員だけがことさら社会を知らないみたいに言われるのかは、不思議ですよね。

　そもそも、「会社と社会」とか「公と私」とか、その辺りの定義について話し合ったり、教えることってあまりないですよね。以前アメリカの大学のプログラムに参加したことがあるんですが、その一環でニューオーリンズの高校の授業に参加しました。その授業が「パブリックとプライバシーとは何か？」をディスカッションするという内容でした。しかも「パブリックとプライバシー」を扱った詩を解釈して、そのなかの一部分を自分の例に当てはめてつくって、議論を深めていくんです。そこは先進的な取り組みをしている学校ではあったんですけど、高校生がそれを真剣に、自分たちの生活に根ざしたこととして議論する様子に感心しました。「パブリック」と「プライバシー」とは何か？みたいなことを高校生が授業で話し合うって、日本ではまずないじゃないですか。

松村　ないですね。

柴崎　そうやって問いについて話し合うのはとても大切だと思うんですけど、「〜とは何か」、「〜の定義とは」というようにガッチリと話し合おうとすると身構えてしまうことも多そうなので、詩を使って身近なところから考えようとするのはとてもよくできたやり方だなと思いました。私が参加したその授業は詩を使っていましたが、人類学のような生活と結びついた話を使うこともできそうですよね。自分がいままで思っていた当たり前を揺さぶることができて「あれ、社会って？」とか「会社って？」というように考えやすいですよね。

——会社に勤めている人は会社のスコープからしか社会を把握できていないんじゃないかというご指摘には頷かれる方も多いかと思いますが、その一方で「社会を知る」と言ったときに、それが何を指しているのか、気になります。そもそも「社会を知る」ってこと自体が可能なのかなとも思ったり。

柴崎　何なんでしょうね。本当は何をしていても社会が関わっているはずなんですけどね。

松村　小説を書かれる方って、ある意味ですごくいろんな目線から「社会」を見ていると思うんです。いろいろな異なる立場の人たちにとって、たぶんこういうふうに世界が見えているんだろうと想像力を働かせながら書いていらっしゃると思うんですけど、それって実はものすごく特殊な能力のような気がします。

柴崎　実際は、生活をしていること自体が社会とも政治とも結びついていますよね。「会社の人は会社のことしか知らないと思った」と言いましたけれど、それもある一面に過ぎなくて、わたし自身、会社に勤めることで、自分とはまったく違う属性で考えや好みに共通点のない人とも長時間継続して関わる経験をしたのは、やっぱりすごく大きかったんです。学生時代までは自分と似たような人としか関わらないので。それに、仕事をしていると、別の仕事とも関わるじゃないですか。自分の会社以外にも、取引先には別の仕事がありますし、世の中にはこんなに多種の仕事があるのかと。例えば、1本のペットボトルのお茶も、それは飲料会社だけじゃなくてペットボトルをつくっている会社があり、ラベルを印刷している会社があり、運んでくる会社があり、自動販売機を設置する会社があって、そういうつながりとか関わりの上に成り立っているよなということをすごく考えるようになりました。

　それぞれの商品やモノには、それぞれのために働いている人がいて、つながり合っている。小説というのは、そういうふうに生活のなかにある小さなことからどこまで広げて考えられるかというのがひとつ重要な要素だと思っています。

松村　そういう人と人とのつながりって、実際にその現場に関わってみないと気づかないところがありますよね。わたしたちも人類学者である前に、日本で暮らす生活者でもあるので、いろいろな場面で、たくさんの人と関わりながら生きているわけです。でも、自分が生きている社会がどういう姿をしているのか、さっきの「公」と「私」のような話もそうですけど、ある視点とか、物差しを持ってみないとわからないですよね。「当たり前」のことって、自分はわかっていると思いがちなんですけど、そうじゃない。他者と関わる過程で生じるいろんなズレを通して、自分が理解できていなかった「当たり前」を見いだしていくのが、人類学の手法なんです。

柴崎　なるほど。

松村　だから、自分たちのことを知るために、わざわざ自分とは違う人に会いに行っている面があります。エチオピアに行って初めて、自分が生まれ育った日本がこういう社会で、必ずしもそれが唯一ではないんだ、と理解できる。人類学者はそうやって他者と出会うことで、自分たちを知る物差しを手に入れようとしているんです。

それで、時間もお金もかけてわざわざ遠くまで行くんですけど、小説家の方はたぶん、それぞれの登場人物がどういうふうにその社会、その世界を生きているか、複数の視点から想像力を膨らませながら書くわけですよね。しかも自分ではない誰かをまるで自分のように生きてみるというか。ほんと、その想像力ってすごいなと思います。わざわざエチオピアまで行かないと自分たちの社会を理解できない人類学者の仕事って、よっぽど想像力のない人間のやることなんだと（笑）。そうやって自分の「当たり前」とは別の世界をどうやったら生きられるのか、そこまで想像力を広げるには、どうすればいいんだろうってことはずっと気になっていました。

柴崎　でもそうやってエチオピアに行ってくれる人がいて、現地のことを伝えてくれる本などがいろいろあるからこそ、わたしも想像ができるんだと思います。

大阪に国立民族学博物館（みんぱく）というところがあって、子供の頃からそこがすごく好きだったんです。博物館と聞くと伝統的な昔のモノを置いているイメージがあるかもしれないですけど、大阪のみんぱくはそれだけでなく現代のモノが多くて、しかも、それがどんどん更新されていくんですよ。館自体が黒川紀章のメタボリズム建築で増築するように設計されていて、その展示場に新しいモノが次から次へと入ってきて。音楽や言語のコーナーもありますし、外国から影響を受けたり異文化がクロスしたモノもかなり展示されています。

そこがなぜ好きだったかというと、まず「違う」ということを感じられるのが面白かったんですよね。そこには「違う」と「同じ」が両方ある。デザインや道具の形はちょっと違っても、畑を耕したりご飯を食べたりということは一緒だし、道具に描かれた模様や形が違ったりしても、自分の持ち物に模様を描きたくなるのは一緒なんだなって。みんぱくに行くと、そういう発見がたくさんあって、気持ちがすごく楽になったんです。なぜこうなっているか、多様化した経緯を考えたり知ったりするのもわくわくします。いろいろな人間がいるから面白くて、多様性というと少し堅苦しいですが、「いろいろな人がいてありがとう」みたいな気持ちになるんです。

松村　いまの言葉、民博関係者が聞いたら、泣いて喜びますよ。民博って、たぶん日本でもっとも多くの人類学者がいる研究機関でもあると思いますが、民博の展示資料の多くは、世界各地で研究してきた人類学者が収集してきたものですよね。その民博が小説家の想像力の源泉のひとつになっていたなんて。小さい頃から行かれていたんですか？

柴崎　小学生あたりからですね。

松村　すごい。

柴崎　たしか、小学生のときにみんぱくができて。最初は「不思議なものがある」みたいな感じで見ていたのですが、それがだんだん「いろいろな違いがあることが面白い」となっていって。いまの自分が暮らしている社会はこうでしかないと思っているけど、もしかしたらこういうやり方もあったかもしれないとか、そういうありえたかもしれない可能性みたいなものが面白くなっていったんです。みんぱくのなかにいると、普段「こうじゃないといけない」みたいな社会での苦しさの外に出られる。
　違うところに行けば、違うものがあり、自分とは別の人が別の暮らしをしていると感じられるのは、自分にとってはとても助けられるようなことなんですよね。本を読んだり、物語が好きな人も、ここじゃない別の世界があると感じられるのが好きなんだと思うんです。

——少し話がずれてしまうかもしれませんが、日本には「同調圧力」なんていう言葉があって、人と違うことが、かえって苦しみの原因になっていたりもします。ソーシャルメディアは特にそうした傾向を強めていると思うのですが、いま柴崎さんがおっしゃったような、「世界にはいろいろな人たちがいる」ことが心浮き立たせてくれるのと、それはどう違うんでしょうね。

柴崎　わたしも、同世代の人がすごく片付いた家に住んでいておいしそうな料理をつくっている写真をあげているのを見ると、「ああー」という気分になることもあります（笑）。

松村　柴崎さんでもそうなるんですね（笑）。

柴崎　同じ枠組みのなかで差異を感じてしまうのは、松村さんがおっしゃる人類学的な意味での違いとは別のものですよね。わたしがみんぱくで感じられる安心感や高揚感は、その枠組み自体が違っていて、使っている物差しがそもそも違う人のことを知ることで得られるものだと思います。キラキラした生活と自分の生活の違いみたいな同じ枠組みのなかでの比較じゃない。同じ枠組みでの同調圧力とか、他の人と比べてしまうこと自体を、「違う物差し」で測ってみるというか、「枠」ってそもそもなんだっけ？みたいなところから問い直すと、全く別のものとして感じられることなのかもしれません。だから、例えばさっきお話ししたような、SNSで綺麗な家に住んでいるエリート会社員と比べてしまうということも、第2話の丸山淳子さんのお話にあった「ひとつのことをするやつら」なんだと思えば腹も立たないかもしれない（笑）。

松村　いま民博など文化施設に対する社会の目も厳しくなっていて、展示を企画するにしても、社会的にどんな意義があるのか、どう社会に貢献するのか、説明が求められるようになっていますよね。民博も、その存在意義や価値を示すために、入館者数とか気にしていると思うんですが、「民博の存在意義は？」という問いへのひとつの答えは、まさにいま柴崎さんがおっしゃったようなことですよね。数字では示せないかもしれないけど、社会にとっての想像力の源泉になるというか。民博の展示からいろんなことを感じ取って気持ちが楽になったり、目の前の現実とは違う暮らしが世界にあると知ったり。「こうでなくてはならない」という社会の規範を、別の視点からほぐしてくれる場所が社会のなかにあるって、とても大切なことだと。本とかポッドキャストみたいに言葉で説明されるわけではないけど、博物館に置いてあるモノから感じ取れることもあるんですよね。それぞれの社会には違う目盛りや枠組みがあるかもしれないと身をもって体験できる場って、考えてみるとそんなに身近にはないかもしれませんね。

柴崎　ビデオが見られるブースもありますし、いまは携帯型の電子ガイドがあって解説や資料も見られるのですが、基本的には展示物自体にはそこまで詳細な解説がなくてモノがそこにあることを重視した展示なので、それがどんな人にどう使われているのかを、〈働くことの人類学〉のポッドキャストを聴いて、初めて「あ、なるほど」と具体的にわかったこともあります。
　例えば、貝を使った装飾品や生活用具もみんぱくにたくさん展示されているのですが、深田さんが出演された第1話を聴いて腑に落ちました。お話のなかに「貝は、遠くから採ってくるから貴重」みたいなお話がありましたが、希少価値があるからああいうふうに大事にされていたんだなとわかって、モノから見えてくる暮らしや社会があると実感しました。

松村　わたしが大学で人類学を学んでいたのは1990年代末から2000年代前半ですが、2002年に民博で、ソウルに住んでいる李さんという一家の家財道具から服から、冷蔵庫の中身まで丸ごとそのまま展示する「2002年ソウルスタイル──李さん一家の素顔のくらし」という特別展があって、非常に大きな衝撃を受けたのをよく覚えています。そこにはまさに「違う」と「同じ」が両方ありましたね。

柴崎　見ました見ました！　家のなかにあるものすべて持ってきて、丸ごと全部展示していましたよね。子供の思い出の品まで含めて全部寄贈していて、衝撃を受けました。当時はまだいまほど韓国文化を知る機会がなかったので、間近に見られてとても興味深かったです。

松村　あの展示は、たぶん人類学の博物館に対してずっとあった批判へのひとつの応答だったんだと思います。隣の国で普通に暮らす同時代の家族の日常の空間をパッと持ってくると、もちろん自分たちの生活とのズレもあるんですけど、似ている部分もあったりして、世界というのはズレながらも、地続きにあることが表現されていると思いました。
　現代の人類学では、遠く離れた場所に、まったくわたしたちと相容れない文化を持つ人びとがいる、というところに留まったらダメなんですよね。それって結局、エキゾチックな他者イメージを再確認して、そうではない文明的な自己イメージを強化しているだけだと、人類学も批判されてきたわけで。「わたしたち」と「彼ら」との連続性や入り組んだ関係性もちゃんと捉える必要がある。民博が異文化のめずらしい物を並べるだけの場所ではないことを示したのも、そういう文脈での試みだったと思います。

柴崎　そうですね。それまでの展示とは全く異なるあり方が示されていたと思います。

――ちなみに、いま松村さんがおっしゃった「人類学への批判」とは、具体的にはどういうものなんですか？

松村　特に1980年代、人類学は外部からも内部からも多くの批判にさらされたんですが、主にふたつあります。ひとつは、ヨーロッパの植民地支配がアジアやアフリカなどに広がっていく過程で、人類学者も世界各地を調査していったことについてです。人類学者が書くものにはそうした植民地行政の後ろ盾があって調査が行われたみたいな背景はあまり載らないんですけど、たとえ人類学者がそういうつもりはなかったとしても、人類学という学問分野は、植民地統治のために、非西洋の人たちを理解し、支配するための研究という帝国主義的なプロジェクトの一部として発展してきたわけです。西洋の人類学者の研究と植民地支配が共犯関係にあったという批判ですね。

――はい。

松村　もうひとつは、1点目と重なる部分もあるんですが、「他者を表象する」こと自体に関わる問題です。有名なエドワード・サイードによる『オリエンタリズム』（平凡社）がいい例です。ヨーロッパは歴史的にずっと中東や北アフリカなどアラブ世界を「異文化」として研究してきて、絵画や文学作品でも繰り返し描いてきました。それは結局、アラブ世界を理解するためではなく、むしろ「ヨーロッパ」という自己像を確固たるものとするために「そうではない他者」を描いてきたのではないかという批判です。

例えば、アラブ世界は性的に放縦で猥雑だといった描き方をすることが多かったのですが、それは、わたしたちキリスト教徒はそんなことをしない「道徳的な存在だ」という自己像をつくり出すために「そうではない他者」を描き出してきたのだと。このサイードの批判は、ある意味で、それまで人類学者がやってきた仕事の全否定でもあったんです。

現地に出かけていって、そこの人たちは「こういう文化を持っている」、「こんな社会をつくっている」と研究して示すことが人類学の役割だと思われてきたわけです。でも、そうやって「他者」についてあだこうだ言うって、結局は「自分たちの優位性を強化して、植民地支配を正当化する権力関係を維持する営みだったんじゃないか?」と批判されて、人類学はこれからどうすればいいんだ、となったんですね。つまり、他者を「わかる」とか言うこと自体、暴力的なんじゃないの?と。その後、アメリカの人類学者たちが1986年に出した『文化を書く』(紀伊國屋書店)という本で人類学内部からの自己批判も高まって、「ライティング・カルチャー・ショック」として人類学を揺るがしたわけです。

――松村さんは、そうした批判に対して何か気をつけられていることはあるんですか?

松村　〈働くことの人類学〉のポッドキャストでも繰り返し注意しているのは、ひとつの固定した他者イメージをつくり出さないようにするにはどうすればいいのかということと、他者や異文化との差異や類似性を通して、ちゃんと自分たちを振り返り、問い直せるのか、ということです。一方的に他者のことを表象して「この人たちはこういう人だ」とか「ああいう人だ」と解釈したり、描き出すだけではなく、そこから自分たち自身がどういう存在であるかを考えたり、あるいは、違う人たちだと思っていたところに連続性を見いだしていくことも大事だと思います。そんなふうに人類学は、単純に他者のことを理解したり、解釈したりするためだけの学問ではなくて、むしろ他者理解と自己理解のはざまで揺れ動くという方向に進んできたんです。1980年代には、自分たちの社会を研究対象にすることも普通になってきて、「企業」や「病院」なども人類学の研究対象になっていますし、このポッドキャストも、単にエキゾチックな他者イメージを再生産するのではない形を試行錯誤してきたつもりです。

柴崎　いろいろなことに関して「揺れ動く」というのはとても重要なことのように思います。これは「オリエンタリズム」にもつながる話ですが、わたしたちは、とかく異文化を理想化してしまうところもあって、現代文明はダメで、辺境と言われる場所の文化や暮らしのほうが豊かだと考えてしまったりしがちです。これは佐川徹さんが出演された回でもお話に出ていましたが、ノマドワーカーという言葉が本来の「ノマド」とは違う意味合いで、都合良く企業のために使われてしまったりもします。ですから、丸山さんがおっしゃられていた「ひとつのことをするやつら」みたいな言葉も、注目されたら注目されたで、もしかしたら企業の都合のいいように意味が歪曲されて使われてしまうことも起きかねませんよね。

松村　おっしゃる通りです。

柴崎　例えば、最近「副業してもいい」みたいな会社が増えていますよね。でもそれは、実際は社員に生活を保証できるぐらいの賃金を払いたくないことが理由かもしれない。その思惑のために「ひとつのことをするやつら」という言葉がうまいこと使われてしまう可能性もありそうで、であればこそ、そこはずっと揺れ動いていないといけないと思うんです。「本当にそうなのかな?」とか「そのことでどうなるのかな?」みたいな視点はいつも必要だなと思っています。

松村　他者のことをネガティブに語るのと、ロマンチックに語るのって同じコインの裏表ですよね。そういう問題にどう向き合うか考えるときに、第6話で久保明教さんが投げかけられていたのは「単純に相対化するだけじゃだめなんだ」ということですよね。

　例えば、「ひとつのことだけをやっている」日本と「いろんなことをやっている」ブッシュマンというふうに、ふたつの選択肢があるとか、日本人とは真逆の人たちがアフリカにいるという話ではない。日本も、かつて「百姓」と呼ばれていた人たちはまさにたくさんの仕事をしていたわけで、別にお米だけをつくっていたわけじゃない。庶民に多様な稼ぎ口があるのは当たり前だったのが、だんだんそれではダメで専門化して分業したほうが近代的でいいみたいな流れで変えてきたわけです。つまり日本における「ひとつのことをする」は、「いろんなことをやっている」を相対化し、否定した上で自ら選んできた。その「ひとつのことをする」をまた相対化して、今度は「いろんな副業OK」みたいな形で戻そうとするのは、単にふたつの極をパタパタと行ったり来たりしているだけだと。だから、それらのふたつとは違う線の引き方を考えるのが大事になってくると思うんです。

柴崎　固定するために線を引くのではなく、揺れ動くようにするために線を引くという感じですよね。

松村　はい。「ひとつのことをするやつら」と「たくさんのことをできるやつら」ではない線の引き方をどこに見いだしていくかだと思います。久保さんの問題提起は、どこか遠くの知らない人たちがやっていることをそのまま参考にしたり、自分たちはどちらかだと決めつけたりするよりも、身の回りですでに経験しているんだけど、見逃していることのなかに、別の線の引き方や物事の結びつけ方を見いだそうということでした。久保さんは、それを「小アジのムニエル」に見いだそうとしていたわけですが、そのたとえがあまりに印象的で面白かったので、「小アジのムニエル」という言葉だけがひとり歩きしてしまって、簡単に「わかったこと」にされてしまうことに、久保さんはだいぶ憮然とされていましたが（笑）。

柴崎　シンボリックな感じがありましたからね（笑）。

松村　いずれにせよ、久保さんが話されていたように、日常のなかにある「よくわからないもの」「見えていないもの」という他者性をいかに見逃さずにつかめるか、揺れ動かすために別の線が引けるかが重要なんだと思います。そのときに人類学者が提示する「違う物差し」が役に立つかもしれない。男女の線引きとかも固定的に捉えてしまうと、どうしたって行き詰まってしまい、息苦しいばかりになってしまうでしょうし、健常者か障害者かといった線引きなんかもそうですよね。

――最近、電動車椅子に乗っていた方が駅で乗車拒否されたというニュースが話題となりました。

松村　そういうケースでも、いかに二項対立的な構図をずらして考えられるかって重要だと思うんです。わたしだってケガをして松葉杖をつくことになれば、階段を上るときに手を貸してくれる人が必要になる。誰もが年を取ってひざが痛くなったら階段の上り下りが難しくなるし、ベビーカーを押している家族も同じです。別に電動車椅子の人だけが支援を必要としているわけではないし、障害のある方が必要としていることは、他の人にとってもメリットがあって、実際気づかないだけでみんなすでにいろんな恩恵を受けてきたわけで。そうやって健常者と障害者という分け方ではない線を引いて考えるのもひとつです。

　あと、ドイツで暮らしていた人から聞いた話を思い出したんですが、ドイツの鉄道で車椅子に乗った方が駅員に手助けしてほしいと頼んだら、駅員は、その辺に座っていた若い乗客を指さして「彼が手伝ってくれるよ」と言ったらしいんですね。若者も「え？　おれ？」みたいな感じで、でも嫌な顔もせずちゃんと手伝ったみたいで。先ほどのケースでは、車椅子の障害者が悪いのか、鉄道会社が悪いのか、という感じで炎上したみたいですが、そこで抜けている視点って、「なんで他の乗客は何もしないの？」ってことですよね。駅員だけで対応できないとき、その場にいる人が手を差し伸べるのが当たり前であれば、そもそも問題にすらならなかったのでは、と。

そういう感じで自然にやっている人たちの振る舞いを知ると、問われるべきは、障害者か鉄道会社かという対立の構図ではなくなるわけです。なんで他の乗客とか、ああだこうだ意見を言う人たちは無関係の存在にされてしまっているの？って。たぶんそこを問題にする人って少なかったと思います。別の線の引き方をすると、見えていなかった別の切り口が浮き上がってくる。少なくとも、問題の対立的な構図を揺さぶることになりますよね。こうやって違う角度から捉え返してみることを、人類学者はやろうとしているのかなと思います。

柴崎　そういった観点でヒントになると思ったのは、第4話の小川さやかさんのお話でした。香港で暮らすタンザニア商人は、香港でタンザニア人が亡くなるとそのときに居合わせた人たちが遺体を国に送るお金を出し合うという話で、あれはすごく示唆を与えてくれると思いました。その人に対して恩がある人とか、借りがある人がお金を払うわけじゃなくて、亡くなった人には会ったことのない、たまたまその1週間前に香港に来たばかりの人でもその場に居合わせたからお金を払うという。それって、これをしたからその分返してもらうべき、みたいな感覚ではないわけですよね。もしかしたら、回り回ってどこかで自分も助けられるかもしれないといったくらいの感じで。それはとても重要な気がしました。

いまはあちこちで関係が直接的になりすぎているように感じるんです。やってあげたからその分返してもらいたい、お金を払ったお客だから店員にやってもらって当然みたいな感覚とか、本来そうではないことについても直接的な関係が正しいかのような言い方がされることが増えて軋んでいる。もっと間接的な関係のほうがいいんじゃないかと思うことは多くあります。

松村　なるほど。

柴崎　タンザニアの人たちの話は、商売で騙されることもあるけど、それはまた別のところで返ってくるかもしれないみたいな感じで、厳しく責め立てないで、ゆるさを残していますよね。ああいうふうに猶予や余地を残しているような状態が重要なのかなと。

以前トークイベントをした際に、松村さんも取り上げてくださいましたが、『春の庭』（文春文庫）という小説のなかで、もらったものを別の人にあげる話を書いたことがあります。もらった人にお返しをするんじゃなくて、自分はいらないから別の人にあげる。読者の反応は「気のいい人だ」と「失礼な人だ」とに分かれるんですけど（笑）、わたしはそれも両方というか、「揺れ動く」つもりで書いていて。昔からわらしべ長者的な話が好きなんですが、そういうズレた関係や間接的な関係で結果的にいいことが起こることもあるし、そんな余地をもう少し大事にしてほしいというか、その揺れ動きがいまの社会に必要なことのような気がしています。クレーマーと呼ばれる人も、お金を払ったんだから思い通りになるはずだ、という、直接的な関係が前面に出すぎているのかなと感じます。

松村　それを聞いて思い出したのが、第5話のゲストの中川理さんが教えてくれた話です。中川さんは徳島の南のほうの町のご出身なのですが、ご実家の裏の畑に知らない人のお墓があるらしいんです。詳しい経緯はわからないみたいですが、どうやら行き倒れたお遍路さんのために、お墓をつくって埋葬したんじゃないかというんですね。それで、お盆の時期になると、自分たちの先祖のお墓だけじゃなくて、その知らない人のお墓にもちゃんとお参りするんだそうです。毎年「このお墓、誰のだろうね」なんて話をしながらも、お参りを欠かさないと。そういうケースは四国ではよくあるそうで、つまり、自分とは直接縁のない、関係のない人もその死に対してはその場に居合わせた人が弔うのって、わたしたちが考えているよりもはるかに普遍的なことかもしれません。
　柴崎さんがおっしゃったように、あげたから返すとかお金を払ったから権利が発生するみたいな1対1の関係でしか社会を捉えられないというのは、日本とタンザニアの差というよりも、最近になって日本社会がそういう仕組みを中心にして回るようになってきただけで、わたしたち自身のなかにもちゃんとある、人間ってそういうもんだっていう感覚を捉えられなくなってしまっている、それをうまく把握する言葉や視点を失いつつある、ということかもしれませんね。

柴崎　そうですね。

松村　教育も同じですよね。教えた人から何かを返してもらうために教育をするわけじゃない。教育って、次の世代の人たちが生きていくために、自分たちが受けとったものを手渡していくもので、お金を払わないと教えないとか、何かを教えた見返りに年金を払って支えてもらうとか、そういう発想で行うものではないですよね。いま生きている消費者と生産者、サービスの提供者と享受者といった直接的な交換関係ばかりではない、もう少し長い時間軸でつながりあって、受け渡していく関係って、社会のなかに他にもたくさんあるはずなんです。

いまここにはいない「死者」や「これから生まれてくる人」に対する想像力みたいなものが、いまの社会はすっぽり抜け落ちたまま組み立てられていて、しかもその直接的な関係だけが正当なものとして幅をきかせている状況には、違和感を覚えます。人間ってそもそもそんな自分だけで生きていける存在ではないので、物事を考えるときにそのロジックだけが使われるって、そもそも無理があるというか、社会全体がいびつなものになっていきますよね。

柴崎　直接的な関係になればなるほど、お互いに余裕がなくなっていきますよね。硬いと折れやすいみたいなことはよく言われますけど、そういう状況になっている気がします。

――違う線の引き方を考えるという話のなかで、小説というものが提示できることは何かありますでしょうか？

柴崎　小説を書くときに思っているのは、現実の後追いじゃないことを書きたいってことなんです。いますでにある現実だったらそうじゃないのかもしれないけど、小説のなかだからありえるというか、ありえたかもしれない世界について小説では書けたらいいなと考えています。自分の小説に限らず、フィクションへの感想として「この登場人物が友だちだったらイヤだ」とか「身近な人だったら付き合えない」と書いてあったりするのですが、そうであるからこそ、小説を読む意味があるはずなんです。現実なら難しくても、小説のなかなら少なくとも読んでいる時間はその登場人物たちに付き合える。

話がズレてしまうかもしれませんが、最近よく思うのは、小説だけじゃなくて映画やさまざまなフィクションに対して「共感」という言葉がよく使われますよね。でも個人的に気になるのは、そこで言われる「共感」が指すところが、「自分と同じ状況」とか「自分があらかじめ思っていること」に対する答え合わせのような、とても狭い意味で捉えられている、「自分と同じだから共感する」という狭い意味で使われることが多いように感じます。

わたしが思う「共感」は、人と違うからこそ「共感」できるというか、わたしはこの人じゃないし、全然違う立場でわからないんだけど、その小説とかフィクションのなかである一定時間その人の横にいることで、この場面でこうやっちゃったのはわかるな、こう思うこともあるのかもしれない、そういう人もいるんだろうな、ということも含めた「共感」なんです。

現実の後追いじゃない小説を書きたいというのは、小説のなかでそれが可能だったら、もしかしたら現実のなかでもいつかありえるかもしれないとも思いながら書いています。人生が変わる、みたいな大きなことだけじゃなくて、いままでだったら話しかけなかった近所の人に話しかけてみるとか、そんな少しの変化も含めて。

松村　例えば、映画化もされた柴崎さんの小説『寝ても覚めても』（河出文庫）は、何と言い表していいかわからないですが、すごくザラザラしてますよね。ずっと不穏な空気が流れているというか。主人公たちに簡単に「共感」はできないんだけど、でも自分のなかにそういう部分がないかといえばそうとも言い切れないし、彼らが友人だったとしたら、自分ならどうするのか問われたり。そのザラザラ感って、さっきの「他者性」にもつながるかもしれないですね。

柴崎　そうですね。まさに「他者性」ですね。

松村　大学で人類学の授業をしたときに一番がっかりするコメントは「日本に生まれて良かったと思いました」なんですよ（笑）。これが来るとほんとにがっかりしてしまうのですが、でも、そういうコメントが実際はけっこう多くて。エチオピアの映像を流して「日本に生まれて良かった」って言われるのは本当に悲しいのですが、そういう感想しか出てこないところを、なんとか揺さぶりたいとは、いつも思っています。

柴崎　「共感」の問題も、それと近いところがありますね。自分のあらかじめ知っていることに当てはまるかどうかで判断されてしまう。

松村　本当は、いまの自分たちとは違う「こうではないあり方」を、「ありえたかもしれない」ものとして自分自身を問い直して変化させるきっかけにしてほしいわけです。でも、自分の現状を肯定する材料にされてしまう。まあ、そうやって学生を「揺さぶれる」って、人類学者の思い上がりかもしれないですが。実際このポッドキャストも受け取り方はさまざまだと思うんです。わたしたちも一方的に音声の語りだけで伝えなくてはいけませんし、会場の反応を見ながら、質問に答えながら話を進められるわけでもありません。でも、ポッドキャストという媒体がどういう可能性を持つのかチャレンジしてみたのも、人類学の表現手段として別の可能性を探りたいという思いがあったからです。

結構写真や映像のほうが「あ、なんか貧しそう」とか「衛生状態が悪そう」みたいに受け取られてしまう。だから、写真や映像がよりリアルなのかというと必ずしもそうではなくて、むしろ音で聴きながら、自分の体験を反芻していくほうが豊かに想像を広げられるかもしれません。

柴崎　写真や映像と比べて文章や言葉のほうが伝わる部分があるなと思ったのは、以前、イギリスの地理学者ニック・ミドルトンが書いた『世界でいちばん過酷な地を行く：人類に生存限界点はない！』（CCCメディアハウス）という本を読んだときです。世界で一番暑いところと寒いところ、乾燥しているところと雨ばかりのところに行くという体験記なのですが、これには映像バージョンもあります。わたしは最初に本を読んでから映像のほうを見たのですが、全く同じ行程を描いているはずなのに、寒さや暑さを映像で見ると、どうしても自分の知っている感覚に当てはめて判断してしまうなあと。マイナス50度で雪が積もってても、自分が日本で見たことのある雪の冷たさを想像してしまう。つまり、映像で見ると、わかったようでわかっていないところがあると思ったのですが、文章で読むと「寒さが痛い」感覚だったり、体温を保つために大量に食べないといけないその苦しさだったり、かえって想像力が働いたんです。それと同じように、ある場所で暮らしている人の感じや雰囲気は、むしろ文章や言葉で聞いたほうが、想像の余地が生まれる部分もあるなと。

松村　なるほど。

柴崎　いまお話ししたような、考えることの余地や想像力の話は、この本のテーマでもある「働く」ことについても同じかもしれません。いまの社会では「働く」ことがすごく一元化されているように思うんです。「ひとつのことをするやつら」っていう言い方は言い得て妙ですが、会社に勤めることも基本的に一方向にしか向いていませんよね。新卒で就活して会社に入ったらローンを組んで家を買って、というコースがいまも社会制度の基本になっている。社会人になってから大学で勉強することも、まだまだ難しいですよね。

ブッシュマンの人たちが海外に留学して戻ってきてまた狩猟採集をやるという話を聞いていると、自分自身も一方向からしか考えていなかったなと気づかされました。留学したり勉強することと狩猟採集が同時にあっていいはずなのに、いまの日本では「働くとはこういうことだ」というのが固まりすぎていますよね。

「働く」ことは、人生のなかでものすごく多くの時間を占めていますし、もちろん生きていく上で必要なものですが、それが自分の人生や人格において占める割合が、あまりに大きすぎるんじゃないかという感じがします。もう少し自由や余地があってもいいのに、と思います。

松村　人類学者のデヴィッド・グレーバーが『ブルシット・ジョブ：クソどうでもいい仕事の理論』（岩波書店）という本で、みんなが働くことに大半の時間を費やすようになったことで、余暇の時間が「30分ジムでトレーニングする」とか「Netflixを1時間だけ見る」とか細切れになって、結果として「ライフ」が消失したと書いています。その「ライフ」というのは、朝から友人の恋愛話に付き合っているうちに夜もふけてしまうとか、そういうことだとグレーバーは言うのですが、そういう時間がいまはすごく贅沢なものになってしまって、細切れの時間しか持てなくなっている。自宅で夕食後に「オンラインで30分ミーティングする」みたいな感じで、プライベートだと思っている自分の人生の時間にも「仕事」が入り込んで、細切れにしか生きられなくなっているんですね。

柴崎　まさにそういうことですよね。

松村　小説家って、そうした点でも、独特なお仕事ですよね。ある意味究極のフリーランスじゃないですか。誰も就業時間とか管理しないし、自分で何か書いて売れないと食べていけない。

柴崎　自分は子供の頃から小説家や、何かフィクションをつくる仕事をしたいとずっと思っていまして、あまり他のことを考えないまま来てしまった感じです。だから会社勤めをしてみて、こういう人生のあり方もあるんだなと思えたのは本当に良い経験でした。会社勤めの仕事は仕事としてやりながら、お金が貯まると世界中のバイクレースに参加している人がいたり、技術を磨いて若い人に教えることに使命感を持っていたり、いろんな仕事と人生の関係があって。野球が好きだから野球選手になることだけが一番いいわけではなくて、仕事から帰ってビールを飲みながらナイター中継を見たりするのもすごくいい人生だなと思ったんです。

いまはリモートワークで、いまのわたしの仕事に近い働き方の人も増えてきていますよね。先日、リモートワークになった人が書いたブログなどをいくつか読んだのですが、「公私」の区別がなくなってしまったとか、人と話す機会も減って生活がつらいとか、通勤している生活のほうが自分にとっては大事だったと書かれていまして、そういうのを読むと、改めて自分の生活や働き方を考えさせられます。

松村　どんなことを考えさせられるんでしょう。

柴崎　作家には毎朝早起きして朝に必ず2時間原稿を書いたり、時間を決めて仕事場に通う人もいて、長編を書く人は規則正しい方が多いように思います。わたしはまったくそういうスタイルではなく、どちらかというとすごくダメというか、日課を決められない生活が続いています。なので、「小説家ってどういう生活をしているんですか？」と聞かれても「他の人はわからないんですけど、わたしはダメな浪人生の夏休みが一生終わらないような感じです」と答えていて、そんな自分を長いこと「ダメだな」と思っていたんです。でも、いまリモートワークをしている人が書いているブログなんかを読むと、家で時間の管理がない状態や、フリーランスとして働くことは、少なからぬ人にとっては結構大変なことで、わたしだけがとりたててダメなわけではないんだなと思えるようになりました。

松村　それは面白いですね。

柴崎　とはいえ、わたしは通勤する生活も苦手だったんですけどね（笑）。わたし自身は、小説家の仕事は、なる前から明確に「仕事」だと認識しているところはありまして、よくインタビューで「夢を叶えてみてどうですか？」とか「夢を叶えるってどんな感じですか？」みたいな質問をされるんですけど、あまりそういうふうに思ったことはないんですね。

　母が自営で美容院をやっていて、わたしもずっと店に立って手伝いをしていた影響もあって、子供の頃から「小説家になりたい」のも夢みたいな感じではなく、自分にとってはとても現実的でした。母が働いているのを間近で見ていましたし、働くのは生活の長時間を占めるのだからやりたいことをやったほうがいいだろうと思って。いったん会社員になったときも、30歳までに小説の仕事で生計を立てられるようになるのを目標にしてお金を貯めようと、しっかり計画して働いていました。一方で、大学を卒業したのは就職氷河期と呼ばれる時期で、就職活動では大変苦労しましたし、条件の悪い仕事につくしかなかった友人も多かったんですね。それもあって、「仕事について考える」ことにはずっと興味がありました。というのも「労働とは何か？」といった話題って、特に日本が経済的に豊かになった80年代以降はあまり文化関連の場で語られることが少なかったと思うんです。「人生の目的は?」や「厳しい状況で働くことのつらさ」といった切り口で「働くこと」や「仕事」が個人の経験として受け取られがちで、「労働って何?」とか「なぜ現代はこのような労働条件が一般的なのか」といったことは語られてもなかなか大きく注目されにくかったと思うのですが、最近は世の中の変化もあり語られることが増えてきた感じがします。

例えば、いまは性差別の問題が大きく取り上げられるようになりましたが、個人の意識だけでなく、構造的な「働くこと」に関する問題が大きいと思います。政治や経済界で「女性の社会進出」と掲げられたりしますが、「進出」ってどういう意味なのかなと思ったり。

松村　たしかに「進出」する先は、ここでも「社会＝会社」ですね。それ以外の生活のことなどは話題にならない。

柴崎　男女間に賃金や制度的な不平等があることもそうですが、一方で、家のことは妻なり母なり誰か女性が無償でやってくれるという前提で、男性は長時間労働や厳しい働き方を強いられてきた面もあるわけですよね。そう考えると、いまの会社の仕組みにそもそもの問題があるわけです。「働き方」の問題は、男女のことや家庭のことなどさまざまな要因がつながっているわけですし、制度と具体的な働き方の関係なども、本当はもっと多くのことが語られるようになればと思うんです。いろいろな働き方があって、いろいろな暮らし方の可能性があることが、もっと語られていいように思うんですね。

――小説家とか詩人と呼ばれる方が、実際どういうふうに生計を立てられているかといったことも、世の中ではほとんど語られませんよね。下世話な意味でお金の流れを知りたいということではなく、少なくとも経済的なコンテクストで、社会において小説家や詩人のような職業はどのように置かれているのかをちゃんと把握したほうがいいのではないかと思ったりします。

柴崎　今回の新型コロナウイルスのパンデミックで緊急事態宣言が発令されたことで、文化関連の仕事は「不要不急」のような言われ方をされてしまっていますよね。たしかに、普段の生活のなかで「明日なければ困る」みたいな事業ではないと思うんですけど、それでも、「不要不急」とは違う語られ方のなかで、仕事としてちゃんと成立して、社会に対して関わっているんだということをもっと語っていくべきだと思いました。目立つのは舞台の上に立つ人ですが、そこに関わる仕事もたくさんありますよね。

松村　震災の後もそうでしたが、緊急事態になると文化関連の事業や仕事は、「役に立たないこと」として俎上に上がりがちです。大学での研究なども最近は特に「役に立つかどうか」が言われますが、「こういう理由で役に立っています」という方向だけではなくて、別の方向ややり方で語っていくことも必要なんじゃないかと。それを変えていくには、別の場所に線を引いたり、そもそも線が何なのか考えたりするのは重要ですね。

ちなみに、「公」と「私」という分け方をするなら、柴崎さんにとって、小説を書く仕事は「公」と「私」のどちらにあたるんですか？

柴崎　どっちなんでしょうね。小説を読むことは趣味としても好きでもあり、それと仕事が重なっているから「私」的な部分はあります。一方で、いまの社会で公私って何だろうみたいなことも常に書く上で考えますよね。ときどき「書くのがすごくお好きなんですね、楽しいんですよね」と言われることもあるんですけど、書いているときはつらいことのほうが多いですし（笑）、「小説家になる」と思ったときから「仕事」と明確に意識はしているので、仕事や職業として成立させるためにやるべきこともあります。わたしにとっては分けられないところが面白いところでもあるのかもしれません。「個人的なことは政治的なこと」という言葉もありますが、生活のなかで思っていることが仕事につながっていく面白さもありますし、なかなか興味深い仕事についたなと思います。

松村　パブリックなものであるという意識もそれなりの比重としてはありますか？

柴崎　そうですね。小説って必ずそのときの社会を反映するものでもありますし、職業としても他の仕事と変わらない、社会に関わっている仕事だと思っています。

松村　本来は、「公」と「私」は交じり合っていて、「働く」ってその区別が簡単につかないものですよね。むしろ「公」「私」が明確に区切られることで、何かが見えなくなってしまう。先ほどの柴崎さんのお話のなかで、通勤しているほうがよかったとブログに書かれた人にとって、きっと通勤時間が「公」と「私」を切り替えるスイッチだったんでしょうね。それがテレワークになって「公」と「私」が連続したものになると、しんどくなる。でも、元々「働く」ことは家族のことともつながっているように、「公」と「私」は連続線上にあるのに、そこに人為的に切れ目を入れて、無関係のものにできてしまう。そう考えると、みんな同じ時間に会社に出勤して集まっていたのは「はい、ここからは仕事です（個人的な事情は持ち込まないようにしましょう）」という公私の区別を機能させる装置だった、とも言えますよね。

柴崎　「公」と「私」のような線引きは常に揺れ動いていて、固定化しそうになっていたら意識的に線を引き直していくことが重要なんだと思います。

松村　柴崎さんはいま「働く」というテーマで書かれていたりとかするんですか。

柴崎　少し先のことになりますが、書きたいなと思っています。

松村　ぜひ書いていただきたいです。

柴崎　いま興味があるのはストライキですね。わたしが子供のときは、電車が運休したり、まだときどきストライキがありましたが、最近はほとんど見かけませんよね。フランスなどでは結構あって、激しい活動の映像がニュースで流れたりしますが、なぜ日本からストライキがなくなっていったのかということが、とても気になっています。

松村　たしかに日本ではあまり見かけなくなりましたけど、ストライキも働くことの一環ですよね。働くことを守るためにストライキをする。

柴崎　「働くことをやめる」ことが働くことの一環なんですよね。

松村　連合とか組合に行って取材をされるとか、そういったこともされるんですか？

柴崎　いまはまだ具体的な段階ではないです。たぶん直接ストライキを描くというよりも、ストライキについて考えているうちに、小説のなかだったらこういうことができるんじゃないかと考えていくと思います。

松村　小説のテーマって、そうやってストックのなかに取っておくという感じなんですね。

柴崎　そうですね。わたしの場合はストライキのように気になるテーマがいくつかあるなかで、それぞれをほどよい距離で放置しておくと、なにかのきっかけでつながっていきます。「これとこれとこれは関係があって、こうすると小説になりそう」ということがときどき起こるんです。

松村　なるほど。大学の先生も、昔はよく授業を休講にしていましたけど、いまは少なくなりました。休みにしたら補講しなくちゃいけないし。

柴崎　サボタージュとかストライキとか、昔はあったのになんで減っていったんだろうと思っていろいろと調べたりしています。

松村　それはすごく面白そうです。楽しみにしています。今日はお忙しいなかどうもありがとうございました。

柴崎　こちらこそ、ありがとうございました。

柴崎友香｜しばさき・ともか

1973年大阪府生まれ。2000年に刊行されたデビュー作『きょうのできごと』が行定勲監督により映画化され話題となる。2007年『その街の今は』で芸術選奨文部科学大臣新人賞、織田作之助賞大賞、咲くやこの花賞、2010年『寝ても覚めても』で野間文芸新人賞、2014年に『春の庭』で芥川賞を受賞。小説作品に『ビリジアン』『パノララ』『わたしがいなかった街で』『千の扉』『公園へ行かないか？　火曜日に』『百年と一日』、エッセイに『よう知らんけど日記』『よそ見津々』など著書多数。

第1話

深田淳太郎

お金をめぐる問い

貝殻の貨幣〈タブ〉の謎

パプアニューギニアをフィールドに研究をされている
三重大学の深田淳太郎さんをお招きして
いまも貝殻の貨幣を使いつづけているトーライの人びとの話から
「お金」と「働くこと」の意味を考えます。

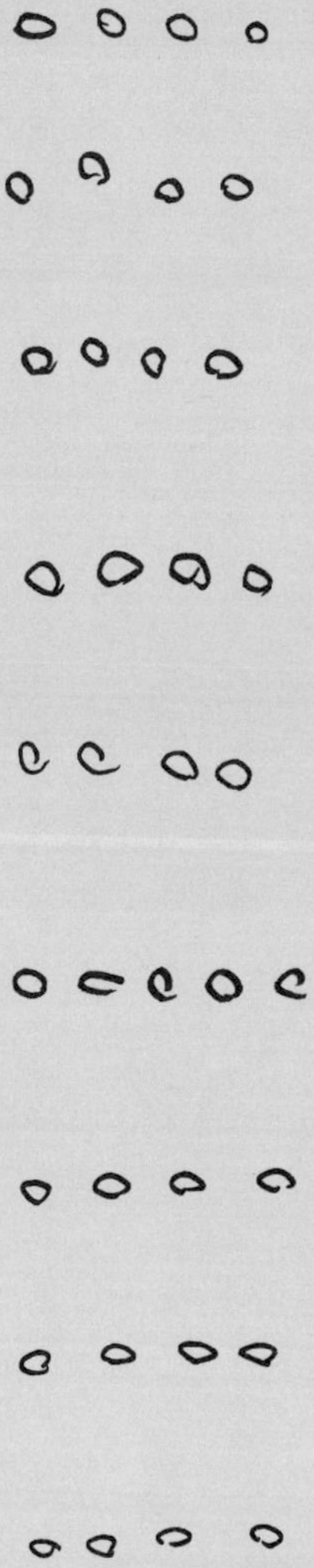

深田淳太郎―ふかだ・じゅんたろう
三重大学人文学部准教授。パプアニューギニアのラバウルをフィールドに貝殻貨幣などのローカルな経済システムと市場経済の関係について研究。近著に「除菌と除霊とキャッシュレス」(『現代思想』2020年8月号)、「貨幣と信用」(『文化人類学の思考法』所収)など。

若林　「働くことの人類学」の第1回目は、パプアニューギニアをフィールドに研究されている三重大学の深田淳太郎さんをお迎えして「お金ってなんだろう?」をテーマにお話しいただきます。

松村　今回、このポッドキャスト企画の大きなテーマは「働くこと」です。これは若林さんからいただいたお題なんですけど、なぜこういうテーマになったんですか。

若林　働くことって、いま誰しもが興味ある話題なんですね。それはおそらく、自分の人生において働くことの意味が大きく揺らいでいるからだと思うんです。実際に、仕事って人生のなかでたくさんの時間を割くものですから、その意味が揺らいでしまうと人生そのものが揺らいじゃいますので、これは由々しき事態だと思うんです。ですから「働く」ということをもう一度社会のなかに、あるいは自分の人生のなかにちゃんと埋め込み直さない

といけないんじゃないのかなという思いから、松村さんにお声掛けさせていただきました。

松村　シリーズの第1回目を、深田さんにお願いしたのは、「お金ってなんだろう?」が大きな問いとしてあるからです。私たちが「仕事をしている」とか「働いている」というとき、対価が発生してお金をもらうことで初めてそう認識していると思うんですよね。何かをやって、そこにお金のやりとりが発生しなければ、それは「趣味だよね」とか「ボランティアですね」と言われてしまうわけです。お金を介さないと、仕事とは違う何かと見なされてしまう。

特に日本では、働くことは、お金を受け取ることとほとんどイコールに想像されていると思うんですけど、じゃあ、仕事の目的であるお金が何であるかをきちんと理解しているかというと、そんなことはない。案外よくわからずに働いている人が多いと思うんです。

若林　わからないですね。僕らは子どもの頃に、はじめは物々交換の社会というものがあって、それだと面倒だから貨幣が生まれた、みたいにお金というものの起源について習ったと思うんですけど、どうもそうじゃなさそうだといった話が、文化人類学方面から出てきているとも聞いています。

松村　お金って、実は私たちがイメージするのとは違う形で、世界中の色々な人たちによって使われてきたし、いまも使われ続けているんです。深田さんは、パプアニューギニアのトーライという社会で、貝殻の貨幣が使われ続けていることに注目してフィールドワークをされてきました。私たちとはちょっと違うお金の使い方、お金との関わり方をもつ社会から、「そもそもお金ってなんだろう?」という問いについて今回は考えてみたいなと思っています。

「タブ」とは何か?

松村　深田さんとは、もうだいぶ長い付き合いになりますよね。

深田　そうですね、10年ぐらい。もっとですかね。

松村　大学も違いますし、調査している地域も違うので、どこで最初にお会いしたのか思い出せないんですが、同じような時期に大学院に入って人類学をやり始めて、最近は研究会も一緒にやったりしていて、非常に親しくしていただいている人類学者のおひとりです。まず、深田さんがパプアニューギニアをフィールドにしたのは、どういう経緯だったんですか。

深田　人類学者として自分のフィールドを決めるときに、大きく分けるとふたつ傾向があると思うんですね。ひとつは、ある地域にすごく興味がある場合。もうひとつはテーマが先にある場合です。ひとつ目は、例えば自分の場合ですと、ニューギニアにすごく興味があったからニューギニアに行きたいと思って行ってみたとか、あるいは松村さんがそうかもしれないですけど、アフリカに行きたいと思ってアフリカに行ってみた、というような場合ですね。まあ、松村さんがそうだったのかはちょっとわからないですけど。

松村　いや、僕はたまたまです（笑）。

深田　自分の場合は、ふたつ目のほうで、ニューギニアが好きでニューギニアに行ってみたというより、わりと最初からお金のことを調べたいと思ったんです。「お金」というテーマが先にあって、お金について何か面白いテーマはないかなと思っていたんです。

それで僕が大学院生の修士課程だった1999年か2000年頃に、フィールドをどうしようかなとインターネットで色々調べまして。当時はまだインターネット回線がダイヤルアップでピー、ガーといっていた頃でしたが、太平洋の国々の新聞記事を集めているハワイ大学のサイトを見つけまして、そこに、いま自分がフィールドにしているニューギニアのトーライ社会というところで、それまで伝統的に使われていた貝殻のお金を法定通貨にする、という記事が出ていたんです。これは何か面白いことが起こっているぞ、とそのときに発見したのが最初の出会いです。

当時は修士課程で調査に行くお金もなかったので、とりあえず修士論文を書くために先行研究があったらいいなと思って調べてみると、トーライ社会のあるラバウルは先行研究が多かったので、ここをフィールドにしようと。それで博士課程に進学してからパプアニューギニアのラバウルをフィールドに決めた、という経緯なんです。

松村　貝殻が法定通貨になるって、貝殻の貨幣を国が法律で正式に流通する貨幣として認める、ってことですか。

深田　国ではなくて、州ですね。ニューギニアには州が21あるんですけど、そのなかのひとつの東ニューブリテン州の州政府が法定通貨として認めたと。研究するきっかけになったその記事は、正確には、貝殻を法定通貨として使用していくための調査を開始した、みたいな内容でした。

松村　貝殻の貨幣って、近代的な行政とか市場とはまったく無縁のもの、人類学でも原始貨幣と言われて、いわゆる「未開な人たち」が使い続けているお金、というイメージがあるんですけど、パプアニューギニアではそうではなさそうなところが面白いですね。そもそも、トーライ社会というのは、パプアニューギニアのなかではどういう位置付けにあるんですか？

深田　貝殻のお金が法定通貨になると言うと、いまだに市場経済のない社会で、貝殻のお金ばかり使われている状況をみなさん想像するかもしれません。現金は全然使われていなくて、仕方ないから貝殻を法定通貨として認めよう、という順番をイメージするかと思うんですけども、実はそうではないんです。
　ニューギニアのラバウルって、みなさん聞いたことはある地名だと思うんです。太平洋戦争のとき、南太平洋戦線の一番大きい基地、司令部があったようなところで、日本軍がなぜそういう場所に司令部をつくったかというと、もともと港として非常に開けていたからなんです。ラバウルは19世紀後半からドイツの植民地下に入るんですが、当時から植民地における中心都市でした。
　ですからラバウル近郊に住んでいたトーライ人は、実はニューギニアのなかで一番エリートみたいな人たちだったんです。教育水準も高いし、お金持ちで、ニューギニアのなかでは市場経済に一番早くからなじんでいました。ですから「いまだに貝殻のお金を使っている」と言っても、貝殻のお金しか使ったことがないわけではなく、むしろ市場経済に一番なじんでいるトーライ人が、いまでも貝殻のお金を使っているところが面白いんです。貝殻のお金というと「まだ使っている」というイメージだと思うんですけど、そうじゃないんです。彼らは100年以上も前から「まだ貝殻のお金を使ってる」と西洋人に言われ続けてきたんですが、いまだって使っているわけですから、「まだ使ってる」という表現は違うんじゃないかと思いますよね。

松村　中央銀行が発行する普通のお金が流通したら、貝殻の貨幣なんてやがて消えるだろうと100年前からずっと言われてきた。でも、いまだに消えてない。ということは、その社会の人たちにとって、貝殻のお金はものすごく大きな意味があるんだと思いますが、実際にどういうお金でしたっけ？　一つひとつの貝殻は小さいんですよね？

深田　そうですね。ムシロガイという巻き貝なんです。一つひとつは、だいたいみなさんの手の爪ぐらいの大きさです。僕の指だとちょうど人さし指の爪ぐらいの大きさです。高さもせいぜい1センチぐらい。サザエを想像してもらうといいんですが、サザエの角のところをペンチでガリッと壊すと、お尻と穴が通じますよね？　そこに藤の蔓を裂いてつくった紐を数珠のように通してつくられます。これが「タブ」という貝殻のお金になります。

松村　貝殻の1個がお金なのではなくて、貝殻がいくつか連なって、ある程度の長さで1単位になる、ということですね。

深田　そうです。基本的には長さで数えます。人が両手を広げた幅が1単位です。これは長さで言うと、1・8メートルから2メートルぐらいなんですが、あまり厳密には測りません。体が大きい人はピンと張って、小さい人はちょっとたるませて加減して、なんとなく1単位を決めています。

松村　結構アバウトなんですね。例えば、その1単位のなかに貝が何個ぐらい入っているか数えたりしないんですか？

深田　現地の人たちは基本的には数えません。僕はフィールドワーカーなので数えるんですが、実際に数えてみると、1単位で大体300から400個ぐらいで、結構幅があります。ただ、貝と貝のあいだの隙間が空きすぎていたり、1単位として実際に渡したものがあまりに短かったりすると「こんなのだめだよ」と言われて受け取ってもらえなかったりするので、まったく基準がないわけではない。彼らのなかでやっぱり単位についてのある程度の合意はあるわけです。

松村　ジャラジャラと数珠のように紐でつながった貝殻の貨幣は、何に使うんですか？　何かと交換する？

深田　先ほども言ったように、彼らは早くから市場経済にはなじんできた人たちで、市場で買い物をしないわけじゃないし、お金を使わないわけじゃないんです。日常生活では、ニューギニアの〈キナ〉という法定通貨を使って暮らしています。でもカバンのなかには常に、この貝殻の貨幣のタブが入っていたりするんですよね。

ラバウルはたくさんの民族がともに暮らしている大きな町です。というかパプアニューギニアは700とか800くらいの言語が使われている、恐ろしいほどの多民族国家で、トーライ人以外の人もたくさんの民族が住んでいるのですが、タブはトーライ人しか使わないので、町では基本的にキナだけを使うんです。そして村に帰ってくると、道ばたにちょっとした露店なんかが出ていて、そこでヤシの実とかタバコ、あるいは彼らがすごく好きなビンロウという口のなかが赤くなる嗜好品を、タブで買ったりします。村の露店では、キナとタブの両方が使えるんですけど、日常的にはそうやってタブを使っていますね。

先ほど、このタブが法定通貨になると新聞記事に書かれていたという話をしましたが、具体的に貝殻貨幣のタブをどうやって法定通貨として使うかというと、例えば役所で税金を払うとき、あるいは学校の授業料を払うときに使うということですね。

この貝殻のお金タブの1単位、つまり両手を広げた長さである1ポコノという単位と、パプアニューギニアの法定通貨であるキナの交換レートがきちんと決まっていて、この交換レートに従って支払いがなされる。例えば、ある男性の1年間の税金が10キナのときには、僕が住んでいた村では、1ポコノ（貝貨1本）で5キナになるので、10キナの税金を払うために2ポコノ（貝貨2本）で払われたりするわけです。

松村　役所は、その貝殻をもらってどうするんですか。

深田　貝貨なんて受け取っても使いみちに困るんじゃないかと思われるかもしれませんが、役所にはタブが貯まってはいかないんです。なぜかと言うと、みんな「タブが欲しい」からです。税金がタブで払われて、役所にタブが集まって貯まってくると、そこで噂が流れるんです。「いま、役所にタブが入ってきたぞ」って。そうすると、みんな現金をもってタブを買いにいく。すぐに貝貨が現金に変わる仕組みになっているんです。

だから現金をもち合わせていない人は貝貨で払うけども、タブはみんな常に欲しいので、タブがあるとわかると、みんな現金で買いに来る。そうやって役所に入ったタブは2、3日のうちに現金に替わってしまうんです。

松村　貝殻がお金だったら、海岸に行って巻き貝を集めて自分で貨幣をつくり出す、みたいなことができちゃうんじゃないですか。

深田　みなさんによくその質問をされるんですが、実はこのムシロガイという貝はラバウルの近くでは採れないんです。まったく採れないことはないですけれども、基本的には採れない。しかも、昔から採れないんです。

宣教師だとか色々なヨーロッパ人が、19世紀後半にニューギニアに来たんですが、彼らがそのことを書き残しています。トーライ人はニューブリテン島という九州と同じくらいの面積がある島に暮らしていて、ラバウルはその島の東北の端にあるんですが、ムシロガイが採れたのは200キロほど離れたこの島の中央部なんです。宣教師などの記録を見ると、トーライ人はカヌーで遠路はるばる遠征して、現地の人たちと交渉してムシロガイを採ってもらって、それをもち帰ってくるということをしていたんです。

だから貝殻は、昔から、なかなか手に入らないんですね。しかも貝殻をこれまでたくさん採ってきたので、ニューブリテン島の中央地域のムシロガイは、60年代か70年代頃には大方採り尽くされてしまっています。で、そのあとはどうしたかと言うと、ニューギニアの隣国ソロモン諸島のニュージョージア島というところから、わざわざ輸入するようになりました。つまり、その辺の浜辺で貝殻を採ってくれば貨幣になるという簡単なものではないんです。この貝殻自体に希少価値があるのは間違いないんですね。

松村　簡単に採れてしまうようなものではなく、供給量が一定していて希少価値があるので初めて貨幣に使われたと考えていいんでしょうか。

深田　そうですね。パプアニューギニアを含むメラネシア地域では広く貝殻のお金が使われているんですが、それぞれの民族がそれぞれ違う種類の貝殻をお金として使っています。面白いのは、基本的にはどの民族も自分たちが住んでいない地域で採れる貝殻をお金にしているんですね。

だから、昔からいろんな地域のあいだで交易をしていて、自分の地域で採れる貝は別の地域へもって行っていた。A地域の貝はB地域に行って、B地域の貝はC地域に行って、C地域の貝がD地域に行って、D地域の貝がＡ地域にくる、というように、お互いに自分たちが使わない貝を自分たちが使う貝と交換しながら、貝殻のお金ができあがっていったんですね。

松村　面白いですね。

強欲な老人が襲われる理由

松村　ところで「貝殻が集まってるぞ」という噂が流れるとみんな役所に集まるという話ですけど、貝殻のお金を貯めて何になるんでしょう？　というか、何のために人びとは、そんなに貝殻のお金を欲しがるんですか？

深田　先ほどお話ししたのは、酒、タバコ、ビンロウとかヤシの実などを買ったり、あるいは税金や学校の授業料の支払いのように、物を買ったりサービスに支払うという例で、それもタブのひとつの用途なんですが、どちらかというとメインの用途は、買うことではなくて、それよりも、例えば結婚するときなどです。日本でも地方によっては、結婚するときに結納金を支払うところもありますが、トーライ社会では結婚するときには必ず、貝殻のお金で結納金を支払わなければいけないんです。

松村　法定通貨では払ってはいけない？

深田　最近では法定通貨が混じることもありますが、法定通貨だけで支払われることはあまりないですね。

松村　ふさわしくないということですか？

深田　はい。先ほども言ったように、両手を広げた長さが1ポコノという単位なんですが、結納金は少ないときでも200ポコノ（200本ぐらい）は払わなきゃいけない。僕が見ていたなかで一番多かったのは、800ポコノでした。

松村　すごい。

深田　1本がおよそ2メートルですから、800本払ったら延べ1・6キロくらいの長さです。

松村　それ、どうやって運ぶんですか？（笑）

深田　物自体はそんなに大きくはないので運べるんです。だいたい10ポコノで1束にするというルールがあります。

松村　輪っかにするんでしたっけ？

深田　そうです。200ポコノだったら20束払う、みたいな感じですね。それで面白いのは、結納金を払うときに、実際にいくら払ったのかを周りの人たちがわかるように、1束ずつ見せつけるように置いていくんです。だから800ポコノだと80束分置くことになるので、すごく時間がかかります。結納金支払いの儀礼があるんですが、タブ以外にも色々な贈り物をお互いに贈り合います。

松村　結婚するためにこんなにたくさんの贈り物を贈っているよ、とあえて示すために、ひとつずつみんなの目の前で置いていくわけですね。

深田　そうです。それが結構重要な手続きだったりするんですね。

松村　例えば私たちは銀行で振り込みをしますけど、それって目に見えない支払いじゃないですか。でもそれとはまったく逆に、あえて物理的に、長さがあって重量もあって存在感もある貝の輪っかの束をドン、ドン、ドンと置いていく。その物質性が重要だってことなんでしょうか。

深田　そうですね。私たちの社会では「お金をもっていると尊敬される」と言うと、あまりにも即物的に聞こえて敬遠されると思うんですが、貝殻のお金をたくさんもっていることは、トーライ人にとっては、結構ストレートに尊敬されるべきことなんです。それで彼らが貝殻のお金を何に使うかというと、人生における通過儀礼ですね。成人式とか結婚式、あるいは子どもの誕生祝い、お葬式。こういう人生の節目になる儀式で、貝殻のお金はすごく使われるわけです。なかでもお葬式は、貝殻のお金が一番大きい役割を果たすような場です。

　ですから彼らは、色々なところで日常的に貝殻のお金を貯めていきます。役所にタブが入ったら買いに行くような形で、タブをどんどん貯めて、さまざまな儀式で使うんです。でも何より大事なのがやっぱりお葬式なんですね。お葬式のときまでに、つまり自分が死ぬときに備えて、特に老人はたくさんタブを貯めています。そして死んだら、自分が一生かけて貯めたタブをお葬式で使う。といっても、お葬式ではお金を貯めた本人はもう死んでいるんですが、死んだあと、その人が貯めてきた貝殻のお金を、参列してくれた人にバーッと全部ばらまいちゃうんです。

松村　全部あげちゃうんですか。

深田　全部あげちゃいます。日本だったらお金を貯めたら家族が相続しますが、トーライの人たちはそうしないんです。人が一生をかけて貯めたものは、あくまでも、その人のものであって、それを家族ではなくみんなにばらまくことで、故人がいかに立派であったかを「みんなしっかり胸に刻むのだ」と伝えていくわけです。

　トーライの貝殻のお金は私たちのお金と似ているところがあるといえばあるんですよ。例えば、私たちの社会でもお葬式をするためにお金を積み立てたりすることもありますし、お金で色々と物も買うし、たくさんお金をもっていることで「偉いな」と言われたりもしますよね。でも、やっぱりちょっと違うのは、貝殻のお金は、もっていることが個人の名誉というか、人生そのものとつながっているというような、ある種独特なあり方をしているところがあるんです。

松村　貝殻の貨幣を死ぬまでにちょっとしか貯められなかったら、その老人は寂しい死に方をしてしまうというか、寂しいお葬式になっちゃうんですよね。

深田　そうなんです。ですから「老人は強欲だ」とトーライの人はよく言いますね。老人になるとにかく、タブを貯めて死なないといけない。でもタブって、貯めるのも大事なんですが、周りのために使ってあげたり、「俺はこんなにお金をもってるんだ」と見せたりすることも大切なんです。例えば子どもが結婚すると言ったら、親は当然お金を援助するし、おじいちゃん、おばあちゃんも援助してあげるのが、普通の振る舞いなんです。

ところが、年をとった老人のなかにはどんどんケチになって、孫が結婚するのに全然タブをあげないような人も出てきたりするわけです。一度、私がフィールドワーク中に住んでいた村で、夜中に家で寝ていた老人が若者に襲われてボコボコに殴打されたという事件の裁判を見たことがあるんですけど、犯人は誰かと聞いたら、孫だったということがあったんですよね。

松村　あははは。

深田　「俺が結婚するっていうのに、このじいさんは俺にタブを全然くれない」と孫は怒っていたんですよ。それでボコボコにしちゃった。私はその話を聞いて、ひどいことするなと思ったんですけど、周りの人は「でもな、あのじいさんは強欲で、タブを貯めてばっかりだから」と、ケチな老人にも非があるみたいに言うんですよ。

でもタブを貯めて死なないと、葬式をちゃんとやってもらえないし、寂しい死に方をした人になってしまう。だから孫に殴られても、貝殻を貯めるケチな老人が出てくる。その意味では、お金に対してはすごくシビアだとも言えますよね。

松村　それは、タブを貯めないと天国に行けないとかではなくて、純粋に名誉のためですよね。

深田　昔の資料を見ると、例えば埋葬するときに、口や目や鼻や耳の、穴という穴に貝殻を詰めたと書かれています。そうすることによって天国に行けるからだ、という見方がされていたわけです。でも、いま彼らは完全にキリスト教徒なので、そういう死後の観念と結びつける言い方はされていません。お葬式のときに、いかにその人が立派だったかを示すのが貝殻のお金である、とみなされています。

松村　お葬式のときに、その人がどれだけ貝殻のお金を貯めたのか、みんなの前でドーンと展示されるわけですよね。たくさん貯めた人は、その輪っかが、ドン、ドン、ドン、ドンとお葬式に並ぶ感じですか。

深田　そうです。日本でも結婚式とかお葬式のときには花輪が出ますよね。親族一同とか、教え子一同とか、故人にお世話になった人が出しますね。それと同じような感じでトーライ社会でも、お葬式の会場に、故人と関係のあった人や親族が、貝殻のお金を束ねて大きな輪っかのようなものを飾るんです。

　だから輪っかがたくさん出てると、色々な人がその人の死を悼んでいる、色々な人がその人にお世話になったんだ、ということが表現されるんです。関係のあった周りの人も貝殻を出してくれるし、本人もこんなにたくさん貝殻を残して死んだということは、あの人はすごい人だった、となるわけです。

　死んだあとにそんなことをしても意味ないじゃないか、と思われるかもしれませんが、先ほどお話しした孫に殴られてもタブを貯める老人のように、いかに死ぬかが生きていく上ではすごく大きいんです。彼らにとって

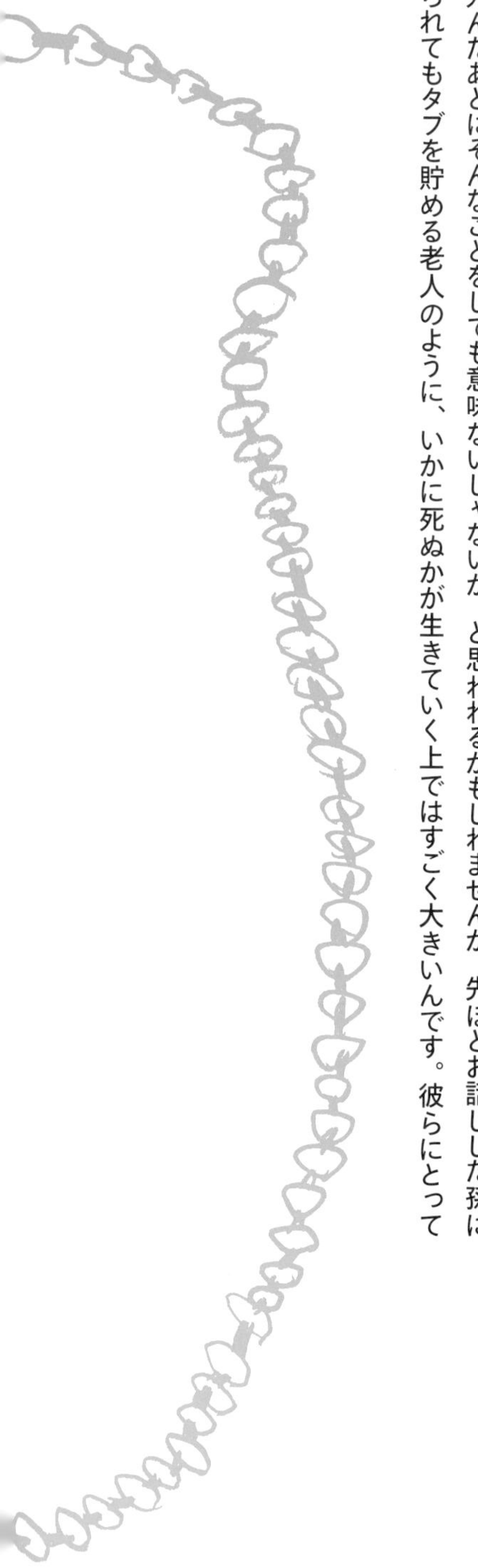

貝殻のお金はそういうものなので、やっぱり私たちのお金と似ていますが、ちょっと違う感じもしますよね。

松村　そうですよね。でも、いまの話を聞きながらそれに相当するものが日本にもないかと考えると、さっきおっしゃった花輪が近いかもしれませんね。例えば、有名な大企業の社長さんや取締役からのお花が並んで、「うわー、さすがだね」みたいなことですよね。あるいは「告別式に2000人集まりました」と後日伝えられたりするのも、その人の威徳を表すというか、どれだけ生前に親しまれていたかを表すという意味では似ていますね。
　あるいは、新しい店を開店するときに、贈られた胡蝶蘭が店の前にバーッと並んだりもしますが、そのお花は、必要なものではないですよね。でもそこには、贈り主の名前が書かれて、みんなの前に示されることで、「こんなにたくさん応援してくれる人がいるお店なんだ」と思われたりします。形こそ違いますが、何かその人の価値や社会的な信頼を示すものが展示されることは、日本でもありますよね。

深田　それはすごく似ていると思います。新しい店がオープンして胡蝶蘭が並んでいると華やかな感じもするし、色々な人に応援されてるんだな、とそこからある種の信用みたいなものが生まれるかもしれない。開店したラーメン屋に、有名ラーメン店からたくさん花が贈られていると、「ああ、このお店はおいしいのかな」とお客さんが思うこともあるかもしれないですし。
　トーライ人のお葬式では、でっかい貝殻の輪っかがドーンと飾られているところに、MCの人がマイクをもっ

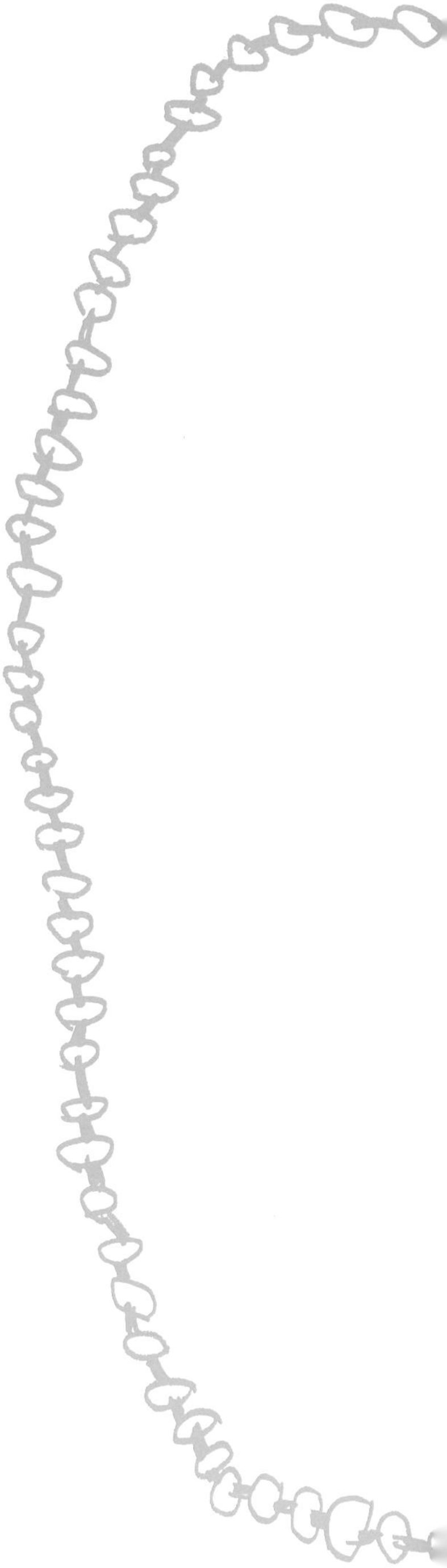

て「この輪っかは、死んだ人とこういう関係にある、誰それさんの輪っかだ」みたいに紹介するんですね。そうすると貝殻の輪っかを出した側も、自分がタブをもっていることを示すことができて、ちょっとした名誉を得ることができます。これも日本のお葬式で大きな花輪を偉い人が出す、というのと似ていますよね。

松村　「なんとか株式会社取締役の誰それさんから弔電が届いております」と偉い人の名前を読み上げたり（笑）。

深田　そうそう、そういうのです。

松村　この人がいかにビッグか、みたいなことを間接的に表示するという意味では、意外と私たちも同じことをやっているような気がしますね。

深田　そう、似てますよね。神社の参道の階段脇の手すりの石に名前が彫られていたりするのもそうですよね。

松村　灯籠を寄付した人の名前とか。

深田　お祭りのスポンサーになるとか、「誰々が〇〇円寄付」みたいな紙が貼り出されたりしますけども、そういうのともすごく似てますよね。

松村　日本でもみんなお金は欲しいですし、であればこそ必死に働いてお金を貯めようとします。お金を蓄積しようとするところはトーライ社会とたしかに似てはいますが、でも私たちが稼ぐお金は、いくら銀行口座に貯めたところで、社会的地位とか威信には結びつかないですよね。だから私たちは大きな豪邸を建てるとか、高級な外車に乗るとか、その人の豊かさを象徴する別のものにかえることで満足を得る。

　でも貝殻の貨幣は、その物理的な量、例えば輪っかの数によって、その人が生前どれだけ信頼を得ていたか、親しまれていたかを示すシンボルとして機能するわけですね。

深田　「お金をいくらもっていても虚しい」という言い方を私たちはしますが、トーライ社会でもいわゆる法定通貨については似たようなところもあります。でも、貝殻のお金に限っては、たくさんもっていることが充実した人生を送っている証になるようなところがあります。

お金って、私たちにとっては何か物と交換するための道具ですよね。お金を何かにかえて、それで初めて充実感が得られる。だからいくらお金をもっていてもそれだけでは虚しいとなるわけですが、トーライの貝殻のお金は、それ自体がどこか最終目的のようになっていて、そこは私たちとは違うかもしれません。それで物を買うのではなくて、それ自体をもっているということに意味がある。あるいはお葬式においても、貝殻のお金を全部ばらまくことが名誉であったりするわけですから、やっぱり少し違いますよね。そうやってばらまくことは全然もったいないことではありません。

松村　生前貯めてきた貝殻のお金の束を切って、会場に来てる人に配るわけですよね？　それって結構盛り上がるんじゃないですか。

深田　そうですね、お祭りみたいな感じになりますね。来れば誰でももらえますし。

松村　あ、そうなんだ。誰でももらえるんだ。

深田　お葬式に行くのには何も資格はいらないので、近所の人などもみんな集まってきます。ですから、口の悪い人に「お葬式とは何か」と聞くと「フリーマネーだ」という答えが返ってきたりします。でもそれでいいんですよ。とにかく配っちゃう。

松村　お金を貯めたあと、お金を貯めて何の意味があるんだろう、と虚しい思いをすることが日本ではむしろ多いですよね。物っていくらでも買えるけど、家が１００軒あったってしょうがないわけで、やっぱり限度があるわけですよね。でもトーライ社会では、最後に自分の社会的意味のようなものに交換する装置として、貝殻のお金がある。だからトーライの人びとにとっては、普通のキナを貯めることよりもむしろ価値があると思われているわけですよね。

深田　そうですね。自分の人生の最後に向けて、いわば人生の総決算のような形で、どんどんタブを貯めていく。キナという現金をもっていたとしても、そのお金をどんどん貝殻のお金にかえていかないと意味がないわけです。死ぬときにキナをもっていても、子どもに相続することはできても、その人の物にはなりませんし。

一方で貝殻のお金を貯めていくのは、彼らにとって大きな生きる目的というか、生きる意味のようなもの。だから私たちとはやっぱり逆ですね。私たちが、「お金を貯めることが俺の人生の意味だぜ」と言ったらすごく寂しい人生な感じがする。だけど、トーライの人たちはそうじゃないんです、むしろすごく充実した人生になっている感じなんですよね。

若林　横から失礼しますが、ちょっと気になったのは、貝殻のお金を貯める方法についてでして、貝殻のお金を貯めるには、ものすごくたくさんのお葬式に出かけていくしか方法がないんでしょうか？

深田　いえ、色々なやり方があります。トーライ社会ではやっぱり社交がすごく大事でして、色々なところに顔を出して、色々な人と付き合って貝殻のお金を交換することが大事なんです。いまはお金を貯めるほうの話ばかりしましたけど、使うほうも大事で、使うことによってまた貝殻のお金がめぐってくる。先ほども言ったとおり、例えばお葬式で色々な人が貝殻を出してくれるのは、それまでの人間関係の結果なので、逆に言うと、貯めないでどれだけ使ったかが、人生の最後で生きてくるところもあるんです。

だから貯めてるだけじゃだめなんですよね。色々なところに顔を出して使わないといけないし、貯めないといけない。これは我々のお金と一緒ですよね。使うのも楽しい、使いたいけど貯めないといけないという感情は、我々のお金と似たところはあります。

若林　コミュニティにどれだけ関わったかの尺度みたいになっている感じでしょうか。

深田　そうですね。それはすごくありますね。共同体のなかで、適切に振る舞っていくことによって貝殻が貯まる側面はあるんですけど、それだけではだめなところが難しいんです。コミュニティのなかで、やるべきことをやって行儀よく生きていても、貝殻のお金って実はそんなにうまく貯まらないので、やっぱり市場経済は大事なんです。ビジネスマンであることはすごく大切で、ビジネスマンであることによって周りに人が集まって、色々な儀礼のスポンサーなんかを行うようになって、また貝殻のお金が入ってきたりすることもある。
単に共同体のなかで善人であるだけではだめなんですよね。市場経済における有力なプレイヤーであることも、貝殻のお金をたくさん貯める人の条件にもなっていまして。だから、この貝殻のお金のシステムは、少なくともいまは貝殻のお金だけでは回っていなくて、普通の市場経済、つまりキナの経済とリンクしてできあがっているんです。

松村　貝殻の貨幣を貯めるためには、一方で市場経済のなかでビジネスマンとして成功することが大事だし、そこでの人間関係をつくることが生きてくる。市場経済としての貨幣と貝殻の貨幣の関係が別のものに見えてつながっているのが面白いですよね。私たちの社会とはお金のあり方が違っているんですよね。でも、私たちがお金を得るために働いてることのうちにも、私たち自身の社会関係を示すとか、あるいはお金を物理的なものにかえて豊かさを見せるような側面があるわけですよね。その意味では、私たちとお金のあり方は違うんだけど、トーライ社会とつながる部分もあるのがよくわかりました。

パパルンと公私の区分け

松村　今度は、トーライの人びとにとって「働くって何だろう?」というあたりを聞いていきたいんですが、そもそも彼らは法定通貨キナを稼ぐためにどんな仕事をしているんですか。

深田　トーライの人びとは古くから市場経済になじんでいて、教育程度もニューギニアのなかでは高いと言われています。例えば僕がお世話になっていた家の大家さんはもう80歳に近いんですが、学校の先生として首都に働きに行ったりしていました。いわゆる公務員や警察官、教師のような我々が賃金を稼ぐためにやっている仕事は、トーライの人びとも古くからやってきたことで、いまでも首都や他の都市に働きに出て行く人はすごく多いです。
一方でもうひとつ、現金獲得の仕事として大きいのがプランテーションです。気候が良くてココナッツだとかカカオ、バニラなどはよく取れる土地なので、古くからずっとつくられています。大きい農園があるところもあれば、家の裏のちょっとした土地でココナッツなんかを収穫して、売って現金を得るようなことはどこでも行われています。

松村　そういう職場で何か仕事をして賃金が支払われるときには、キナという法定通貨が使われているんですか？

深田　そうですね。いわゆる「賃金労働」と名のつくものは、支払いは全部現金で行われます。貝殻のお金で支払われることはありません。

松村　賃金労働をして、キナという法定通貨で給料をもらうことこそが、日本で働く私たちは「仕事」だと思っていますし、それが人生の大半を占めていて、人生の大きな目的のひとつになっていると思うんですけど、トーライの人びとは賃金労働をしてキナを稼ぐことを、どういうふうに思ってるんでしょう。

深田　そこはとても重要なところです。先ほども言ったようにビジネスマンであること、つまり現金を稼ぐことができるのは、彼らにとっては大きな名誉というか、尊敬される人物の条件のひとつなんです。ただ、トーライにはそれとは別にもうひとつ別の価値体系がある。つまり現金を稼ぐのではなくて、貝殻のお金のほうで名誉を得ていくのもすごく大切なことで、それに対応しているのは、村だとか、あるいは親族集団のなかで期待されていることをやることなんです。

　例えば稼いできたキナにしても、村だとか自分の身内のためにそれを使うこと、つまり誰かの面倒を見てあげることは重要な仕事とされています。あるいは外に出稼ぎに行った人にはできないような仕事、例えば村のなかで土地を管理したり、家をきれいに保ったり、教会の仕事をしたり、子どもの世話をしたりすることも、すごく大切な仕事なんです。そうやって親族の内で、あるいは村のなかで、誰かのために仕事をして貝殻のお金を稼い

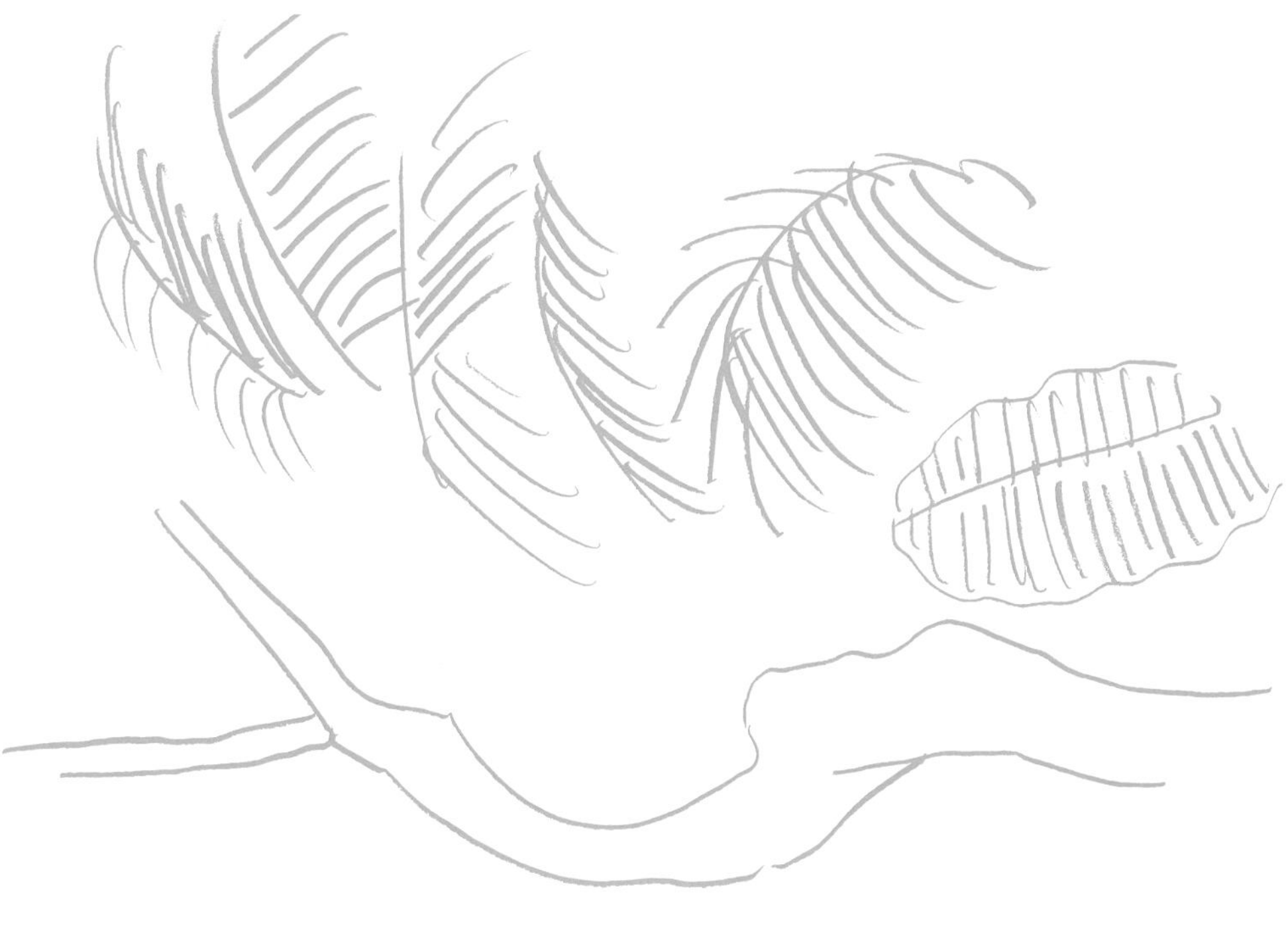

だり、貝殻のお金をやり取りしたりすることは、現金を稼ぐのと同等か、あるいはそれよりももっと優先されるべきこととして捉えられているところもあります。ですから「働く」と一口に言っても、現金を稼ぐことだけが働くことじゃないんですね。

松村　ああ、なるほど。例えば子どもの面倒を見るとか教会の整備をするとか、日本だと家事とか奉仕活動のように、対価が発生しない、仕事ではない領域にあるとされている行為も、彼らの認識では現金を稼ぐことと同じように、「働く」カテゴリーに入っているんですね。

深田　そうなんです。トーライの言語はクアヌア語というんですけど、クアヌア語で「働く」を意味する「パパルン」ということばは、「お金を稼ぐ」という意味でも使われるし、あるいは村や家族の内側で誰かのために何かをしてあげるようなことにも使われます。ですから「仕事」というよりも「働く」という感じが近いですね。つまり、トーライの人びとにとって大切なのは、その両者のバランスなんです。私たち日本人の場合は、圧倒的にお金を稼ぐほうに比重を置きますよね。会社に行って働いたり、役所に行って働いてお金を稼いできたりすることのほうが重要なんですが、そういうバランスはだいぶ違います。

　お葬式だとか子どもの世話とかなんでもいいんですけども、私たちの社会ですと、どちらを優先させるのかをめぐって、常に葛藤があるわけですよね。今日は大きい仕事があるけど結婚式もあるとか、いわば「公《こう》」と「私《し》」に引き裂かれることは、しばしばあると思うんです。「仕事に行かなきゃいけないからやっぱり結婚式は行けないわ、ごめんなさい」というようなことがある。

　我々にとっては仕事、働くことってすごく大切なものですが、それは我々にとって「公私」で言うところの「公」に当たるわけです。お葬式とかは区分が微妙で、「公欠」つまり公《おおやけ》の欠席が認められたりすることもあるからどちらかといえば「公」に近いかもしれませんが、いずれにせよ、私たちの社会では、仕事は「公」で、家のことは「私」、つまりプライベートな領域とされているように思います。

　ところがトーライ社会の人たちにおいては、その「公」と「私」が、私たちとは逆になっている感じがあるんですね。つまり、お葬式に行くとか、子どもの世話をしたり、親族を助けてあげたりするようなことは、「私」ではなくて「公」であるとみなされている感じがあるんです。

松村　なるほど。

深田　この話はよく授業でするんですけども、僕がトーライの調査を始めた当時、ラバウル近くのココポという町に、青年海外協力隊の若者がすごくたくさんいたんです。僕は当時20代でまだ若かったので、彼らと仲良くさせてもらって、よくご飯を食べたりお酒を飲んだりさせてもらったんですけど、やっぱり彼らは仕事上の悩みをすごく抱えているんです。

　彼らは例えば学校で働いたり、僕がいたときはラジオ局や観光局、あるいは役所で働いたりと色々な人がいたんですが、必ずカウンターパートといって、現地の人がひとりついて仕事をするんです。だけど一緒に飲んで酔っ払ってくると、みんな「あいつらは働かねえ」と愚痴るんです。家で何かやることがあると言っては職場に来ないし、クリスマスだからと言って1月中旬まで来なかったり、職場に来てもすぐに帰るとか、朝は来ないとか、そういう不満をすごく抱えているんです。でもこれは、さっきの「公」と「私」の捉え方にズレがあるからなんですよね。

松村　面白い。

深田　つまり、青年海外協力隊の人たちは、「公」は役所に来ることで、「私」は家でプライベートの時間を過ごすことだと思っているんですけど、トーライの人たちはそうじゃないんですよ。「公」は、葬式に出たり、子どもの世話をしたり、親族の何か仕事をしたり、家で何かをすること。一方で役所に来て働くのは「私」、プライベートなんですよね。たぶん役所に行くのは、家から出てお小遣い稼ぎに行く、みたいな感覚に近い。だからもし、親族のビッグマンの葬式があって、「でも俺、今日は会社だからどうしようかな」なんて言ったら、おそらく怒られます。「お前、小遣い稼ぎのために、公の仕事を休むのか」って。こういうのがたぶん、トーライの人たちの感覚なんですよね。だから、私たちとは「公」「私」のあり方がひっくり返っているんです。

松村　なるほど！

深田　こういう話は実際いくらでもあって、僕の知り合いに救急車の運転手をやっている人がいたんですけど、ある日マーケットでたまたま彼に会ったときに、「隣町のあそこにちょっと用事があるんだよ」と喋っていたら、「おう、じゃあ乗ってけよ」と救急車の後ろに乗せてくれたわけです。患者でもないのに、僕を救急車の後ろに乗せて隣町まで送ってくれた。しかも用事が終わるのを待って、救急車に乗せて帰ってくれたわけです。

　僕の感覚で言えば、救急車を運転する仕事は患者を乗せて運ぶことだから、こちらが「公」だと思うんですが、運転してる彼の感覚は違うんです。彼は僕がお世話になっている大家さんがリーダーをしている親族集団の一員で、大家さんから見ると目下の人物ということになります。僕はその大家さんの世話になっていたので、彼からすると僕は客人的な立場にあったわけです。ですから僕の世話をすることは彼にとってはむしろ「公」なんです。「お前、患者なんて運んでられるか、この野郎」という感じなんです。

「公」と「私」という言い方をすると、普通は「公」のほうがメインで、「私」は後回しになるのが我々の感覚です。青年海外協力隊の人たちと話していると、「彼らはプライベートのことばかり優先して、パブリックのことを優先しない」って文句を言うんだけど、でも逆なんですよ。彼らにしてみれば、ちゃんとパブリックのことを優先して、プライベートのことは後回しにしている、ということなんです。

松村　その話はものすごく胸に突き刺さるというか、胸が痛いです。今朝も妻に、仕事があるからと子どもを幼稚園に送るのを任せてきちゃったんですよね。

深田　このポッドキャストの収録が、パブリックだったわけですね。

松村　「今日のこの仕事」がパブリックの優先事項で、子どもを幼稚園に送るのは家庭内のことだから妻にお願いしよう、プライベートのことは私じゃなくてもできるよね、みたいな感じでやっていたわけです。でもこの感覚って、日本でいま言われている「働き方改革」とか、男女が同じように職場で働けるようにするという価値観のなかにすでに埋め込まれていますよね。つまり、仕事がパブリックで重要だから、男性も女性も同じように働けるようにしましょう、という価値観が前提にある。「公《おおやけ》」と「私《わたくし》」の領域の区分は、なんの疑いもなく維持されながら、「公」が働くほうで、より大事ですよね？と無前提に受け入れてしまっている。

　でもトーライのほうからすれば、「いやいや、小遣い稼ぎより、子どもを育てたり葬式に出たり、人と社交で付き合うことのほうが人間にとって大事だよね」ということなんですね。パプアニューギニア社会でも、おそら

く女性が料理をするといった家事分担はあると思いますが、それが単に女性を差別しているとか、劣っていることをさせられている感覚はあまりないってことなんでしょうかね。

人生は貝殻のお金のために

深田　私たちの社会だと、ワークライフバランスと聞くと、ワークとライフのバランスでどれだけライフに重きをおいても、ワークのほうが上にある、という感じがどうしてもあるけど、そこはだいぶ違いますよね。そこにおいては、やっぱり貝殻のお金の存在が、すごく大きいんです。お金を稼ぐことは大事なんです。小遣いを稼ぐのは大事で、そこで得た現金が村に還元されて「お前、すごいな」って尊敬されはするのですが、それだけにかまけていると本質を見失うわけですね。

松村　小遣い稼ぎだけに専念して、ビジネスマンとして頭角を現して事業拡大して、もう村のことは省みないような人間は、やっぱりみんなから尊敬されないわけですか？

深田　単身で都市に出て、地元から完全に切り離された形でビジネスをすることはあり得るとは思いますが、でもそういうときでも必ず地元の人を呼んで雇用しますからね。若者を働き手としてどんどん呼んで雇用します。そうやって地元に貢献をするわけです。

ニューギニアには、「WANTOK」（ワントク）ということばがありまして、ピジン語で「WAN」は「one」、つまり「ひとつ」、「TOK」は「talk」（トーク）で「ことば」を意味しますので、「WANTOK」は「同じことばをしゃべる民族」みたいな意味なんですが、それがどこに行ってもすごく大事なんです。町でビジネスをやっていくためにも「WANTOK」とのつながりをもっていること、いざというときに味方になってくれる人とつながりをたくさんもっていることはとても大事なんです。内のつながりをキープしておくことが必須の条件なんですね。

あとトーライの人たちは、都会に出てビジネスで成功しても、最後は地元に帰ってきて儀

礼のスポンサーをするなど、親族集団内で尊敬されるビッグマンとして人生を終える人が多いんですよね。町に出て行ったまま帰って来ない人はいません。町に出て単独で仕事ができるかというと、普通はできません。もちろん国際機関で働くようなエリート中のエリートだったら別ですが、基本、政治家でもビジネスマンでも「WANTOK」とのつながりがあることは大前提なんです。それがないと生きていけないところはありますね。

松村 「公」である人間関係、社会関係、同族との関係がないとビジネスも成り立たないし、お金も稼げない。お金を稼ぐことで、同族を支援したり、村でみんなに振る舞ったり社交もできたりして、法定通貨のキナを稼ぐことで貝殻の貨幣タブも集まる。このふたつが絡み合っている感じが面白いですね。

深田 町に出てずっとビジネスをしていて晩年まで帰ってこなくても、ちゃんと地元とつながりをもって地元の若者を雇ったりしていると、死ぬ前に帰ってきたときに、尊敬される人物になるわけです。お金だけ稼いでいるような人は「グリーディーだ」と言われますね。強欲で貪欲だ、と。「グリーディー」はものすごく強い非難のことばで、許されない感じがあります。

松村 彼らにとって働くことの先に最終的にある目標は、自分とつながりのある人間関係のなかで認められたり、尊敬されたりするという価値に転換することなんですね。それができないとビジネスで成功してもまったく報われない感覚があると。日本で言うところの「故郷に錦を飾る」みたいなものですね。

深田 そうだと思います。私たちはいくらお金を稼いでいても、「お金を稼ぐのが俺の人生だ」と言ってしまうことには虚しさがありますよね。ところが、彼らにとっては、おそらくそれがとてもリアルに価値があることなんです。そこは、本当に私たちとは逆ですよね。

松村 私たちにとっての「公」には、もう「働く」ことしか残っていなくて、「公」の仕事をすることのうちに、仕事を自分の社会的価値に転換するような仕組みがないですよね。あるいは、そういった領域や人間関係が、ほとんど省みられなくなっていると言うか。

深田　そこもおそらくバランスの違いではあると思うんですけれども、でも「お金が大事？　それとも家族が大事？」といったような質問は、トーライではなかなか成り立ちにくいわけです。「家族がいないとお金が稼げない」わけで、両方が大事だということになっています。貝殻のお金と普通の現金は違うものなんですが、互いにつながりあっているんです。現金も最終的には貝殻のお金に変換されて、最後にお葬式を迎えて、周りの人から集めた貝殻をばらまいて死んでいくとなると、お金を稼ぐところから最終目的まで淀みなくつながっている感じはしますよね。現金と貝殻のお金は違うんだけども、最終的にはすべて貝殻のお金に向かっていく。

松村　日本では、20歳前後からお金を稼ぎ続けて、60歳なり65歳で定年を迎えて「自分の人生ってなんだったんだ？」と考えたとき、働いてきたことが人生にどんな意味をもっているのか、もはや想像しにくい状態ですよね。「働く」を支える価値が見えなくなって、働き続けることだけが当たり前になっている状況で、でも誰もそれを疑わない感じだと思うんです。トーライの人たちの働き方を見ると、やっぱり「働く」のは手段で、何かそれとは別に、生きる目的みたいなものがある。

　たぶんトーライの人にとっても、「貝殻の貨幣」ってフィクションというか、貝殻を使った物語だと思うんです。そういった貨幣を自分の価値にかえる装置は、日本で働いている人たちも必要としているんじゃないかな、という気がしてきますね。

深田　トーライの人たちには、貝殻のお金と親族の関係が一番大きいものとしてあって、お金を稼ぐことは、あくまでそのなかの一部として存在しているように思います。だからお金を稼ぐ目的がすごく明確なんです。貝殻のお金を貯めて、いい葬式をして、みんなにいい人だったと思われて死んでいく。そのためにお金を稼いでいる、とすごくシンプルに言えるんだと思うんです。でも日本の場合は、働いたその行き先がどこなのか、何があるのかが、見えにくい。

松村　なんなんだろう？って感じですよね。

深田　お金を稼ぐことそれ自体が一番大きい枠組みになってしまって、仮にプライベートがそのなかに埋め込まれているんだとすれば、「お金を稼ぐのって、いったい何のため？」ってなりますよね。お金ってすごくフワフワして

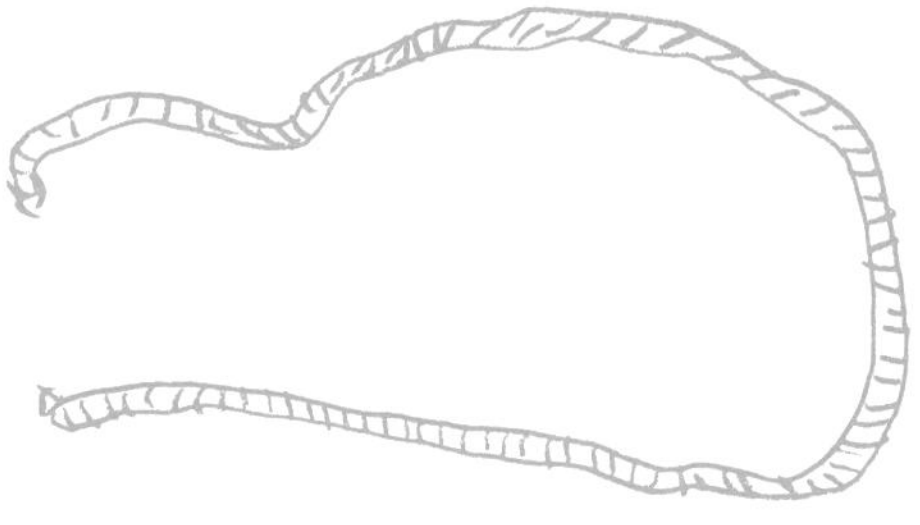

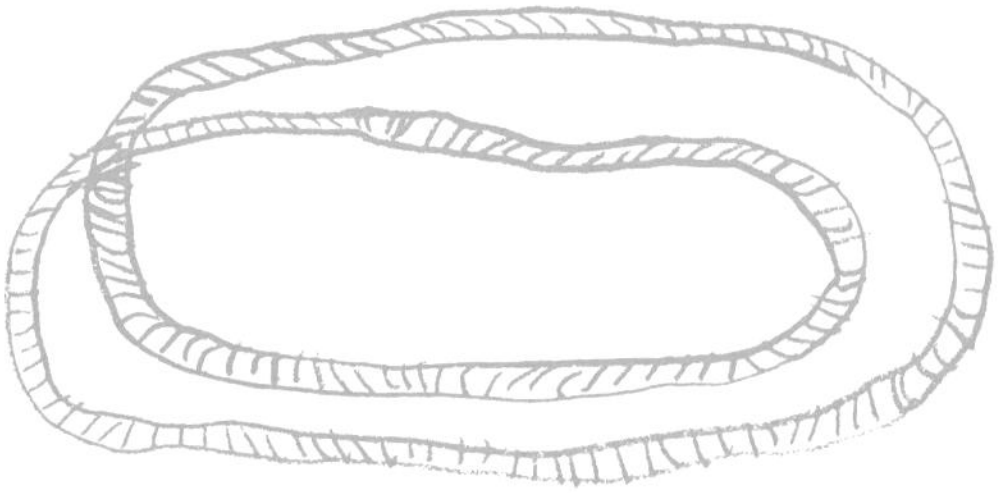

いるし、「俺はお金を稼ぐために生きてるんだぜ」と割り切れる人はいいかもしれないけど、それはそれで、なんだか不思議な気がします。

松村　ちょっと前に、金融庁が「老後を生きていくためには２０００万円必要だ」という発表をして問題になりましたが、その２０００万円は何のためなんでしょう?と思いますよね。というか、それはこの長寿社会で命をつないでいくために必要なお金なんだけど、でも命を長らえるために単純計算して算出された、いわば生命維持装置の値段みたいなものじゃないですか。

　誰もがいつか死を迎えるわけですから、当然「何のために生きているのか」という問いが、どんな社会にでも、ありますよね。でもいまの日本社会では、それが「生きるために生きている」という感じになってしまっている。命が続いているから生きている。命を続かせること自体が目的化している状況なのかもしれません。

深田　「老後２０００万円問題」は、たしかになんだかおかしい感じがしますよね。仮に定年まで働いてお金を貯めたとして、その先に何があるのか。かつてバブルの時代ぐらいまでなら、やり手ビジネスマンが稼いで早期リタイアして、「その後の人生バラ色」といったこともあったかもしれませんが、老後２０００万円問題はそれとはまったく対極のところにあるというか、どこまでいっても生きることがお金に根拠づけられてしか存在しない、「その外側は何もないぞ」という感じがしますよね。日本人はお金のなかだけで生きている、という感じが強くします。

　トーライの人たちの人生には、お金の外側にもっと豊かな意味があって、お金はそのなかの一部にしか過ぎないから、仮にお金がなくなっても大丈夫ですが、私たちの社会では、お金がすべてですから、お金がなかったらドロップアウトするしかない。

松村　トーライ社会でお金を稼げない人は、どうやって生きているんですか。

深田　そもそも豊かな土地ですから、お金を稼げなくても、親族のつながりのなかで食いっぱぐれるようなことは基本的には起きないんですよね。彼らは時々、日本についての新聞記事で悲惨な事件を見つけてきては、「日本人は飢え死にするのか、大変だな」みたいなことを言ってきますけど、トーライ人は飢え死にすることは絶対にないんです。これだけは間違いないです。

松村　生きていくだけだったら、老後の２０００万円なんていらないわけですよね。

深田　はい。生きていくだけだったら、周りの人が支えてくれます。

松村　生きていくだけなら、周りの人に頼って暮らして困らないと。でも食っていくだけでは、彼らも満たされないわけですよね。

深田　そうです。老人になって周りに頼りながら生きていくことができるのは、おそらく若いうちにいろんな人を助けて、自分も助けてもらえるようなネットワークをちゃんとつくってあったということですよね。トーライの人たちはお葬式のために貝殻のお金をいっぱい貯めるけれども、誰もがみんな立派な葬式をしてもらえるほど、貝殻のお金を貯めて死ねるわけではない。どちらかと言うと、周りの人の助けに支えられながら、ただよぼよぼになるまで生きていく、という人が大半なわけです。

　こつこつと貝殻のお金を貯めて、死んだときに配ってもらうぐらいのささやかな人生が普通だけれども、だからといって、お金がないと死んじゃう、ということにはならない。そこには少なくとも食いっぱぐれないという意味での豊かさが前提としてあります。逆に、お金がないと死んでしまう世界に住んでいる私たちは、あまり豊かとは言えない気もします。スーパーでお金を払えないと何も食えなくて死ぬ、なんてラバウルの人に言ったら、「いや、そんなことあり得ない」っていう感じですよ。村にいればいいんですから。

松村　そうですよね。

若林　お伺いしていて、もうひとつだけ気になったことがあるのですが、タブは男女ともに同じように得ることができるのでしょうか。

深田　はい、男女ともに得ることができます。ただ、そうは言っても、トーライ社会では男性のほうが力をもっている

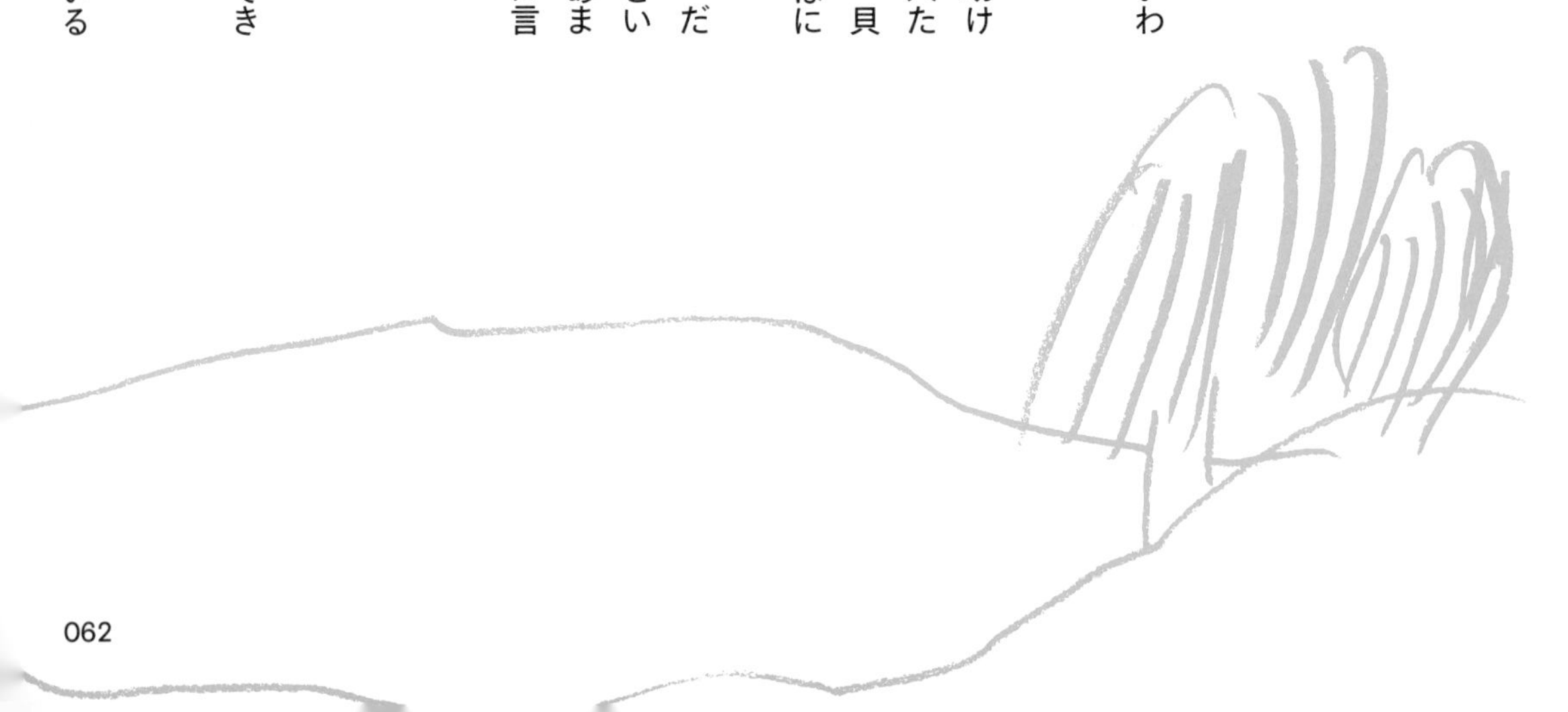

ことがやはり多いです。

お葬式は、基本、貝殻のお金をいっぱい貯めた人をメインにして行われるのですが、あまり貯めていない人は個人のお葬式は出してもらえず、その親族集団でまとめて何年かに一回行われるんです。ですから、すごくお金をもっていたスポンサー的な人が亡くなると、その人を中心に、まとめて何人分かのお葬式をすることがあるんです。

そうしたとき、お葬式のメインは男性であることが多いんですが、とあるお葬式では、どう見ても女性のほうがたくさんの貝殻をもっていたことがあったんです。いまはビジネスの才覚があって、市場経済の側で成功する女性もたくさんいますから。

お葬式の祭壇の真ん中には、一番お金を貯めた人が飾られますので、普通は男性が真ん中に来て女性は隅っこに並ぶことが多いんです。でも、そのときはどう考えても女性のほうが圧倒的に多くのお金を貯めて亡くなっていて、この人がいないとお葬式ができないという感じだったんですが、そうしたら祭壇の真ん中を誰にするのかですごく言い争いになって、結局、男性が真ん中になったんです。その女性の娘さんは「お母さんがこのお葬式のスポンサーなのに、なんで?」と怒っていましたね。

若林　これはちょっとあまりにも図式的な話かもしれないんですけど、近代化を経た日本の現代社会のなかだと、賃金労働という領域がある一方で、例えば子どもの送り迎えとか、近所の老人に食事をつくってあげることをやったとして、それが全部、基本的に無賃労働になっているわけですよね。しかもその75%を女性がやっている。だから、いわゆる「シャドウワーク」と言われるようなものが、見えないコストとして、社会のなかに埋め込まれてしまっているところがありますが、実はタブっていうのは、そこにひとつちゃんと経済圏をつくってあげているというか、そこで価値が回るようになっている感じを受けたのですが、いかがですか?

深田　そうですね。やっぱりなんだかんだ言っても、トーライ社会も女性のシャドウワークによって支えられているようには思います。貝殻のお金の経済も基本的には男性主体で、それが女性のシャドウワークによって支えられている側面は間違いなくあると思います。
タブ経済のなかでは、女性がシャドウワークをいくら積み重ねても主役にはなれないので、女性が主役になることがあるとすれば、それは外側にある市場経済で活躍して戻ってくるときなんですよね。キナという通貨を稼いで帰ってくれれば、貝殻経済でとても大物になれるわけで、その意味では市場経済があることによって、女性が活躍のチャンスを得られる。それは私たちの社会とすごく似ています。シャドウワークにこれまで追い込まれていた人たちが、お金を介して市場で自分の価値を認めてもらうことで力をもてる、という構造はとても似ているかもしれません。

松村　深田さんは論文を何本も書かれて、本も書かれていて、人類学者のあいだではこうした貝殻貨幣の話はある程度は知られているんです。でも、この貝殻貨幣の話を、どうやって私たちが日本社会で働くことを考える材料にするか、というところまで、なかなか話が及ばないんですね。トーライ社会における貝殻の意味をその話としてだけ終わらせるのではなく、こうやって日本社会における「働く」ことと並べてみて、重なる部分やずれている部分を考えることで、自分たちの「働く」がどういうものであったのか、改めて気づかされますね。

若林　はい。ものすごく手応えありました。深田さん、ありがとうございました。

深田　ありがとうございました。

アフタートーク
コミュニティと自由の振り子

コクヨ野外学習センターの山下センター長と若林キャプテンが対話を振り返る。
「無色透明なお金」と「コミュニティ」の間で、人はずっと揺れ続けているのだな。

若林　いや、面白かった。
山下　面白かったですね、本当に。タブの存在が気になりすぎて、1ポコノが何円なのかを計算してしまいました。
若林　いくらだった？
山下　だいたい150円くらいじゃないかなと思うので、僕も結構買えるなと思って聞いていたんですけど(笑)。
若林　ひとつお伺いし忘れたのは、キナでタブは買えるとして、その逆はできるのかな？とちょっと気になったんですよね。タブはキナにできるんですか？
深田　交換所では両方できますね。キナで払わなきゃいけないものを手に入れたくて、貝殻のタブしかもっていなかったら、タブを出して買うこともできます。
若林　貝殻を売って、ということか。キナをタブにかえてもっておく人もいるってことですよね？
深田　交換所では、貝殻を現金にする交換はやっぱり少ないですね。当座のしのぎでちょっと、っていうのはありますけど。
若林　質に入れちゃう、みたいなことですよね。
深田　そういう感じですね。でもむしろ、お金をもっている人が、お葬式の前に貝殻のお金が必要だからと交換所にやってきて、大量の貝殻のお金を買っていくということが多いです。
若林　今日のお話を聞いて、いま話題になっている「コミュニティ通貨」のあり方をひとつ示唆してくれているような気もしたんです。例えば日本でもこれから、ガードレールとか橋のようなインフラを直そうとしても税収との兼ね合いでできない、という自治体がたくさん出てくると思うんですけど、そういう問題を解決する上でも、そのコミュニティだけで流通する通貨を使うのは、ありうる手段のようにも思うし、かつコミュニティのために多くを使った人が偉い、という価値観が、いわゆる市場経済とは別に走っている未来もあり得るのではないか、などと思ったんですが。
山下　共同体の幸せが共通認識になっているところは、人間関係の希薄な私たちの社会と違いますよね。さらに、その認識を高める装置として「タブ」という貝殻の貨幣が、コミュニティに再配分されていくところまでデザインされている。税金のように何に使われるかよくわからないものとして支払うよりも、自己肯定感につながりやすいんだろうなと思いました。
若林　やっぱり市場経済だけでやり続けるのって、ちょっともう限界なんじゃないかという気がするんですよね。無賃労働を市場において価値化しようみたいなことをやっても、いっそう奴隷化が進むだけのように思いますし。いわゆるエッセンシャルワーカーの仕事って、その仕事がエッセンシャルであればあるほど、お金にならないという根本的な矛盾があるわけですが、いま、それこそコロナの問題を受けて、そうした必要不可欠なのに金銭的な価値の低い仕事を、どうやってもう一回社会のなかで価値づけるかが重大なテーマになっていますよね。
松村　私たちが普段使っているお金って無色透明というか、匿名なわけですよね。私のお財布に入っているお金がどこに回ってるかなんて、誰にもわからない。だから私のお金を使って何を買って何をしようと私の勝手で、どう使おうが縛りがなくて、他の人もそれに関心をもたないし、干渉もできない。そのお金の性質は私たちを自由にしてきたと思うんです。でも、その無色透明で匿名の貨幣をもって死ぬってことは、私自身が無色透明な存在として死んでいくことでもあるんですね。

若林さんが言われた「エッセンシャルワーク」みたいなものを無色透明のお金だけで価値化しようとしても、その人に対する感謝であるとか、その人の名誉のような社会的価値が反映されないわけで、そこに無色透明のお金の限界がある。でも、貝殻貨幣は、その人が生前集めた「名前をもったお金」として、最後に葬式で振る舞われるわけです。ということは、その人の存在価値を支える装置として貨幣が使われている。つまり、市場の価値を社会的価値にかえる仕組みになっているのがすごいですよね。

若林　本当にそうですね。あと、深田さんのお話を聞いていて思い出したのですが、アフリカに行ったときに、一緒に行った人が体調を崩したので救急車を呼んで、それに乗っていたら、次から次へといろんなやつが乗ってきちゃったことがありまして（笑）。

松村　同じだ（笑）。

若林　迂回とかするんですよ。

松村　はいはいはい。友だちと会うからとか（笑）。

若林　そうなんですね。今日のお話を聞いてなぜそんなことが起きたのか、なるほどなと腑に落ちましたが、あのときは、本当に勘弁してほしかったです（笑）。

松村　世界の半分ぐらいは、きっとそういう社会なんですよね。私たちはなんとなく、誰もが欧米を中心とした市場経済に生きていて、それが当たり前で、それになじまない人たちは怠け者だとか思ってしまいがちですが、その偏った見方で判断されるのも、彼らにしたらきっと迷惑な話ですよね。

若林　一方で、近代社会の良さは、ある意味、無色透明であることによってもたらされる解放感にあるようにも思いますので、トーライのようにコミュニティの結束の強い社会もいいなと思う半面、そこから逃げたいとの思いが、いま私たちが生きているこの社会をつくってきた側面もあるように思うのですが、その辺は、どう考えたらいいでしょうか。

深田　「いまのトーライ社会の若者は、貝殻のお金を得てコミュニティを大事にするよりも、現金を稼ぐことが大事だと思っている」という論文が確か１９９４年ぐらいに書かれているんですが、でも、それって実は１００年以上前からずっと言われていることなんですね。彼らは実際にその論文が書かれる１００年以上前から、市場経済にずっと触れているわけで、それは私たちが市場経済に触れているのと同じぐらいの長さなんです。「やっぱりコミュニティがいいのかな」「ああ、でもそこからは自由になりたい」というバランスのなかで揺れ動きながら生きている。彼らもそうだし、私たちもたぶん同じなんですよね。それは１００年とか２００年よりも、もっとすごく長いスパンのなかで揺れ動いてきたものだと思いますので、そんなに短期間でガラッと変わるようなものじゃないんですよね。ただその力点が少しずつ動いてはいて、いまは市場経済側に強く寄っているとは言えるのかもしれません。いずれにせよ、彼らは、すごく自由なわけでもないけれど、といってそこまで不自由なわけでもない、というのはおそらく私たちとほとんど変わらないような気もします。

若林　そうだとすると、そうした逡巡と言いますか、どっちも良し悪しだなみたいな感覚を、ある種のデフォルトだと思っていたほうがいいんでしょうか。

深田　いま、日本社会でも、クラウドファンディングですぐにお金が集まってしまうような状況がありますよね。働くことの対価としてだけお金が払われているわけではなくて、ある意味「思い」でお金を集める装置が威力を発揮している。実際にクラウドファンディングでお金を払おうとする人たちがたくさんいる状況は、その逡巡のなかにあることの表れかもしれないですよね。「マーケットだけじゃちょっと無理だよね」「私のお気に入りの映画館を支えたいんだ」みたいな、市場経済だけの限界をなんとかしたいという思いを私たちはもっていて、それは現在進行形で日本においても形になっていると思うんですね。

若林　本当ですね。

第2話

丸山淳子

不確実性と生きる

ひとつのことをするやつら

アフリカ・カラハリ砂漠でフィールドワークを続けてきた
津田塾大学の丸山淳子さんとともに、狩猟採集民の生活から
不安定性が前提となった社会における「生き方・働き方」を学びます。

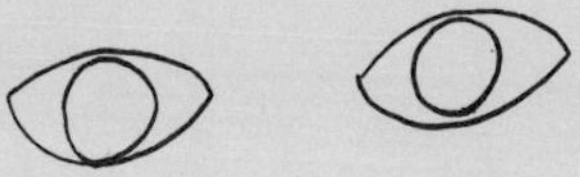

丸山淳子―まるやま・じゅんこ

津田塾大学学芸学部准教授。南部アフリカをフィールドに狩猟採集社会の現代的展開について研究。『変化を生きぬくブッシュマン：開発政策と先住民運動のはざまで』で澁澤賞など受賞。編著として『先住民からみる現代世界：わたしたちの〈あたりまえ〉に挑む』など。

松村　21世紀の働き方を考えるのに、突然なぜ狩猟採集民なんだ、と意外に思われるかもしれません。でも、人類学で労働や仕事についての研究といってまず思い浮かべるのは、狩猟採集民の研究なんです。アメリカの人類学者マーシャル・サーリンズが、1972年に『石器時代の経済学』（法政大学出版局）を出したんですけど、これは大きな衝撃を与えた一冊で、いまでも人類学の古典のなかで最も引用されることが多い本のひとつです。
　この本が出る前は、「狩猟採集民は常に飢えに苦しんでいて食べ物を求め歩いていたが、紀元前1万年ぐらいに農業が発明されてから、やっと安定した食料獲得ができるようになった」というのが定説だったんですね。でもサーリンズは、それまでの狩猟採集民研究の蓄積と、当時の新しい知見を踏まえて、狩猟採集民は1日に3、4時間しか働かずに、生存に必要なエネルギーを十分に得ていたことを示したんです。だから「働くこと」を考えるとき、狩猟採集民研究は人類学では欠かせない対象のひとつなんです。

若林　1日3、4時間、いいですね。自分もよくよく考えたら、無駄に会社にいるだけで、それぐらいしか働いてないんじゃないかという気もしてきますが（笑）。狩猟採集民といいますと、最近ですと、ユヴァル・ノア・ハラリというイスラエルの歴史学者が書いた『サピエンス全史』（河出書房新社）という本が日本でもベストセラーになってから、ビジネス界隈でも「狩猟採集民」ということばが一時よく聞かれるようになりましたが、そうした知見も、基本、人類学の研究を踏まえたものなんですね。

松村　はい。日本でもよく読まれるジャレド・ダイアモンドの本でも、「人類の600万年の歴史のなかで、私たちはほとんど昨日まで狩猟採集民だった。狩猟採集をやめて農業や工業社会に生きるようになったのは、つい最近のことにすぎない」と書かれていて、それをもとに話す人は多いですね。
　でも一方で、狩猟採集民はグローバル化した21世紀を生きている同時代人でもあるので、いま果たして狩猟

採集民がどういう暮らしをしているのか、そのあたりも今日は丸山さんに聞いてみたいと思います。丸山さんは大学院に入った20代そこそこから、ずっとアフリカ研究という私と近いところにいた方です。そもそも丸山さんが狩猟採集民の研究を始めたのは、どういうきっかけだったんですか。

丸山　私が狩猟採集民の研究を始めたきっかけは、あまり賢い感じではなくて（笑）。前回の深田さんが、すごく立派な動機で研究を始められていたので、同じことを聞かれたら、なんて答えようと思ってました。正直に言うと、私が狩猟採集民の研究を始めた直接の理由は、就職活動に失敗したからですね。

松村　おお、それこそ「働くことの人類学」ですね（笑）。

丸山　そうですね、まさに。本当は大学を卒業したら、普通に会社にお勤めしたかったんです。ところが全然採用されなかった。どこからも内定がもらえなかったので、路頭に迷う感じになって、当時の大学の先生に相談してみたら、「君は、アフリカとかに行くといいんじゃない？」と言われまして（笑）。それで、「まあそんなもんかな」みたいな感じで、アフリカに行くことにしました。

松村　世の中で就活に失敗する人は、いっぱいいると思うんですけど、そこから狩猟採集民研究者になる人は、かなり限られていると思います（笑）。丸山さんが研究されてきたのは、アフリカ南部のカラハリ砂漠に住んでいる狩猟採集民、ブッシュマンと呼ばれる人たちですよね。

丸山　はい。

古いものをなぜ捨てる？

松村　ブッシュマンはどういう範囲で暮らしているんですか。南部アフリカに広く暮らしているのか、それともすごく限られた地域に少数の人たちがいるという感じなんでしょうか。

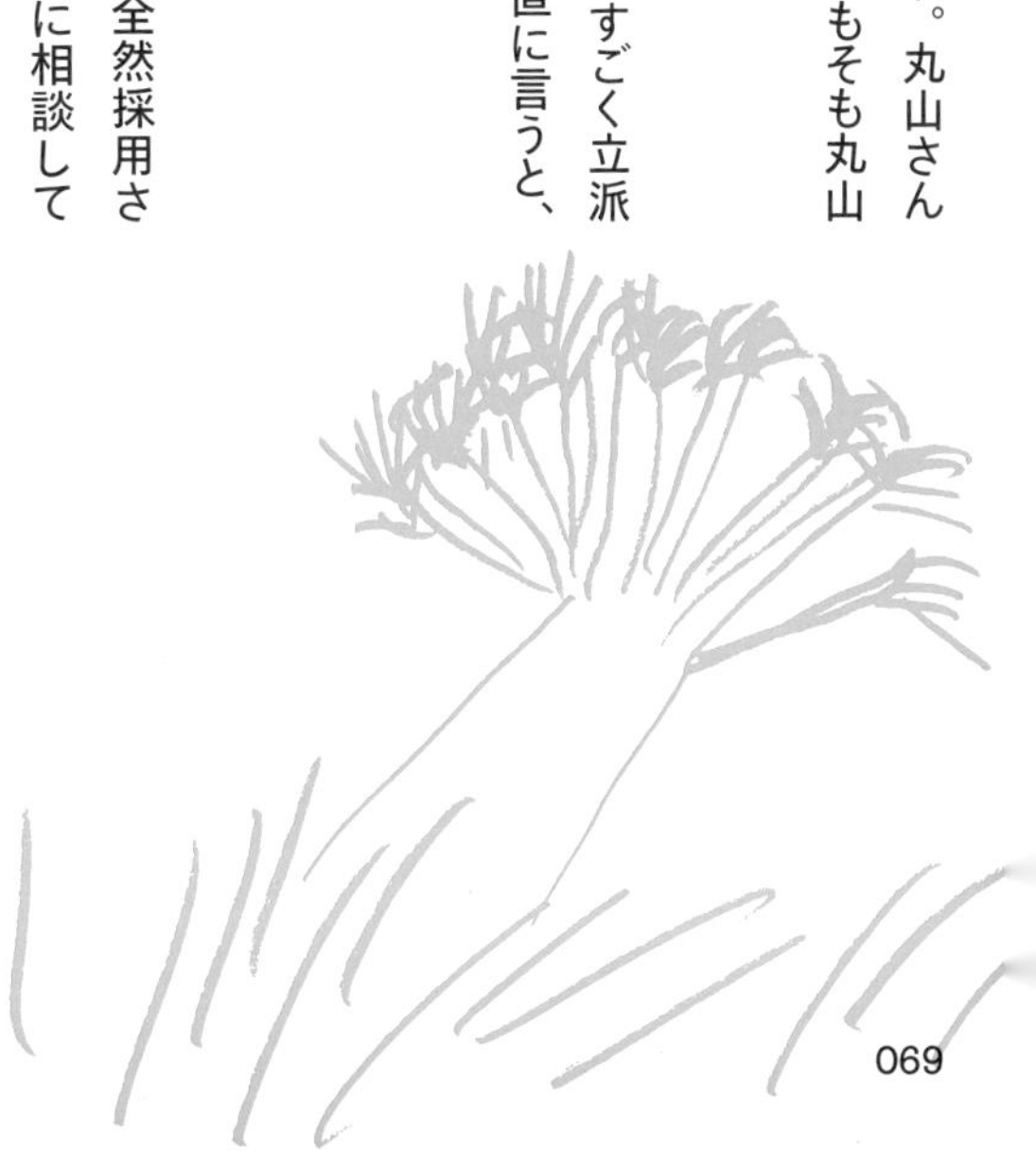

丸山　人口としては少ないです。人口を数えるのはすごく難しいので、正確な数字はないんですが、全部でだいたい10万人くらいだと言われています。ただ、暮らしている範囲は広いんです。私がメインに研究しているのはボツワナですが、ボツワナ以外にもナミビア、南アフリカ、ザンビア、アンゴラ、ジンバブエ辺りにも住んでいると言われています。南部アフリカと呼ばれる地域一帯に一番最初から住んでいた、いわゆる先住民と呼ばれる人たちです。

松村　アフリカには、他にも狩猟採集民がいますよね。

丸山　そうですね。アフリカに限らず、狩猟採集民は世界中にいて、アフリカでもうひとつ有名なグループはいわゆる「ピグミー」と呼ばれる熱帯雨林の狩猟採集民です。南部アフリカのブッシュマンと呼ばれる人たちは、乾燥地の狩猟採集民なので、アフリカ大陸には、湿潤なところにも、乾燥しているところにも、狩猟採集で生活してきた人がいると言えます。

　さらに広く世界で見れば、例えば、イヌイットと呼ばれるような北方の寒い地域に住む狩猟採集民もいれば、一方でアフリカなどの暑い赤道直下に暮らす狩猟採集民もいて、ありとあらゆる場所で狩猟採集生活は営まれてきました。

松村　いまも狩猟採集だけで生活している人は少ないかもしれないけど、一部そういう生活を残しながら生活をしている人はいるわけですね、世界中に。

丸山　そうですね。現在、１００％狩猟採集だけで生活している人がどれくらいいるかというと、かなり少ない、あるいはもしかしたら、いないかもしれません。でも狩猟採集を部分的に続けているとか、狩猟採集生活のなかで培ってきた社会的な特徴をもって暮らしている人たちは、世界各地にいます。ここ半世紀ぐらいで、多くの狩猟採集民の社会が大きく変化しましたけど、自分たちのことを狩猟採集民だと思っている人たちは、わりといると思います。

松村　なるほど。丸山さんが研究されてきたブッシュマンと言われる人たちには、色々な呼び方があって、どの呼び名を使うかもセンシティブな問題なんですよね。

丸山　たいていの狩猟採集民は、どこの社会でもマイノリティで、隣にもっと力の強い民族がいたりして、そういう人たちから差別的な感じで見下されていたり、低く見られた呼び名をつけられていたりするんです。「ブッシュマン」の「ブッシュ」も英語で「藪」という意味なので、「藪に住むような人たち」、つまり「未開」とか「遅れている」というニュアンスを含んでますね。それ以外に「サン」と呼ばれることもありますが、これも「貧しい」とか「物をもたない」というような意味を含んでいます。

一方で、本人たちが自分たちをどう呼んでいるのかというと、実は「ブッシュマン」と呼ばれる人たちのなかには、ものすごくたくさんの言語グループがあって、そのグループごとに違っています。私がずっとお世話になって研究をしているのは、「グイ」というグループと「ガナ」というグループで、彼らのことばには自分たちのことを指す単語があります。ちなみに、グイとガナの、グとガには、クリック音という舌打ちをするような音がつきます（と、丸山さん、実際にクリック音を出す）。「グイ」の場合、こんなふうに、日本語で「チェッ」と言うときに使う舌打ちの音と、グの音を同時に発音するんですね。

松村　不思議な音ですね。ブッシュマン研究者はこれがすごいんですよね。「え？　何、いまの？」っていう感じの音が出る。

丸山　発音するのが、とても難しいことばなんです。なので、日本語で話すときは「グイ」とか「ガナ」といったふうに、クリック音を落として発音することが多いです。で、この「グイ」や「ガナ」以外にも「クン」とか「コーン」と呼ばれるグループなど、色々な言語グループがあって、それぞれが自分たちを指す呼び名をもっています。

松村　なるほど。

丸山　でも、それぞれのグループが違う呼び名を使っているので、それを統一できない。ということで、とりあえずいまのところ、外からまとめて呼ばれている「ブッシュマン」や「サン」ということばを、ポジティブな意味を込めて使いましょう、というのが、現地の人たちを含めた動きです。

松村　なるほど。今日は、とりあえず「ブッシュマン」という日本でも親しみのあることばでいこうと思うんですけど。

丸山　それでいいと思います。

松村　カラハリ砂漠で生活していると聞くと、灼熱の大地で、非常に過酷な環境で生活していると思ってしまうんですけど、丸山さんは実際に、カラハリ砂漠でどうやって生活していたんですか。

丸山　たしかに暑いときはすごく暑いんですが、寒いときはすごく寒くて、まあどっちにしろつらいんですけれど（笑）。私は、さっきお話ししたように、アフリカにでも行こうかと思い、そのなかでも自分から一番遠そうな暮らしをしている人のところに行ってみたらいいんじゃないかな、みたいな安易な気持ちでアフリカの狩猟採集民の研究を始めたのですが、実際には、狩猟採集民の生活は、いま、どんどん変わってきているんですね。

私がメインのフィールドにしているのは、政府による開発プロジェクトによって近代化や定住化を進めるためにつくられた場所です。そこでは生活を近代化させるために、例えば学校や病院などがつくられたりしているんですが、そういうなかで、いったい社会の何が変わって、何が変わらないのかを考えたくて研究しています。

先ほど、ブッシュマンの総人口は10万人程度と言いましたが、そのなかに、いわゆるブッシュのなかだけで生活している人はほとんどいなくて、ほぼ全員が、開発プロジェクトが進む定住地や都市部、あるいは大農場など、ブッシュ以外のところに生活拠点のひとつをもっているのが現状です。私のフィールドは、そのなかでも特に開発プロジェクトが進んでいるところですが、そこで、ある家族のおうちにホームステイさせてもらうような形で、一緒に暮らしながら調査をしています。

松村　狩猟採集民は、かつては家ごとつくり替えて移動しながら、しかも分散して遊動生活をしていたのが、あまり動き回られるのは国としても困るので、いまは１カ所に定住させられているということですね。

丸山　そうですね。いまは、１０００人ぐらいの規模の定住地に住んでいる人たちが多いです。

松村　そうしたブッシュマンの人たちは、いったいどういう暮らしをして、どういう働き方をしているのでしょうか。

丸山　開発プロジェクトというのは、平たく言うと、野生の動物や植物をとって暮らすのは遅れているし生活も安定しなくて大変だから、そういう暮らし方はやめて定住するほうが、生活も良くなるでしょう、という発想によるものですね。私たちのような暮らし方のほうが、より進んだ近代的なものだから、こちらの暮らし方に移行させるほうが良い、という考えが背景にあります。

　なので、彼らに狩猟や採集をなるべくさせないようにして、定住させて、学校に行かせ、病院にも行けるようにして、それからお金を稼ぐこと、つまり賃金労働をやらせる。そうすることで、ちゃんと定期的な収入を得て、そのお金で食べ物を買って生活できるようにさせる。さらに、農業や牧畜もやらせて、とにかく狩猟採集なんかに頼らないような暮らしをさせましょう、というのが、開発プロジェクトの基本的な発想です。

　で、当のブッシュマンの人たちが実際にどうしているかというと、結構あっさりそれらを受け入れています。そんなに抵抗せず、わりと多くの人が賃金労働をやっていますし、学校も病院も、そこそこちゃんと行っていますし、定住地にも住んでいます。だけど、同時に狩猟採集もなるべくやめないようにしています。

　家畜がもらえるなら喜んでもらうし、畑もやれと言われればそれもやる。そうやって新しいこともやってみるけど、それまでやってきたことも、なんとなくちゃんとずっと続けているという感じです。なので、いま私が調査をしているところに行くと、色々な種類の仕事というか、生活の糧を得るやり方が併存しているような状況です。

松村　開発プロジェクトは、始まってからどのくらいですか。

丸山　開発プロジェクトにも色々な段階があるんですけど、最初に始まったのは１９７０年代後半なので、もう半世紀は経っていますね。

松村　それでも、なかなか狩猟採集という暮らし自体が一掃されることはないということですよね。

丸山　はい、そうだと思います。

松村　それはなぜだと思いますか。

丸山　「なぜなのか」を答えるのは難しいんですが、逆に、「私たちは、新しいものが入ってきたら古いものはやめるものだと思っているんだな」ということに、向こうに行って気づかされました。

松村　なるほど。たしかに。

丸山　私も当初は「社会の変化」みたいなことを考えたくて、開発プロジェクトが進んでいる場所に調査に行ったんです。そのときに、例えば自分の手でキリンを獲っていた人がスーパーでフライドチキンを買うようになるのは、ものすごく大きい変化だと思っていたんですけど、でもその両極にあるように思われることが無理なく共存しているというか、「どっちもあっていいよね？」みたいな感じになっているんですよね。そういう光景を見ていると、逆に、どうして私は「新しいことが来たら古いことはやめるものだ」と思い込んでいたんだろう、と気づかされるんです。

街に出て行った人やヨーロッパに留学した人たちは、もう狩猟採集はしないだろう、というイメージが知らず知らずのうち私たちのなかにはありますが、それ自体がひとつの特殊な考え方に過ぎなくて、別に、だからといって狩猟採集をやめる必要はないんですね。

松村　海外に留学した人が帰国して、狩猟採集生活に戻るということがあるんですか？

丸山　ありますね。完璧に狩猟採集生活に戻るというわけじゃないですけど、例えば昨日、街で見たときにはスーツを着ていた人に、今日ブッシュのなかでバッタリ会うみたいなことがあります（笑）。

松村　それはすごい。我々の側に、新しいことは良いことであって、常に新しいものを受け入れて右肩上がりに進歩していくものという価値観があるから、彼らが狩猟採集を続けるのを見て、「なんで遅れていることをわざわざやるんだろう？」みたいに思ってしまうわけですよね。

開発プロジェクトを進めているボツワナ政府の側も、これだけ畑も与えて家畜も与えて、農業や牧畜という、狩猟採集よりも進んでいると思っている生業になじませているのに、なんでまたブッシュに戻るのかな、と疑問に思っているんじゃないですか？

丸山　そうだと思います。そこにはきっと「新しいもののほうが良い」という考え方と、「どちらかを選ばなきゃいけない」みたいな発想が前提としてあるんですよね。

私たちは、家畜を飼い始めたらもう野生動物は獲らないだろうとか、新しいものが古いものに常に置き換わっていくとかいうような発想をしがちですけど、彼らはどっちもやる。

でもよくよく考えると、私たちも本当はそうやって新しいことと古いことの両方をやりたいのに、「古いことはもうできない」あるいは「やってはいけない」と思い込んでしまっているだけだと思うんです。こちらが「なんでやめないの？」って聞いても、彼らからすれば「なんでやめなきゃいけないの？」みたいな感じなんじゃないかと思います。

松村　冒頭で紹介したように、狩猟採集民は1日3、4時間しか働いていないとサーリンズが書いていたわけですが、それは第二次世界大戦前のフランス農民の働き方と比較しても、はるかに効率が良かった。狩猟採集する男性1人あたり4～5人の家族を扶養できていて、狩猟採集社会は少ない労働時間で生きていける効率の良い社会だったのではないか、実はとても豊かな生業形態なんじゃないかと言ったわけですよね。

いま、さまざまな仕事が増えているなかで、ブッシュマンの労働時間はどうなんですか。増えてます？

丸山　人によってだいぶ違うとは思います。オフィスワークのようなことをしていれば、それなりに労働時間は長いのですが、とはいえ朝から晩まで働き続ける感じはあまりないんです。「どれぐらい働いているか」という調査を私もしたことがありますけど、平均で4時間とか5時間ぐらいでした。日によって増減もありますし、人によっても変わりますけど、1日中ずっと働いているみたいなことはあまりないんです。

ひとつのことをしろと言うやつらが来た

松村　定住地での賃金労働には、どういった仕事があるんですか？

丸山　色々ありますが、雇用人数が一番多くて、誰にでもできる一般的な仕事は、工事現場で働くこととかですね。

松村　公共事業みたいな。

丸山　はい、公共事業です。道路を整備するとか、学校をつくるとか。専門的な技術が必要になるような仕事はあまりないんですが。

松村　それでも一日中、朝から夕方まで働かせるみたいなことはしていない？

丸山　していないですね。午前中だけ、といった働き方になります。

松村　へえ。

丸山　公共事業では、だいたいひと月単位で雇用をするんですが、1カ月働いたら次の月は働かない、みたいな働き方をブッシュマンは好むんです。「ちょっと働きすぎたから、そろそろやめたい」ということを彼らはよく言います。もっともっと働きたいというモチベーションをもっている人は、ゼロとは言いませんが、一般的ではないようです。

松村　賃金労働でお金を稼ぐことを、彼らはどう捉えているんですか。狩猟採集によって食べ物を得ることと同じカテゴリーの活動なのか、それとも違うものなのか。

丸山　広い意味では同じというか、生活の糧を手に入れるための手段というくくりにおいては同じだと思っていると思います。ただ、当然ながら性質が違いますよね。例えば、狩猟採集だったらある程度自分の好きなようにできるし、行きたいときに行けますが、賃金労働でしたら、言われたことをやらなきゃいけないとか、毎日行かなきゃいけないとかありますよね。でも賃金労働にしろ、狩猟採集にしろ、農業にしろ、広い意味で食べ物を手に入れるための手段としては同じように位置づけられていると思います。

松村　やらないで済むんだったら、あえてやらなくてもいいという感じはある。

丸山　いや、そんなことはないと思います。彼らにとっては、狩りに行くことも採集に行くことも楽しいことなんです。好きじゃないことはやらないので。実際「自分は好きじゃないからそれはやらない」という人も結構います。やっている人は、たぶんそれなりに好きだからやっている。狩猟も採集も決してネガティブなものではなくて、「何か面白いことがある」と思っているんでしょうね。

松村　賃金労働にもそれなりの楽しみを見いだしている。

丸山　そうですね。それはかなりあると思います。色々な新しいものに触れることができるし、人が集まって色々おしゃべりをするのも楽しいし、ちょっとこう祝祭的な感じがあるというか。

松村　みんなで集まってそこで何かやることの楽しさですね。

丸山　そうですね。でも、一緒に何かやるのはそれなりに楽しいことだと思っていますけど、だからそれをずっとやらなきゃいけないとは、あまり思っていない感じです。

松村　ずっとやっていると、楽しくなくなって、やりたくなくなるかもしれない。

丸山　そういうところは、あるかもしれないですね。

松村　政府が家畜をあげたり、畑を耕すように言ったり、狩猟採集以外の生業をやるように促しているという話がありましたけど、それはどういう感じのやり方なんですか。

丸山　いまは、一部の人たちが賃金労働をし、別の一部は採集をしたり、別の一部は畑をやったり家畜を飼ったりというふうに分かれています。主に定住地で暮らして賃金労働をやる人と、それ以外の人に分かれている感じです。

松村　みんなで同じ仕事をやるわけではない、と。

丸山　定住地の外側のブッシュのなかに一時的な居住地みたいな場所をつくって、そこで野生のものをとったり、農業をやったりしている人もいます。ただ、それぞれが、それをずっとやるわけではなくて、次の月になるとメンバーが変わったりするんです。

松村　なるほど。

丸山　だからフィールドに行くときには、まず「今回はどこにいるかな？」と、私がいつもお世話になっているおうちの方の居場所を探さなきゃいけないんです（笑）。そのときどんな生活モードになっているかわからないし、彼らは本当に色々なことをやっていますから。賃金労働として工事現場で働いていたこともあるし、自分でものを売っていたこともあるし、かと思えば、何日もブッシュのなかに行って、野生のものをとる生活をしているときもある。だから「大学教員の松村さん」みたいに「あの人は狩猟をしている人」とか「あの人は工事現場で働く人」と専門化している感じではないですね。みんながお互いにちょっとずつシフトしながら、色々な仕事をやっていくという感じなんです。

松村　仕事を専門化しないというか、ひとつの仕事に特化しない働き方は、狩猟採集時代から続いているブッシュマンの共通性と言っていいんでしょうか。ひとつのことにこだわりすぎないとか、働くことの選択肢を狭めないとか。つまり、新しく増えた選択肢は受け入れて自分の選択肢にするけど、だからといって新しいものだけをやるわけではないことが、いまのお話で見えてきたと思うんですけど。

丸山　そうだと思います。ブッシュマンは新しく開発計画を進める役人のことを陰で悪口みたいな感じで「ひとつのことをしろ」と呼んでいるんです。

松村　あははは。

丸山　現地のことばで「ツィサ・クル」と言うんですけど、「ツィサ」は「ひとつのこと」を「クル」は「する」を意味します。だから「ツィサ・クル」というと、「ひとつのことをする」という意味になって、「ひとつのことをしろと言

うやつらが来た」とか「ひとつのことをするやつらが言っている」という意味になるんです（笑）。彼らは「ひとつのことだけをしろ」と言われるのはものすごく抵抗があるみたいですね。賃金労働をやれとか、家畜を飼えとか言われることそれ自体に抵抗があるんじゃなくて、「ひとつのことだけをやれ」みたいなのはなんか変だよね、それってなんだろうね、みたいな。

松村　その感覚は、ちょっと不思議ですね。例えば日本の小学校では、これもやりたい、あれもやりたい、夢がたくさんありますとか言うと、そんな脇目を振っていてはだめだ、「二兎を追うものは一兎をも得ず」と言われたりしますよね。

丸山　そうですね。日本でキャリア形成みたいな話になると、どうしてもひとつの仕事を極めていくことが大事だ、ステップを踏んで次に行くことが大事、みたいなことが言われますよね。私たちはひとつのことに専念しないと、その道を極められないと思っているんですけど、私がお世話になっている家の人たちは、新しく導入された牛を飼うことだって極められるし、賃金労働もだんだんうまくなるし、ひとつに専念しなくても色々なことができるようになるのに、なんでひとつのことだけしろと言われるのかな、みたいなことをよく言いますね。

松村　私たちも「ひとつのことをするやつら」と思われてるわけですね。「ひとつの仕事しかしてないの？」みたいな（笑）。

丸山　そうそう。「まだそれやってんの？」って（笑）。彼らにとっては、それは謎のひとつなんですよね。

松村　そうか。ひとつのことを極めていくのが日本では良いこととされているけど、確実に生きていくことを考えると、ひとつのことしかできなければ、その仕事がなくなった途端どうしたらいいかわからない状態に置かれて立ち尽くしますよね。日本だと「こういう仕事ができる」ことが「私のアイデンティティ」になり、満足感や生きがいになる。でもブッシュマンの人たちはそうではないんですね。だとすると、仕事を次々と変えていき、やろうと思えば何でもやれる状態に自分を置いておくことは、仕事と自分の存在とが、そんなに深く結びついていないんですかね？

丸山　そうかもしれないですね。もちろん、「あの人は狩りが得意だよね」とか「あの人は牛を上手に飼っているよね」といったことはたくさんあるんですが、なんていうか「開いておく」感じなんですかね。ひとつのことにとどめない、というか。

　例えば、いまは狩りがすごく得意だとしても、一生狩りでいこうみたいなことではなくて、状況が変われば、別のこともできるかもしれないし、自分だけじゃなくて他の人もできるかもしれない、みたいな感じがあるのが、風通しがいいというか、居心地がいいんです。「これじゃなきゃだめ」みたいな感じがないんです。

松村　いいですね。

丸山　でも外からは、どれにも集中していないように見えるかもしれないですけどね。

松村　ブッシュマンたちは、ずっとそうやって暮らしてきたんだろうな、という感じに見えますか。

丸山　そうですね。サーリンズが著書のなかで引用した調査は1950～60年代のものなんですが、その頃のブッシュマンのなかにも、隣国の南アフリカの鉱山で働いて、その後また狩猟採集の生活に戻ったりしているような人がいました。ですから、狩猟採集とその他のいろんな労働を組み合わせていたという可能性は、何千年のレベルではわからないですけれど、数百年のレベルでは十分あり得ることだと思います。

松村　なるほど。なんとなくいまの狩猟採集民の生活の姿が見えてきたかなと思うんですけど、若林さん、どうですか？

若林　「ひとつのことをするやつら」と言って、いろんな人をばかにして回りたいですね（笑）。これはちょっと流行らせたいです（笑）。「複数のことをやるの、なんでだめなんだっけ？」という問い返しはパワーがありますね。そう言われると「なんでだっけ？」って考えちゃいますもんね。
ひとつ、どうでもいいことで気になったのですが、丸山さんがわりとサラッと「キリンを獲ったり」とおっしゃっていたんですけど、ブッシュマンの方々はキリンを獲るんですか。

丸山　いまは法律で禁止されているんですが、かつて獲っていたようです。若い雄のキリンの首の肉が一番おいしい、なんて話をおじいちゃんたちから聞いたことがあります。

若林　どうやって捕まえるんですか。みんなで追い詰めていくんですか。首にガッといくイメージしか湧かないんですけど、そんなやり方じゃないですよね。

丸山　地域によってだいぶ違いがあるんですけど、私が聞いたのは、毒のついている矢を当てて、キリンに毒が回ってしばらくして倒れたところを槍で刺す、みたいなやり方です。でも、まれにしか手に入らないごちそうですね。

若林　なるほど。

ブッシュマンのジェンダーバランス

松村　ここまでの丸山さんのお話から、狩猟採集民の考え方や仕事に対する向き合い方は、どうも私たちが正しいと思っているのとはだいぶ違うことが見えてきたと思うんです。一言で言うなら、こだわりのなさみたいなものですよね。自分はこれが得意だからといって、それだけに自分を縛らない。嫌になったらパッとやめるし、稼ぎたくなったら賃金労働もする。
日本人は逆に、狩猟採集民の人たちの考え方や働き方から、「何でこんなことにこだわってきたんだろう？」と、合わせ鏡のように問い返されるところがあるかもしれないですね。でも、そのこだわりのなさみたいなものは、もう少し生活のさまざまな場面での彼らの生き方のなかに見られるんじゃないかと思うので、そのあたりのことをさらに伺っていこうと思います。ブッシュマン社会には、例えば狩りに行くのは男性の仕事で、採集をするのが女性の仕事だ、みたいな分業的な考え方はないんですか。

丸山　狩猟採集民は、「男性が狩猟をして、女性が採集をする」ことが一般に多いので、それだけが唯一の分業である、と言われることが多いんですね。ただ、よく文献を読むと、「ただし、お互いに排他的ではない」と書いているものもあります。つまり、男性が採集をしてもいいし、女性が狩猟をしてもいい、ということですね。

　私も実際、狩猟採集民といえば、男性が狩りをし、女性が採集をするんだろうと最初の頃は思っていたので、そんなふうに彼らに質問したこともあるんです。「男の仕事」「女の仕事」という分類表が論文に載っていたらいいかなと思って、具体的な仕事をひとつひとつ順番に挙げながら「これは男の仕事か、それとも女の仕事か」と訊いてみたんですが、その調査は見事に失敗しました。「誰でもできる」とか「やりたいかやりたくないかは、その人次第だ」みたいな答えしか返ってこないんです（笑）。

　実際には、狩猟は男性がしていることが多く、女性が狩猟をすることは少なかったようですし、新しく導入された牛の飼養という仕事も、男性がやっていることが多いんです。だから、その具体例を挙げながら「牛の世話をするのは男性じゃない？」とか「狩りに行くのは男性の仕事じゃない？」と訊いてみると、わざわざそうではない事例を探し出してきて、「なんとかさんちのおばあさんを知っているか？　あの人は昔すごく上手に狩りをしてたんだ」というようなことを言うんです。男だからできるとか女だからできないとか、あるいはその逆のこととかを言うことはあまりなくて、やるかやらないか、できるかできないかはその人次第、という感じがあります。ですから「女なのに狩りをして」というようなことも言われない。

松村　日本とは対照的ですね。

丸山　女性であれ、男性であれ、動物を獲ってこられたら、それはいいことで、かっこいいことなので。

松村　丸山さんが書かれた『変化を生きぬくブッシュマン』（世界思想社）のなかにも、女性が地区のリーダーに選ばれる話が出てきますが、政治的な地位につくことも、別に女性だからといって必ずしも最初から否定されるわけではないんですか？

丸山　それは全然ないです。政治家は「話が上手な人がやる仕事」と思われていますけど、「話が上手なのは男だ」とか「話が上手なのは年配の人だ」とはあまり思われていません。アフリカは賃金労働を男性が担うところが多いと思うんですけど、ブッシュマンのところでは、工事現場の仕事にしても雇用されている人の男女比はほぼ半々ぐらいなんです。女性だからやってはいけない、みたいな縛りは全然ないです。

松村　現実として男女に分かれてやっていても、それをルールにしないというか。男だから狩猟をやっているんだ、みたいな形で私たちは考えちゃうんですけど、そうではないんですね。

丸山　そうですね。だから実際には、あることが得意な人が男性に多いとか、女性に多いということはあるし、彼らももちろんそういう傾向は認識しているけど、それをもって、これから何かをしようとする人に「それをやってはいけない」とか「これしかやっちゃいけない」という規範みたいなものにはしない。むしろ、そういう理解の仕方を私がしそうになると、「お前は何もわかってない」とよく怒られます（笑）。

松村　さっきのお話で、「これは男性の仕事ですね」と訊くと、むきになって違う例を出してきて、そうじゃないと否定するのは、「そんなふうに考えるのは、自分たちは嫌なんだ」みたいな意思表明ですよね。

丸山　そうですね。私がフィールドノートに「これは男性の仕事だ」という感じで書こうとすると、「そんなふうに書いてはいけない」みたいなことをよく言われます。

松村　それはすごいなと思うんです。そのブッシュマンの人たちから見ると、私たちはいかに「男と女」とか「大人と子ども」といったカテゴリーに沿って、規範的に物事を考えているか思い知らされますね。それはさっきの仕事をひとつに限定しない、という話にもつながると思うんです。「自分はこういう職業だから、この仕事だけをしなきゃいけない」みたいな言い方も、私たちの社会にはあふれていますけど、ブッシュマンの社会ではそうじゃない。

丸山　あまりそういう表現を好まないというか、そういう理解の仕方を積極的にしようとはしていない感じがします。

松村　でも「大人と子ども」はさすがに全然違う存在として捉えられていません？　子どもは危険だからここの狩りに行ってはいけないとか、子どもは学校に行くべきものだ、といった規範はありますよね？

丸山　子どもができることと大人ができることが違うのは当然みんなわかっていて、例えば、遠くまで歩いて行かなきゃいけないようなときに、子どもが置いて行かれることはあります。でも私も一応年齢的には大人なんですけど、途中でへばるだろうからだめだと置いて行かれたりもします（笑）。彼らはあまり、子どもだからだめ、大人ならばいいとは考えていないと思いますし、相手が子どもであっても、その子どもの「やりたい」「やりたくない」という意思はすごく尊重されるというか、大人だからって子どもの意思を変えられるとも思っていないような気がします。

松村　それについて、何か事例とかありますか。

丸山　例えば学校に行きたくない子どもは、必ずいますよね。そうすると、学校の先生が「子どもをちゃんと学校に行かせてください」と親に言いに来たりします。親のほうも先生が相手なので一応「はい」と言うんですが、先生が帰ったあとに「私のことじゃないし」みたいなことを言います。「行くか行かないかを決めるのはあの子であって、私じゃないから、私に言われても困る」という感じで捉えているんです。
　ですから、子どもが「行かない」と言えば親は諦める感じなんです。その子にはその子のやりたいことがあるんだろう、と。尊重する、という言い方をするときれいですけど、どちらかというと諦めに近いかもしれないですね。こうだったらいいのに、という願いはあると思うんですけど、他人のことはコントロールできないし、こ

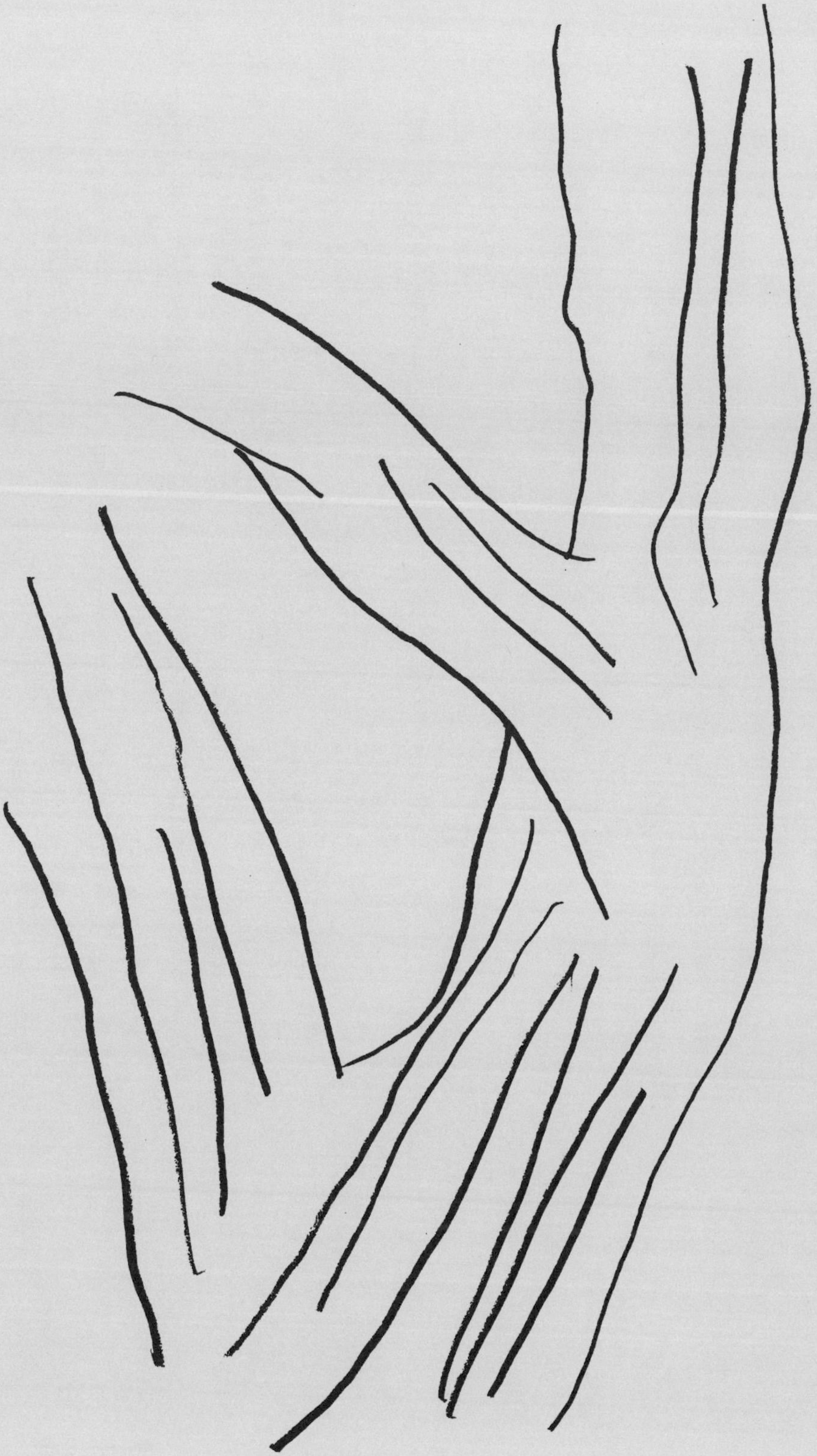

こから先は踏み込むのは無理、という諦めに似た感じはあるなと感じます。

松村　徹底してますね。子どもだからこうしなければいけないとか、男だから女だからこうしなければいけない、ということがない。その人の「やりたい」「やりたくない」の思いの前にルールがある、という考え方をしないんですね。むしろそれを積極的に嫌だと思っているというか。まずルールや決まり事を決めて、それにみんなで従うみたいなやり方は、逆に「なんでそんなことやってるの？」と言われちゃいそうですね。

丸山　そうですね。最初に決まり事を決めて、それに従ってこれから起こることをコントロールするという発想は、すごくなじまないんだろうと思います。ただ、私たちはむしろそちらになじんで暮らしているので、彼らのやり方は面倒くさいなと思うことがありますけどね（笑）。

松村　例えば、どんなことですか？

丸山　いちいちひとつずつ全部自分で考えなきゃいけないし、自分で決めなきゃいけない。こうしたらいいという参照枠がはっきり決まっているわけじゃないので、そのたびごとに交渉もしなきゃいけないし、ルールがあらかじめ決まっているわけではないので、1回ずつ全部話さなきゃいけないし、合意を取らなくちゃいけない。そういう意味では、ルールを先に決めておかないことによって、たくさんのことをしなきゃいけない。でもやっぱりそこは、彼らとしては頑張りたいところなんだろうと思います。

松村　日本だと、ルールがこうだから、これをみんなで守るのは当然だとか、民主主義はこういうもんだから、投票で結果が出たらみんなでその決定に従うとか、そればかりですよね。だから決まっていないのはすごく面倒くさい。常に交渉している場面に出くわす感じですか？

丸山　そうですね。事前に何も決まっていないので、私も、次に何が起きるのかをずっと見ていて、ようやくわかることがあるという感じです。さっきもお話ししたように、フィールドに行ったときに、まずホストファミリーがどこに住んでいるのかを探すところから始めないといけない。住所があって、そこに行けば必ず会えるというわけじゃない。そのときどこにいて、どんな暮らしをしているのかわからないから、事前に備えてちゃんと準備することもできない、行ってみるしかないんです。

松村　人類学の調査では、基本的には彼らがどういうルールに則って社会を営んでいるかを調べたくなるわけです。だから、この季節にはこういう生業をして、とか表をつくったりする。そういう決まった構造があるものとして捉えたいけど、でもそういう調査はことごとく裏切られてしまう、と。

丸山　その通りです。調査がなんだかうまくいかなくて、そのとき、私がもっていたフレームワークのほうが変だったんだなと気づくことになりますね。

自律していないと依存できない

松村　お金を稼いだり、食べ物を得たりすることについても訊きたいんですけど、彼らは、お金を稼ぐことは自分が食べていくため、と思っているんでしょうか。人類学の研究では、「狩猟採集民は食べ物を平等にみんなに分け与える」とよく言われてきたんですけど、実際、賃金労働も始まっているなかで、稼いだお金とかとってきた食べ物は、どんなふうに消費されているんですか？

丸山　ここまではずっと、ブッシュマンの人たちが、それぞれ自分ひとりで決めて、自分でそれをやるという話をしてきましたが、消費になると、今度はひとりでは全然完結しません。つまり、稼いだお金は俺のものだから俺だけが使うみたいなことは、ほとんどないんです。

もともと「狩猟採集社会は平等主義的だ」とはよく言われるんです。なぜかというと、獲物とか植物とかとってきたものは何でも、みんなに分け与える場面が頻繁に見られたからです。こういうことを人類学では「食物分配」とか「シェアリング」と呼びますが、それは賃金労働をするようになっても、よく見られる光景です。私も、料理をした人が自分ひとりだけでご飯を食べるのは見たことがないですし、例えば私がお世話になっている家の人だと、1日に1回、10人とか20人分のご飯をつくるという感じなんです。

松村　家族は何人くらいなんですか？

丸山　家族は、色々と数が変動するので、また数えるのがちょっと難しいんです。いま一緒に住みたいと思った人がやって来て一緒に住み始めたりとか（笑）。

松村　家族もメンバーが固定していないんだ。

丸山　家族も一応、コアメンバーみたいなのはいるんですが、でもなんだかよくわからない子どもが、最近何カ月もうちに住んでいるな、みたいなこともあります。

松村　よそのうちの子どもがずっと居ついて一緒に生活したりすることもあるんですか。

丸山　ありますね。子どもが友だちを連れてきて、そのままその友だちがしばらく家にいて、そこで一緒にご飯を食べたり、寝泊まりしたりして。

松村　それはもう1日、2日ではなく。

丸山　そうですね。私がお世話になっている家には、ずっとその家で暮らして、最終的にそこで結婚して子どもを産んだ女の子がいます。彼女は、もともとは遠い親戚ぐらいではあったと思うんですけど、その家の次女のクラスメイトで仲良しだったんです。

松村　それはその女の子の意思で、ですか？

丸山　そうですね。その家のお父さんは、「この子はうちが好きらしいからうちにいるんだ」と言っていました（笑）。

松村　彼女が好きだと言ってここに住みたいんだったら、一緒に暮らすし、一緒に食べればいいということですね。

丸山　はい。食べ物もあれば、あげればいい。住み着いた子のほうも、その家の子どもと同じようにお皿洗いをしたり、小さい子どもの面倒を見たりもする。ということなので、特に子どもの数はすごく変動するんですけど、私がお世話になっていた家は、基本的にはお父さんとお母さんとおばあちゃんと子どもたちがいるという構成でした。

松村　全部で10人はいかない？

丸山　10人はいかないですね。そのくらいの家族に、「なんとなく居着いている私」がいる。だから私もそういう存在として受け入れられちゃうわけなんです。

松村　でも料理は20人分なんですよね。

丸山　20人分ぐらいあるときはありますね。

松村　多いですよね。なんでですか？

丸山　それは、ご飯の時間に訪ねてきた人にも分けてあげるし、よそに住んでいる親しい人にも届けるからです。

松村　ああ、わざわざ届けるんですね。

丸山　わざわざ届けて、分けてあげるんです。私がお世話になっている家のお父さんとお母さんは働きものの夫婦ですけど、そ

のふたりが稼いで買ったり、ブッシュから採ってきたものであっても、その夫婦や子どもだけで食べることはなくて、色々な人にあげてしまいます。

松村　それは例えば、ふらっと「あ、あの家でご飯つくってるな」と思って訪ねて行ったら、食べさせてくれる感じ？

丸山　そう思います。もちろん、たまには、人が来ると隠す人もいますけれど（笑）。

松村　ちょっと嫌だなと思いながらも、基本分けてあげるんですね。

丸山　そうですね、分けてあげないことは、いい振る舞いだとは思われていないですね。「ずっと鍋の蓋が閉じていた」という言い方をしたりします。

松村　なるほど（笑）。仕事をする場面では、自分が何をやりたいのかをかなり自立的に判断しているのに、消費については分配するんですね。食べ物だけでなくて、稼いだお金も分け与えるんですか。

丸山　お金はお金のままあげることもありますし、お金で買ったものをあげることもあります。ねだられることも結構あります。あげるといっても、こちらから喜んでプレゼントするというイメージとはちょっと違っていて、わりと「くれ」って言われてあげる感じなんです。

松村　断らずにあげるんですか？

丸山　断ってみたけど、うまく断れないままあげるとか（笑）。

松村　押し切られる格好で（笑）。

丸山　でも、通りすがりの人にいきなり「くれ」と言うわけではなくて、「くれ」と言うには、もちろんそれなりの関係性があって、あげる側も「くれ」と言われて断れないような関係性があると思っている場合ですね。

松村　個人個人が自分で判断して色々決める、子どもですら学校に行くかどうか自分で決める自立性がある一方で、だからといって、個人単位で閉じていて全部完結しているわけじゃない。出口はゆるゆるというか、それこそ開かれているわけですよね。漏れていくというか、得たものがじわじわと周りのいろんな人に配られていく。

丸山　ただ、他の人にあげるために稼いでいます、とは誰も思っていなくて、みんな自分で使えるものなら使いたいんだと思うんです。かといって、何もあげられない状態も嫌で、「もらってばかりは疲れる」とよく言います。

新しく定住地での暮らしが始まったときに、政府が提供した賃金労働に就けなかった人たち、例えばお年寄りとか雇用にあぶれた人たちが、最初のうちは、もらうだけの暮らしをしていたんですけど、やがて、どんどん定住地を離れてブッシュに行って採集とか畑をやるようになっていったんですね。きっとその背景には、自分が働けないままずっともらうだけになっちゃったのが居心地悪かった、ということがあると思うんです。実際、そのことを「すごく疲れた」と言っていた人は多いです。自分で畑をやって豆がとれたらそれを分けてあげるし、お金で稼いで働いている人からはお砂糖をもらう、みたいな状態のほうが居心地がいいんだと思います。

松村　自立しながら依存しているという、そのバランス感覚がすごいですね。

丸山　どちらかといえば「自律」のほうがしっくりきますが、たぶん、自律していないと依存できないんだと思います。その人が自分の意思でこれをやりたいと思ったことをやって得たものを、その人の意思で分けてくれるところが大事なんです。だから例えば、私が「あなた働いてきてね」と相手に指示して、稼いできたものをもらうのでは意味がないんだと思います。

松村　あらかじめこういう人は、こういうところに配らなければならないという前提とかルールがあるわけではないってことですよね。男が稼いで家族を養わなければいけない、みたいな固定観念はないですか？

丸山　ないですね。

松村　女性でも自分で採集したり賃金労働したりして稼ぐし、それぞれが自分でやって自分の意思として与える。それによって、自分が稼ぐことで人の役にも立てるという尊厳を確保している。

丸山　その人が自分でこの仕事をしたいと思ってして、その結果得たものをあげたいと思ってあげる。そういうものを私がもらったのだ、というところが大事なんだと思います。肉を何キロもらったかや、お金をいくらもらったかということよりも。だから、これは誰がくれたとか、どういう場面でくれたとか、そういうことはみんながすごくよく知っていて、覚えています。

松村　人間関係がすごく密ですよね。お互いに、どこに誰が住んでいるとか、何を食べているとか、何がとれたとか何を稼いでいるか、近いところではみんなが知っている感じですか？

丸山　みんな、お互いのことはよく知っています。というか、そういうことを隠すのは、むしろ反社会的なこととみなされている感じです。生活の全体がお互いに見えているということがすごく大事なんです。でも、ここがちょっと複雑なんですが、だからといって、「これ、私があげるからね」みたいなことは言わない。あえて誰がくれたのかよくわからなくなるようなパフォーマンスをするんです。例えばご飯を分けるときに、つくった人がもって行くんじゃなくて、その辺で遊んでる子どもにもって行かせたり。子どもも別に「誰から預かった」みたいなことを言わない。

松村　言わないんだ（笑）。

丸山　言わないんです。

松村　でももらったほうは、なんとなく察する、と。

丸山　このお皿はあの家にあった皿だとか、そういうことから察するんですね。ですからみんな、いつもそういうところをとても気をつけて見ている。

松村　直接的に恩とか義理みたいなものが顕在化しないように、迂回をしながらあげたりもらったりして、どちらかがあげてばっかりとか、もらってばっかりとか、一方的にならないように工夫している感じですね。

丸山　すごく巧妙なことをやっているなと思います。

お別れは、あえて言わない

松村　彼らがどうやって人間関係の距離感を取っているのか、丸山さんのお話を聞いているといつも不思議だなと思うんですが、以前、丸山さんがフィールドから離れて日本に帰るときに、みんながいなくなるという話を聞かせてもらったことがあります。あの話も面白いですよね。

丸山　私がフィールドワークを終えて帰るという日になると、まず子どもは泣いちゃったりするので、前の晩から違う家に行かされてます。私が一番お世話になっている家のお母さんも、私が身支度もできてそろそろ出発しようかなというときになって突然「私、ちょっと買い物に行ってくるわ」って出て行っちゃったりするんです。で、ポツンと私ひとりだけになって、当時、家には病気で寝たきりになっていたおじいちゃんがいたんですけど、そのおじいちゃんにだけ「じゃあ、私行くね」と言って帰るみたいな（笑）。

松村　それは、何なんですかね？

丸山　それはたぶん、最高のホスピタリティなんですよね。お別れをしない、また普通に会えるようにしておきたい。お別れといっても特別なことじゃないよね？という感じなんじゃないかと思います。

松村　別れを言うとしんみりしちゃうから、あえて言わないし、そんな場面を避ける。でもそれは素っ気ないというよ

りも、むしろそういう距離の取り方が相手への気遣いとして絶妙だなと思うんですけど。

丸山　お互い特別なことをせず、悲しくならないようにしましょうね、みたいな心遣いですよね。だけど、誰もそれを私に説明してくれない（笑）。

松村　言うのは野暮なんでしょうね。

丸山　野暮なんだと思います。だから最初の頃は、「あれ？　結構、仲良くなったと思ったんだけど、私、あんまり好かれてなかったのかな」とか思いながら帰ったりしました。

松村　「世界ウルルン滞在記」みたいに感動的な涙のお別れをしようと思ったときには誰もいない、と（笑）。私はエチオピアの農村で研究をやっているんですけど、農民はそうじゃないですね。彼らは定住していて、あまりくっついたり離れたりしない。それでも、よそのうちの子どもがしばらく一緒に生活するのは普通にあるんですけど、別れのときは、ちゃんとみんなハグとかしてくれますからね。

丸山　それがないんですよね。移動生活と人間関係というのは、やっぱり結構色々なところで関係していると思います。彼らは、空気を読んで、色々見て、分け与えたり分けなかったりするんですけど、でも別に、みんなそれが得意なわけでもないし、いつもうまくいくわけでもないし、喧嘩になることもあるんですよね。くれると思っていたのにくれなかったとか、あげようと思ったのにもらってくれなかったとか、思いがすれ違うことのほうがむしろ多いかもしれない。

　でも、ちょっと距離を置いて何週間か何カ月か別々のところで暮らして、また会ったら、関係はそれなりに戻ったりする。そういうリセット期間みたいなものを挟むことが、移動生活をしているときは、できていたのだろうと思います。いまは定住してみんな同じところにずっと一緒に住んでいるので、争いとか揉め事、すれ違いがリセットされるチャンスが減っていて、結構難しい状況になってきたなと感じます。

松村　ちょっと離れた場所にも家をもっておいて、ときどき仕事も変えるし、人間関係も変えるし、喧嘩していても、しばらくして戻って来たらそれがなかったかのようにまた関係が始まるんですね。

丸山　そうした人間関係の流動性の高さも、仕事に関する流動性の高さも全部つながっているんじゃないかな、と思います。

松村　日本から見ると、かなり面倒くさいことをやっている感じがしますよね。そのたびごとに相手との関係を読み取らなきゃいけない。それなら最初からルールや慣習を決めて、その通りやったらいいじゃん、と思っちゃうんですけど、そういうふうにはしない。やっぱり私たちは制度やルールをつくってみんなで守るほうがうまくいくんじゃないかと思ってしまいがちです。

丸山　そうなんですよね。私たちは「1回ルールを決めたらそれをずっと守りましょう」とか「みんなでこういうやり方がいいよねと合意が取れたら、ずっとそれでいきましょう」みたいなやり方に慣れている。でもそれは、いまある状況がずっと変わらないことが前提なので、いまある状況がどんどん変わっていくのだとしたら、そのルールがいつかしんどくなるときが必ず来ますよね。
　それは単純に、自然環境とか生活様式だけの問題ではないとは思うのですが、それでも、カラハリ砂漠のように今年雨が降っても来年は降らないとか、今日は獲物が獲れたけど明日来たらまた獲れるわけじゃないとか、いまある新しい開発プロジェクトだって来年まであるかどうかわからないなかで、「これでいきます」というルールをいったん決めたとしても、そのルールを成り立たせる基盤の側が変わるんだとしたら、実はそんなにやりやすくない。

松村　うーん、それはまさに、いまの日本に限らず世界全体が置かれている状況ですよね。パンデミックで、これまでやってきたことが通用しない事態になって、右往左往している。なんとかこれまでのやり方でやろう、通常モードに戻そうとみんな思うんだけど、状況は全然、通常に戻ってくれない。

丸山　変わることのない安定した何かがあるんだ、みたいなことを信じられるくらいの状況においては私たちのやり方でよくても、一度それが崩れると、むしろブッシュマンのやり方のほうが面倒くさくないんだと思います。

松村　その都度、その場その場で判断することが普通な状態だと、コミュニケーション能力も、状況をちゃんと自分で見て判断する力も付きそうですね。いま大学で学生に「自分の頭で考えなさい」とか言うと、「（大学に入って）急に自分で考えなさいと言われても困ります」とか返されちゃうんですが、それは「安定」を前提としてこの社会をつくってきたからなんでしょうね。ブッシュマンのように「不安定」であることを前提に、柔軟性の余地を常に残しながら、その場その場で交渉して問題を解決していくほうが、しかも個々人がちゃんと対話できる余地や場所があったりするほうが、民主主義の社会もちゃんと機能するんじゃないかと思ったりします。

丸山　単純にそのほうが、私にとっては、居心地がいいですね。それこそ私も就活がうまくいかずにカラハリ砂漠まで行っちゃったんですが（笑）、就活のなかで「こういうライフコースじゃないとだめですよ」みたいなことを繰り返し言われたわけです。「5年後のキャリアを見据えて面接で答えなさい」みたいな。ブッシュマンの社会はそれと好対照で、「先のことはわかんないよね」「いまあるなかでやりたいことをやりましょう」という考え方が通底しているというのは、実際、個人としても生きやすいのかな、と思います。

松村　いま大学の先生という立場で、それこそ就活で悩んでいる若い学生とか見ていて、どうですか。かつての丸山さんみたいな学生には何て言いますか？（笑）

丸山　「就職できなくても大丈夫」とはよく言います（笑）。学生は「先生は大丈夫でしょうけど、私は無理です」とか言っていますね。でも「就活だけじゃないんだよ」ということを言ってあげるのは、ちょっと長く生きている私たちの務めかなと。

松村　いい話ですね。

若林　丸山さんのお話、結構キラーフレーズが多くて、「ずっと鍋の蓋を閉じている」というのも、めっちゃいいですね。そうやってまた誰かをなじりたくなります。「お前、ずっと鍋の蓋閉じてただろう」って（笑）。というか、逆にむしろ自分を反省しますね。「オレ、ずっと鍋の蓋閉じてんな」って。
　ところで、ブッシュマンのみなさんには「家《ホーム》」という概念はあるんでしょうか？　故郷とか、そこが帰る場所である、という意味での「家」ですが。

丸山　建物としての「家」という意味ではなくて、ですよね。

若林　はい。

丸山　特定の地点ではなくて、ものすごく広い意味で、この辺り一帯はずっと私たちが使ってきた地域だよね、というものはあります。でも私たちが住んでいるような、住所のはっきりした「家」という概念は、政府が世帯ごとに土地を割り当てて定住地になってからは、ちょっとはできてきましたけど、それまではほとんどなかったし、いまもそれを重視している印象はあまりないです。

若林　そうすると、帰る場所がある「家」みたいなものは、そんなにないわけですか。その地域全体がある種の故郷、みたいなイメージなんですかね。

丸山　そうですね。彼らもどこでも生きていけるかというとそういうわけではなくて、何十平方キロメートルとか何百平方キロメートルぐらいの広い範囲かもしれないですけど、だいたいあの辺りを自分たちが使ってきた、みたいな意味での、「テリトリー」とまでは言えないですけど、ゆるやかな「あの辺りがホームだ」という感覚はあると思います。

　それで思い出したんですけど、コロナになってから面白かったのは、ブッシュマンの友人たちが、「ステイホーム」といってFacebookにあげる写真が、ブッシュのなかで歩いている写真とかなんですよ（笑）。彼らにとっては、ホームって建物のなかじゃないんだな、と思いました（笑）。

若林　あはははは。めちゃいいですね。お話をお伺いしていて、ブッシュマンの生活は東京の都市生活みたいなものと近いのかもしれないという感じもしました。都会人にとっての「ホーム」って、閉じた建物というよりは、街のあるテリトリーだという感じもありますよね。そういう意味でも、なんだか自分にとっても参考になるというか、学びになる話だったように思います。楽しいお話で

した。

松村　たくさんキラーフレーズが出てきましたけど、まだまだ掘れば掘るほど出てくるんです。狩猟採集民というと、教育もなく、ものを知らない人たちというイメージをもたれがちなんですけど、狩猟採集民研究をやっている人の話を聞くと、いつも賢明というか聡明だなと思わされます。世の中のことをちゃんと見ていて、自分たちのことをよくわかっている感じがするんです。むしろ、ルールをいったん決めたらそれに従う、みたいな生き方をしている私たちのほうが、あまり物事を考えないで暮らしているんじゃないかと思わされました。丸山さん、ありがとうございました。

丸山　ありがとうございました。

アフタートーク

空気の読み方がまだ甘い

自由はいかにして成り立つのか。松村さん、ゲストの丸山さんを交えながら「空気を読む達人たち」の生き方を、センター長とキャプテンがさらに深掘り。

山下　今回も面白かったですね。いかに自分がひとつのことだけやり続けているか、いま必死に悔いています（笑）。

若林　そうですよ。山下さん、ずっと鍋の蓋、閉じていますよ。

山下　本当ですか（笑）。

若林　そんなことないです（笑）。山下さんは、コクヨという会社のなかでもわりと自由なポジションで、比較的好きなことをやっているという意味では、日本の会社文化のなかでは狩猟採集民的な部類ですよね。

山下　そうですね。丸山さんのお話を伺いながら、最近サラリーマン界隈でよく聞かれる「ジョブ型」という言葉を思い浮かべました。これまで日本の会社というものは、社員の面倒を一生見る家族主義的なもので、そのかわりに社員は職務内容、勤務地、労働時間の3つの「無限定性」を飲んでジェネラリストになるというモデルでした。しかし、経団連の会長が「終身雇用はもう守れない」と述べたように、もう会社では面倒みきれなくなってしまい、いまは一人ひとりが自立しなさい、とある意味で狩猟採集民化を言い渡されている状態だと思うんです。

でもそこで言われる「自立」はブッシュマンとは違っていて、ひとつのことを極めなきゃいけない、いわゆる「ジョブ」として専門性を成立させなきゃいけないという意味で、「じゃあ私の専門性はいったい何なんだ？」ということを、急に多くの人が突きつけられているのではないかと。本家本元の狩猟採集民たちの、いやいやひとつにこだわらなくていい、もっと自由にいろんなことをチョイスしながら変化に対応していくんだ、という生き方は「ジョブ型」よりもしっくりきます。もっと自由な選択肢があるなかで専門性を極めたり、興味があることをやりながら生きていくことで、それを会社にもフィードバックしていけるような関係をつくれないのかなと思いました。

若林　「ジョブ型」は、基本的に専門性をもって渡り歩けっていう話なんでしたっけ？

山下　明確な専門性と達成目標を会社と合意することによって、Win-Winな状態をつくっていきましょう、ということです。いままでは、先ほどの無限定性が重視され、ずっとオフィスにいる働き方が中心だったので、人間性や働きぶりまで含めた評価がなされてきたわけですが、パンデミックによってリモート中心になったことで、働きぶりも見えなくなりますから、「成果」つまり「ジョブ」で判断をするというような流れに一気に舵が切られてしまいました。

若林　でも、その話、なんだかおかしいな（笑）。専門性って、全体のなかで役割が割り当てられる分業というものがないと成立しないじゃないですか。それじゃ全然、会社から自由になってない（笑）。

山下　「ジョブ型」と耳当たりのいいように言っていますが、結局、企業の責任回避であり、そのツケがワーカーに押し付けられているのは本当に変ですよね。一方、そうであればということで、もう会社には頼らないと副業や外に飛び出すノマドが礼賛されています。90年代のフリーターブームとか、10年代のノマドブーム、最近だとギグワーカーブームのようなことが過去何回も流行ったわけですが、いざ飛び出したら、そこにはセーフティネットもなければ、ただ巨大なプラットフォーマーという胴元がいて、そこに搾取されるだけの空虚な世界が広がっていたという印象がありますね。

若林　つらい。

山下　本当につらいですね。でも、ブッシュマンの社会にある、ある種のセーフティネットというか、知らない間に周りが助けてくれているみたいな関係があれば、少しはポジティブにやりたいことにチャレンジできるかもという気はしました。

若林　お別れをしない話とか、子どもがずっと居着いちゃう話とかもそうなんですが、そういうところに表れている「シャイさ」みたいなのって、ちょっと都会っぽいと思ったんですよね。江戸っ子っぽい感じがしません？

山下　なるほど（笑）。

若林　そういうシャイさがすごくいいなと思ったんですが、そういう気風というか共通の心理が、どういうふうに全体として育まれるのかというのは、不思議ですね。

松村　子どもが学校に行くかどうかも、あなたが自分で判断しなさいと子どもの意思を尊重する感じとか、ちゃんと状況を見てふさわしい振る舞いをするとか、ブッシュマンの人たちは大人なんですよね。ルールを決めて何も考えずにルールに従うとき、私たちはちょっと子どもっぽくなるというか、これがルールなんだから守らなきゃいけないと思考停止していて、状況をちゃんと見ていないところがあると思うんです。でもブッシュマン社会では相手を見ながら、その場で考えて対応する。だから空気を読むって、日本人の特性みたいに言われることが多いんですけど、ブッシュマン研究者から見たら、日本人の空気の読み方はまだまだ甘いって思うんじゃないかなと。

若林　たしかに。これは改めて丸山さんにお伺いしたいのですが、子どもの意思を尊重するというのは、子どもが生まれた瞬間から、その赤ちゃんなりに自由が備わっていると見るんですか？　つまり、赤ん坊のときから子どもはコントロール不可な何かであるってみなされる感じなんですか？

丸山　そうだと思います。そもそもあまり年齢を数えたりしないので、何歳になったらという考えはないと思うんですけど、子どもがやりたいことは何でもやらせようという感じがすごくあります。だから、永遠にお砂糖をなめたいとか言う子どもには、私なんかは「やめなさい」とか言いたくなっちゃうんですけど、むしろ「やりたがっているんだから、やらせろ」みたいに、私がおじいちゃんから怒られたりしました。でも、いま、自分自身の子どもを育てていると、「どうしよう、やっぱり永遠になめさせちゃいけないよな」とか葛藤があります（笑）。

山下　とはいえ、みんなが「これはやっちゃだめ」とか、あるいは逆に、「これが人生の最上の喜びである」と認識している共通の規範みたいなものはないんですか。

丸山　まったくないわけではもちろんなくて、例えば結婚してはいけない相手がいたり、食べてはいけないものがあったり、危ないことをやってはいけない、という規範はいくつかあります。でも、それをうまく回避する術も必ずセットになっているんです。

例えば、食べてはいけないというタブーになっている動物があって、ある年齢の人は食べちゃいけないとされているものを何かの事情で食べちゃったとき、それが悪さをしないようにするための薬草も必ずセットである。だから食べてはいけないんだけど、もし食べちゃったとしても、「その薬草を飲めば大丈夫だ」と言うんですね。あるいは結婚にしても、キョウダイに分類される人と結婚してはいけないけど、母方をたどるとキョウダイだけど、父方をぐるっとたどるとイトコだから有りですよね、みたいな感じにする。そういった抜け道がいつもセットであります。なので、無秩序ではないけれど、自由が確保される。

松村　「自由がどう成り立つのか」って、たぶんどの社会でもどの時代でも難しい問題だと思うんです。自分に対しても人に対しても、強制力を働かせずにかろうじて自由とか自立の領域、自尊の感情みたいなものを維持していくことができる。ブッシュマンはそのバランスを取る達人のようにも思えるし、彼らの生き方にはそのヒントがあるんじゃないかな、と思うんです。

第3話

佐川徹

ノマドの思想

胃にあるものをすべて

エチオピア南部の国境地帯に暮らす牧畜民「ダサネッチ」の研究をされている慶應義塾大学の佐川徹さんに本家本元の「ノマドの思想」を学びます。

その徹底した個人主義に根ざした「社会」と「政治」のあり方とは?

佐川徹―さがわ・とおる
慶應義塾大学文学部准教授。東アフリカの牧畜社会で紛争や開発について調査を行っている。近著に『アフリカで学ぶ文化人類学――民族誌がひらく世界』(共編)、『遊牧の思想――人類学がみる激動のアフリカ』(分担執筆)がある。

松村　前回のアフタートークで「ノマド」ということばが出てきたのを聞いて、そういえば一時期、そういう呼び方をいろんなところで耳にしたな、と思い出したのですが、もともと「ノマド」は遊牧民や牧畜民を指すことばなので、それなら「本物の牧畜民の話を聞いてみよう」というのが今回の趣旨です。

広い領域を移動しながら生活をしてきたという意味では、狩猟採集民と近いところもあるんですが、牧畜民は家畜を飼って放牧をしながら土地を移動していきます。今回は、なぜ牧畜民はそういう生業形態なのか、という基本のところからお話を聞いていきたいと思います。よろしくお願いします。

佐川　よろしくお願いします。

離れることで愛おしくなる

松村　佐川さんとも同じぐらいの時期に大学院に入って、一緒に研究会で勉強してきた仲なんですよね。私も同じエチオピアをフィールドに研究をしているんですが、ダサネッチはエチオピアのなかでも端っこにいる人たちですよね。私も行ったことのない場所です。まず、ダサネッチがどんな人たちなのか、簡単に教えてもらえますか。

佐川　ダサネッチが住んでいるのは、エチオピアの西南部ですね。ここは国の一番端っこで、南にケニア、西に南スーダンという国があるので、3国のちょうど国境付近になります。最近は道がよくなったので、エチオピアの首都のアディスアベバからは車で1日半の距離です。だけどいまでも「辺境の地」ですね。気候は乾燥していて、年間平均降水量が350ミリから400ミリぐらい。東京でだいたい1500ミリなので、その4分の1ぐらいしか雨が降らない。人口はだいたい7万人です。国境を越えたケニア北部にも数千人が暮らしています。

松村　それなりの人口ですね。

佐川　そうですね。ただエチオピアは、人口が1億人を超えていますから、国全体で見るとマイノリティのなかのマイノリティです。

松村　首都からは距離にするとどれくらいですか？

佐川　直線距離で700キロぐらいですかね。

松村　私が調査している村が、首都から350キロから400キロぐらいの距離なので、ちょうど中間に当たる感じですね。私が調査していた農村は標高が1500メートルぐらいあって、雨も年間2000ミリぐらい降るときには降るので緑が広がっているんですけど、佐川さんが調査されている国境地帯は、標高も低く乾燥しているし、全然環境が違いますね。ダサネッチはなぜ、暑くて乾燥していて一見何もないような場所で生活をしているのか、そのあたりを教えていただけますか。

佐川　私たちからすると何もないように思えるんですけど、少ないながらも雨が降って、川も流れているので、牧草や乾燥に強い木はそれなりに生えているんです。ただそういう草とか木の葉っぱは、私たち人間には食べられないですよね。消化できない。しかし動物は、それを食べて、それが肉になり、骨になり、血になり、そしてミルクになる。その家畜生産物を、人間が食べたり飲んだりできる。ですから、動物を家畜として飼養することで、それなりに満足のいく生活が送れるようになっている。これが牧畜という生業の基本です。

松村　人間が種をまいて作物を育てることは、ほとんどできない土地なんだけど、自然に生えている、人間には食べられない植物を動物がとり、その動物を利用して人間が生活しているんですよね。ダサネッチはどんな動物を飼っているんでしょう。

佐川　ダサネッチは5種の家畜を飼っています。ウシ、ヤギ、ヒツジ、ロバ、あとラクダを少しですね。東アフリカの牧畜民はいろいろな家畜を一緒に飼うことが特徴で、これは環境への適応という点で大事になってくるんです。

松村　いまでも移動生活をしているんですか？

佐川　最近は、国家が定住化政策を進めていて、移動の頻度や移動距離はかなり減少してきているのですが、家畜と一緒に暮らす家畜キャンプでは、いまでも数週間からひと月に1回ぐらい居住地を移していきます。ですから、現在でもノマディック（遊動的）な生活を送っているということができます。

松村　定住化政策があっても、牧畜民は牧畜という生き方、あるいは移動生活という生き方を簡単に捨ててはいないわけですね。

佐川　そうですね。例えば、定住化政策を進める政府は「農業をしろ」って言うんですけれども、なかなか難しい。そもそも雨が降らない土地なので。

松村　そうですよね。

佐川　ダサネッチは、川の季節的な氾濫を利用した「氾濫原農業」を伝統的に営んできました。しかし政府は、川が流れているのだから、もっと計画的に生産ができる灌漑農業をやれ、と言う。でも灌漑農業は土地の塩害を招きやすいし、灌漑に使う機械の修理も難しいので、継続的にやっていくのが難しい。そういう環境のなかで牧畜という生き方を続けてきたわけですが、それが国家にはあまり望ましくないとされて、苦境に立たされているのが牧畜民の現状です。

松村　例えば放牧だと、毎日家畜を連れて水を飲ませに行ったりしていると思うんですけど、どのくらいの距離を移動しているんですか？

佐川　まず「日帰り放牧」をしています。毎朝、ミルクを搾ったあとに集落から離れて、牧草と水を求めて放牧し、夕方に戻ってきます。この「日帰り放牧」は、だいたい片道10キロぐらいのところまで行って戻ってくることが多い。それとは別に、集落自体を移す、つまり引っ越しもします。こちらの移動距離は、その時々によってだいぶ違いますね。短いときには、数百メートルしか移動しないときもある。

松村　数百メートル？

佐川　大きく移動する場合には、数十キロ移動するので、その時々によって移動距離がだいぶ違うんです。

松村　草がなくなったから移動する、と想像しちゃうんですけど、数百メートルだと、そういうことではなさそうですね。

佐川　移動すると言うと、水とか草がなくなって、生存の必要性に駆られて移

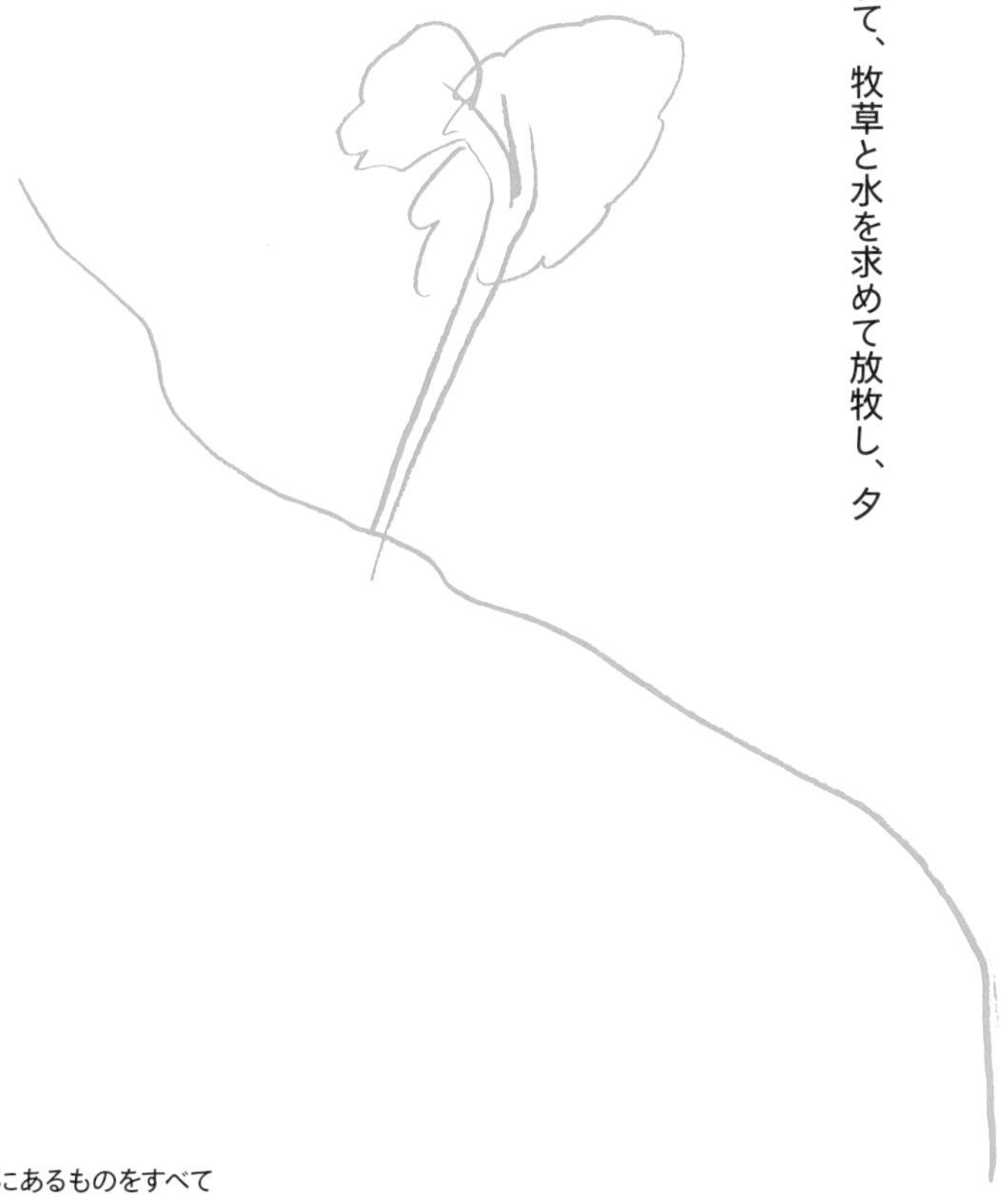

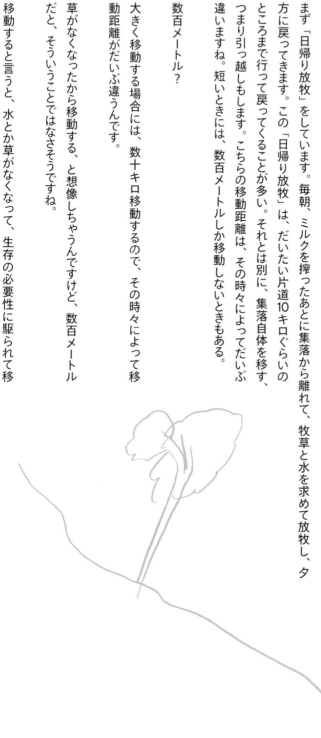

動していると思いがちですよね。たしかにそういうときもありますが、移動にはそれ以外のさまざまな機能があるんです。

松村　面白い。どんな機能ですか。

佐川　ひとつには、生活環境を快適に保つという機能があります。彼らはトイレをつくりませんから、集落のすぐそばで用を足します。ですから、しばらく同じ場所に住んでいると、糞尿が近くにたまってくる。ダサネッチは「自分たちのご先祖さまは地中に住んでいる」と言います。なので、糞尿がたまってくると、「ご先祖さまの世界に糞尿が届いちゃう、こりゃいかん」ということで移動します。

また、人間関係を調整するのも非常に大きな機能です。特に仲が悪くなった人との関係をどうするのか、という問題ですね。アフリカの民族社会には呪いが多い、というイメージをもっている方がいるかもしれません。たしかに定住的な農耕社会に呪術は多いけれど、遊動的な暮らしをする牧畜民には相対的に呪術が少ないと指摘する研究があります。

ある固定された空間に同じメンバーで住み続けなければいけないとなると、嫌な人間がいても、うまくやっていかなくてはなりません。自分の感情を表立って言うことがあまりできない。そうすると、負の感情がどんどん沈殿していき、それが呪いの形で表れてくるのかもしれない。一方、移動できる人は、人との関係が悪くなったら、とりあえずそこから離れてしまえばいいわけです。

松村　なるほど。

佐川　物理的に場所を移して、別のキャンプに移動してしまえばいい。むかついている相手と毎日顔を合わせていれば負の感情が増幅していきますが、しばらく顔を合わせないでいると、だいたいの感情は収まっていく。移動には、他人と物理的に距離を取るという役割もあるんです。

松村　会社でも学校でも、嫌な上司や同級生と一緒にいなきゃいけないとなると病んでいくとか、色々なストレスがたまっていくといった話はあふれていますが、距離を取ればいいということですね。

佐川　あるこ牧畜民研究者は、そのことを「absence makes the heart grow fonder」という英語のことわざで表現しています。「空間的に離れることで相手が愛おしくなる」といった感じの意味ですね。

松村　これは牧畜民のテーゼというか、人間関係の極意のようなもので、おそらく狩猟採集民にも似たところがありますよね。人間関係が悪化すると、その場所から動いて仕事や働き方も変えていく。これまで、ノマドというと、資源や食べ物を求めて必要に駆られてやむを得ず移動しているイメージがあったんだけど、むしろ積極的に移動する側面もあるということですよね。移動すれば、そのあとは排泄物も自然がちゃんと分解してくれるし、人間関係もリフレッシュする。移動にそういう積極的な意味があるというのは、面白いですね。

コブを揺らして、水を飲む

松村　ところで移動する世帯の単位はどれくらいなんですか？　例えば一箇所の集落に、ある程度固定メンバーが住みながらも、そこで喧嘩なんかが起きると、分裂してより小さい単位で移動するような感じでしょうか。家畜も人も、どのくらいの数で移動していくんでしょうか。

佐川　ダサネッチには、ふたつの居住形態があります。ひとつは、数世帯から数十世帯で構成される半定住的な集落で、ここには主に老人や女性などが、ある程度固定的なメンバーで暮らしています。もうひとつは「家畜キャンプ」というもので、主に若い男性が家畜と共に頻繁に移動しています。こちらは、小さいものですと若者が4〜5人の規模です。そこに各人の家畜が加わって、数百頭以上のウシやヤギ、ヒツジも移動していく。

松村　その家畜キャンプに行くのは、だいたい何歳くらいの若者なんですか？

佐川　この社会の成人式は15歳から20歳ぐらいで行われるのですが、家畜キャンプの中心を占めるのはこの成人後の青年です。ただ10歳頃から、家畜キャンプに移動して、家畜を放牧する作業に従事することも普通にあります。

松村　男の子ですよね？

佐川　そうですね。家畜キャンプに行くのは、基本的には男の子に限定されています。

松村　同い年くらいの女の子は何をしているんですか。

佐川　女の子のほうは、半定住集落でお母さんのお手伝いですね。薪木を集めるとか水を汲みに行くとか。あるいは氾濫原農業もやっていますので、そのお手伝いとか。

松村　家畜キャンプって乾燥しているし暑いし、家畜を連れて1日20キロも30キロも歩くのは過酷だと思うんですけど、若者たちは「こんなん、やってらんねーよ」みたいにはならないんですか？

佐川　いや、子どもはたまに脱走するんですよ（笑）。

松村　やっぱり（笑）。

佐川　「暑くて嫌だ」と言って行方不明になって、2、3日してどこかで見つかることがたまにあります。過酷な仕事であることは間違いない。それでも家畜の管理を一手に任されているので、子どもたちは強い責任意識をもってもいるんです。家畜はその家の財産ですから。

松村　喩えれば、家の財産が全部入った預金通帳を10代の男の子に託して、ちょっと投資して増やしてきて、みたいな感じですよね。

佐川　10歳ぐらいの男の子に、ヤギとヒツジ70頭ぐらいの群れが任されることもあるんですが、特にヤギなんかはあちこち動き回ります。群れを放牧地まで連れて行って、一頭たりとも迷子にさせず、野生動物にも襲われないように集落まで連れ帰る。お兄さんがついてきてくれるときもありますが、大変な仕事です。

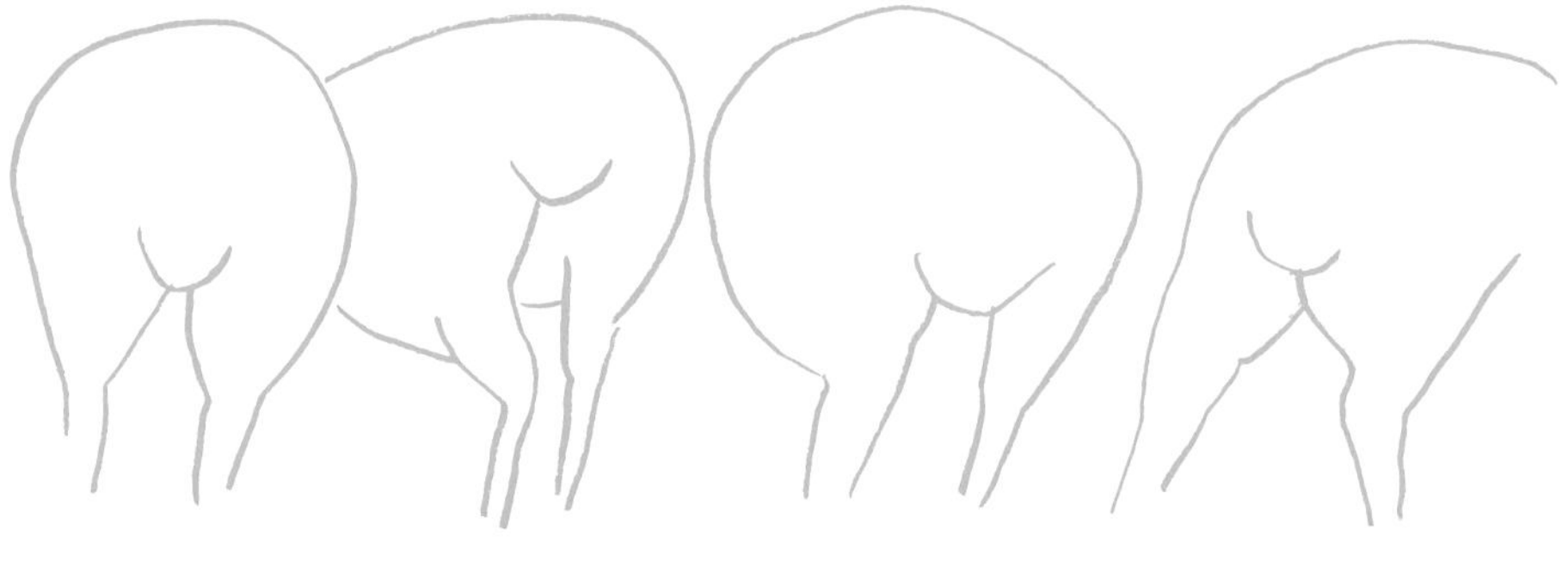

松村　放牧をするときの彼らは、どんな感じなんですか？

佐川　一緒について行って私が一番ワクワクするのは歌ですね。特に一番暑い11時から14時ごろの時間帯は、木陰の下で休みながら、家畜が草を食んだり、水を飲んだり、休んだりしている姿を、自分で歌にして歌うんです。

松村　自作するんですか？

佐川　自作です。作詞も作曲も、歌うのも自分です。10歳ぐらいの子どもが、家畜の姿を見て、自分の想像力を働かせて歌をつくる。現地では「家畜の歌」と言われているんですが、この歌を仲間と一緒に歌うことが、非常に大きな楽しみになっています。

松村　どんな内容が歌われるんですか。

佐川　詩は非常に長くて、レトリックに満ちたものから、素朴なものまであります。いまパッと思い浮かぶのはとてもシンプルなものですけど、「黄色い牛が水場に向かう。ゴクゴク、ゴクゴク水を飲む。コブを揺らして、水を飲む」といった感じです。なんのこっちゃと思うかもしれませんが（笑）。

松村　すごくいいです。

佐川　「コブを揺らす」というのは実はとても大事なところで、この地域の牛は首にコブがあるんですね。でも乾燥して食べ物が減ってくると、このコブが小さくなっちゃうんです。ですからコブが大きくなって揺れているのは、きちんと草があって水が飲めていて、豊かであることを表わしています。
　あと「黄色い牛」も大事なんです。この地域の家畜は毛色が非常に多様で、男性だったらみんな、子どもの頃からのお気に入りの毛色の牛があります。そのお気に入りの毛色の牛を他の人がもっていたら、「それは私の毛色の牛だからくださいよ」と頼んで、もらうことができます。つまり、お気に入りの毛色の牛は自分の分身みたいなものなので、この歌で歌われる「黄色い牛」は、この少年の分身でもあるんです。

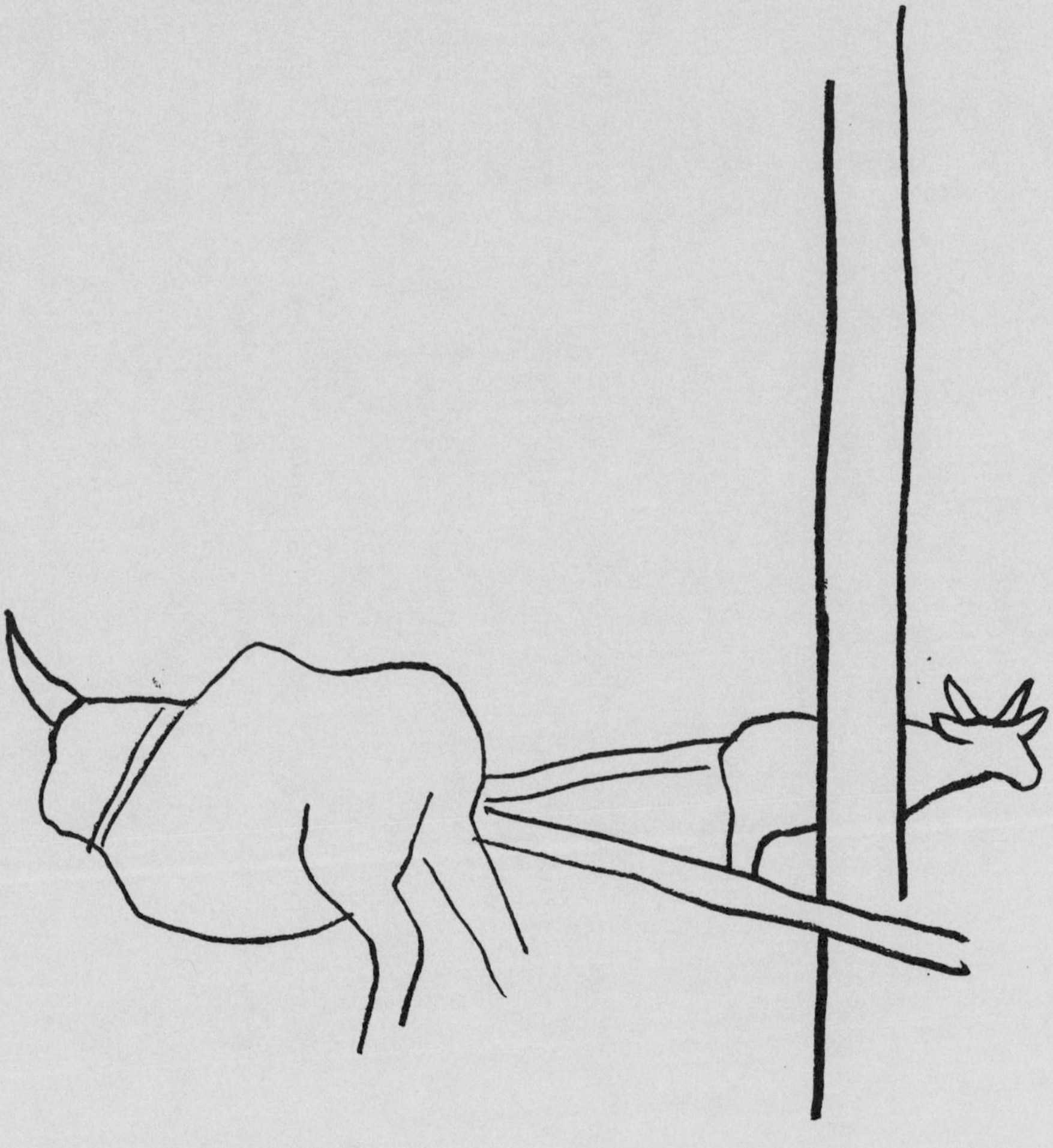

家畜が豊かに太ってコブを揺らしているということは、自分も満ち足りているとか、あるいは、満ち足りていたいという願望の表れでもある。この詩には、そういう含意があるわけです。

松村　いいですね。でも、家畜を放牧していたら、学校には行けないわけですよね。国語の授業を受けるわけでもないのに、誰からも強制されずに、むしろ自分の感情の発露として詩をつくって歌う。それは佐川さんから見ていて、ある種の教育の場、みたいな感じはありますか？

佐川　そうですね。教育といっても、教師が子どもに教えるという形ではなくて、仲間でもいいし、家畜でもいいし、人間と家畜を囲む自然環境でもいいんですけれども、そういうものとじかに接するなかで、おのずと学んでいくという感じですね。彼ら自身もそういう環境のなかで詩のイメージが湧いてくる、ことばが出てくると言います。別に誰かに教わったわけでもなくて、「家畜を放牧して一緒にいると、そう思えるんだ」って。

さらに重要なのは、そうやって歌をつくると、同年代の仲間にも知れ渡るということです。自作の歌をひとりで歌っていると、近くにいる仲間が途中からその歌に加わって、みんなで一緒に歌う。次に別の少年が自作の歌を歌い出すと、またみんなで歌う。自分の歌をみんなが歌ってくれるとやはり嬉しい。そうやって彼らが喜びを分かち合うのを見るのは、とても感動的ですね。

松村　だからこそ、子どもに過酷な仕事を一方的に押しつけている感じもしないんでしょうね。

佐川　最近では学校教育もかなり入ってきて、学校に行っている子どももたくさんいます。放牧が嫌だから僕は学校に行きたいっていう子もいるし、逆に、学校は面白くないのでやっぱり自分は放牧のほうがいい、と放牧に戻ってくる子もいる。そういう双方向の動きがあります。

松村　第2話に登場いただいた丸山さんからは、「学校に行くかどうかは子どもが自分で判断する」という話が出てきたんですけど、ダサネッチの場合はどうですか？

佐川　ダサネッチは「胃が決めた」という言い方をします。胃は体の器官のひとつだけれども、ダサネッチにとっては、同時にその人の性格とか感情が生まれる場所なんです。

彼らのあいだには、胃は生まれたときからみんな違っているものだという認識があって、最終的には胃の違いを相互に受け入れる、尊重し合うことが社会生活の基本になっている。それは子どもも同じで、「なぜこの子は学校に行っているのに、あの子は行っていないのか」と尋ねると、親は「その子の胃が決めたんだ」と言いますね。

夫と妻は財布が別

松村　男の子たちは家畜の放牧キャンプで放牧をしながら歌をつくる。女の子たちにとって、そういう機会はありますか?

佐川　女の子は色々な仕事をするんですけど、男の子にとっての放牧に相当するものがあるとすれば「鳥追い」ですね。氾濫原で農業をしていると穀物が実りますね。そうすると、すさまじい数の鳥が飛んできて、穀物をついばんでいく。放っておくと、全部鳥に取られちゃうんです。そこで、畑の真ん中に高さ3メートルくらいの見張り台をつくる。その上に主に女の子が立って、よくしなる木の枝の先っぽに泥玉をくっつけて、それをフィッと飛ばして追い払うんです。

松村　へえ。

佐川　鳥に当たることもありますが、当たらなくても鳥は逃げていきます。これが大変で、ひと月ぐらい通してやらなきゃいけない。炎天下のきつい作業ですけど、このときにもみんなよく歌を歌っています。女の子たちは「鳥の歌」をつくって一緒に歌う。見張り台と見張り台のあいだは結構離れていますけど、大きな声で一緒の歌を歌う。

松村　子ども時代に働きながら歌を歌うのが、ダサネッチ社会では共通している。

佐川　そうですね。

松村　そういう子どもたちが大人になっていくと、どういうふうに仕事をしていくんですか。

佐川　男性は主に放牧をやります。ただ、自分の子どもが大きくなって放牧を委ねられるようになると、自分自身はあまり放牧には行かなくなって、主に集落で過ごすようになります。女性のほうは、水汲み、薪集め、料理などの家事一般、あとはミルク搾りや農業に関わる仕事ですね。

松村　女性は家事の仕事をどう捉えているんですか。家のことを全部押しつけられているっていう感じもするんですが、佐川さんからはどう見えます？

佐川　たしかにそういう不満をもつ女性は、最近出てきていますね。でも家庭内での男性と女性の関係について言えば、女性は、自分たちは男性より柔軟性があると認識しています。

松村　柔軟性？

佐川　「男性は家畜のことばかり考えていて、外の世界のことがわかっていない」とか、「男は妙にプライドが高いから政府との折衝もうまくいかない」なんていうことを女性たちが語るんですね。
　女性たちは、薪集め、水汲み、ミルクを搾る、といった仕事をしてきた自分たちのほうが、放牧しかしていない男性よりたくさんのことをできると思っている。そういう仕事が、いまでは現金収入につながってもいますから、そのことに自信をもっているんですね。薪を街で売ったり、街に行ったついでに買ってきたお酒を村で売ったり、政府が進める開発プロジェクトが始まると、その場所にミルクをもって行って売ったりもしていますから。

松村　たくましい。

佐川　ですから、大きな社会変化に自分たちのほうがうまく対応できているんだという認識があるんです。

松村　市場経済にはむしろ女性たちのほうがアクセスしているし、常に半定住集落にいるので情報交換も日常的にしている。あるいは、都市に出て見聞きしたことなんかも入ってくるから、女性のほうが情報通になるし、政治的な動きや街での動きなど、変化に対して開かれていて、敏感に反応できるんですね。

佐川　街には、エチオピア北部から移住してきた人たちが住んでいます。彼らは、ダサネッチにとっては「支配民族」です。女性たちは、男はプライドが邪魔して、彼らといい関係をつくることが下手だって言うんです。それに対して、女性たちは街で酒場を営む女性と友だちになって、お酒のつくり方を教えてもらう。その技術を村にもち帰って、今度は自分で酒をつくって商売したりもします。

松村　すごいですね。

佐川　はい。そして、この社会では男女の財布が別ですから。

松村　え、そうなんですか？

佐川　夫と妻は、それぞれのお金を別々に管理しますね。

松村　女性が稼いだ分は、女性が使っていいんですか？

佐川　そうなんです。夫からよく「分けてくれ」と言われますけど、

基本的には女性が稼いだものは女性のものです。例えば家のなかでお酒づくりをすると、村の人が飲みにきてお金を払う。その金は妻のもの。そして夫もお金を払ってその酒を飲む世帯もあります。

松村　おお、そうなんだ。夫から金を取るんだ。

佐川　そうなんです。夫に金がないときには、負債がどんどんたまっていきます（笑）。

松村　妻に借金する（笑）。

佐川　その負債を返すために、妻に「お金を貸してくれ」とねだったりもします（笑）。

松村　そうすると家庭では女性が主導権を握るケースが多いわけですね。

佐川　現金に関してはそういう世帯が増えてきている印象があります。

基本的人権としての「胃」

松村　一方で、過酷な環境のなかで、例えば老人や障害者や病人のように、働けない人はどうやって生きているんですか。

佐川　老人は自分に妻がいてくれれば、妻が料理をしてコーヒーを沸かして、と家事をやってくれるので基本的には生きていけます。大変なのは妻に先立たれて、その後、他の女性と結婚できず、また、子どもも近くに住んでおらず、ひとりぼっちになってしまった男の「ぼっち老人」ですね。

松村　「ぼっち老人」ですか。

佐川　「ぼっち老人」はなかなか大変でして、基本的には、同じ集落のなかの世帯を渡り歩いて、そこで食事なりコーヒーなりを分けてもらっています。でも分け与えるほうの世帯の妻は、不満を言いますね。「なんで、あの人にあげなきゃいけないんだ」って。そうすると夫のほうは、「あのじいさんも昔は立派だったんだ」というようなことを言って、なんとか妻を説得する。

松村　それは障害があったり、病気をしたりした人も同じような感じですか。

佐川　そうですね。ダサネッチの大事な社会組織として、「年齢組」というものがあるんです。同じ時期に成人式を済ませた人たちが、ひとつの「年齢組」を構成します。同じ年齢組の人たちは対等な存在として死ぬまで互いのことを配慮し合います。

例えば、私の知り合いに生まれたときから足が不自由な男性がいます。彼は、うまく女性にアプローチできずに独身のままだった。彼の年齢組の仲間はどんどん結婚していく。すると、この年齢組仲間が彼も結婚できるように手助けをするんです。仲間で相談して「あの女性はどうだ」と言って、代わりに女性に交渉しにいったりする。

ダサネッチは、性交渉をすることを「藪に行く」という言い方をするんですが、相手の女性を藪に誘い出して、その男性にうまく引き合わせて、結婚するように仕向ける。

松村　あまりいい暮らしはできないとしても、最低限食っていくことは、ある程度保障されているわけですね。政府の社会保障なんて、ほとんど届かないと思うんですけど、なんとか生きていけるようなセーフティネットはある感じですか。

佐川　社会制度としてのセーフティネットというより、いま話したような、個人間で助け合う営みをそのたびごとに行ってきた、といったほうが適切かもしれません。それに加えてこの10年ぐらい、政府が働き手のいない世帯に食料や現金を優先的に配る政策を始めました。そうすると今度は逆に、単身の老人や障害をもった人たちが、食料の足りない世帯に、政府からもらった現金や食料をあげるという、逆方向の財の流れが出てくるようになりました。

松村　佐川さんが捉える牧畜民なりの人間関係のつくり方の特徴って、どのあたりにあると思います？

佐川　先にも言いましたけど、他人とコミュニケーションをする際には、「胃が違う」という感覚が一番根底にあると思います。生まれたときからそれぞれが違う胃をもっていて、性格も感情も異なる。もちろん違いがありながらも、共同で物事を進めていくことや助け合いが行われるわけですけれども、そのときには必ず交渉が必要です。
　障害をもつ人を助けてあげるとか、逆に障害をもつ人が政府から給付された食料を分け与えてくれると言うと、暗黙のうちに救いの手を差し伸べ合う人たち、みたいなイメージを抱くかもしれないですが、まったくそうではありません。むしろ、助けてほしい側が相手に強く訴えかけていくんです。
　例えば足が不自由な人が、同じ年齢組の仲間に、「自分はこういう状況にあって、なかなか結婚相手が見つからないんだけど、なんとかしてくれないか」と言う。「ぼっち老人」も誰かの家の前に行って、「俺のとこ、妻もいなくて大変なんだ」と言うわけです。つまり、自分が胃のなかに抱えている欲求や感情を表に出す。自分の事情を相手に提示して、それによって助け合いとか協力作業とかに相手を巻き込んでいくんです。
　当然うまく相手を説得できない場合もあります。そういう場合は「もともと胃が違うんだからしょうがない」と言って、その場は引き下がる。スッと引くんです。しばらくしたら、また説得を試みるかもしれない。非常に濃密なコミュニケーションを志向しながら、引き際はすごくドライなところが、この地域の牧畜民の人間関係の特徴のような気がしますね。

若林　「胃が違う」って、なんで「胃」なんですか？

松村　たしかに。

佐川　「肝臓」や「心臓」ではなくてどうして「胃」なのか。他の器官でもいいじゃないか、と思うかもしれませんが、彼らにとって胃は特別な器官なんです。
　彼らは家畜を屠殺して自分たちで解体しますから、動物の内臓のことはよくわかっています。家畜を屠殺するといっても、頻繁にするわけではなくて、ほとんどは儀礼のために殺害する。そのときお腹の肉をパカッと中央から開けたときに、まずごろっと出てくるのが大きな胃なんです。特に牛の胃なんてパンパンに大きくなって

いる。さっきまで食べていた草がたくさん胃のなかに入っているからです。この草がたくさん入った胃は、ダサネッチにとって豊かさの象徴なんですね。

さらに、胃の中央に槍を入れると胃のなかにある消化中の草がバーッと出てくるわけです。彼らにとってはこれも豊かさの表れで、このドロッとした草を彼らは体に塗るんですね。そうすることで自分たちが豊かになったり、無病息災につながる、と考えている。

このように「胃」は、自分が食べたものが入ってきて、体が形づくられていく器官、生命の源でその家畜や人の個性を生み出す器官なんだという感覚を、彼らはもっているわけです。

松村　牛も解体して開くと、それぞれの胃の大きさやあり方が違うということを、彼らは経験的に知っている。だから人間もそれぞれ違う胃をもっている存在だと捉えているんですね。それは、それぞれ違う胃をもっているけど対等なんだと考えている、と捉えていいんですか。

佐川　そうですね。胃をもっている限り、対等なわけです。

松村　基本的人権みたいな感じがしますね（笑）。人は、すべからく対等な権利をもっているというイメージと重なります？

佐川　重なる部分もあるんですけど、少なくとも日本語の用法だと、権利は「法律によって保障された資格」という含意もありますよね。でも胃は体の一部なので、そもそもみんながもっているものです。そして体の一番基底的な部分が原理的に違うんだから、何を考え、どういう感情を抱くかが違ってくるのは当然だ、まずそれを尊重し合わないわけにはいかないだろう、という認識につながるわけです。

選択的徴兵拒否

松村　佐川さんがずっと研究されてきたのは、牧畜民同士の戦い、戦争なんですよね。戦争の場面でのエピソードを色々と集めて研究されてきたんですけど、戦いの場面でも「胃が違う」ことが鍵になることもあると思うんですが、どうでしょう？

佐川　ダサネッチの近隣には、同じように牧畜に依存する集団が４つ存在しています。彼らとのあいだには、家畜や放牧地の争奪をめぐって、幾度となく戦いが起きてきました。ただ、私たちが考えるいわゆる戦争とは、だいぶ違います。一番特徴的なのは、彼らは戦いに行かない選択をすることができるということです。

松村　そうなんですか。

佐川　もうひとつ私が驚いたのは、戦場で敵のグループのメンバーと対峙した際に、色々な感情に基づいて、敵を殺さないとか敵を助けるという選択をしたという語りが出てくることです。戦場というと、Ａ集団とＢ集団に分かれて、群れと群れで殺し合うようなイメージがあると思うんですが、それとはかなりかけ離れている側面がある。

松村　面白い。

佐川　戦いに行かないとか、戦場で敵を助けるという選択がなぜできるのかと彼らに聞いてみると、常に返ってくるのが「胃が違うから」という答えなんですね。つまり、自分は戦いで敵を殺そうと思っていたが、別の人間の胃は、自分とは違って相手を助けるという行為を取らせたんだろう、と考えている。そして、その選択を人びとが相互に納得し合っているところがある。だから仲間が敵を助ける行為をしたことを、基本的にあとから咎めたりはしない。そういう人びとの振る舞いの違いを説明する場面で、「胃が違う」ということばが常に出てくるんです。

松村　同じ年齢組の集団が「戦いに行くぞ」と言って、そのうちのひとりが「いや、俺は行きたくない」とか「行かない」と言ったとしても、周りから咎められたりしないんですね。

佐川　その主張がすっと受け入れられるときもあるし、「それは、おかしいだろう。お前も一緒に行こう」と仲間が説得に来ることもあります。つまり、一人ひとりの胃は違うんだけど、俺たちの胃は同じではないか、だから共に戦いに行こう、と誘うこともあるんです。
　すると誘われた側は、「俺も昔は戦いに行ったけど、その戦いでこういう経験をしたから行くのはやめたんだ」とか、「家畜を放牧することが自分の仕事だと決めたから、もう戦うことはやめたんだ」などと行かない理由を説明します。逆に、その人が、戦いに行こうとする人たちのところに出向き、思いとどまるよう説得したりもします。「自分は前に戦いに行って、ケガをしてもう十分に歩くことができない。お前たちが攻撃に行ったら、相手が復讐してくるだろう。でも攻められたときに、俺は足が悪いから逃げることができない。だから、お前が敵を攻撃することは、俺を殺すことと同じなんだ」。こういうことを言ったりする。
　そうやって、自分がこれまでの経験から戦いに抱いてきた思いを根拠として「戦いに行こう」とか「戦いに行くな」と主張するんです。その結果、折り合えなければ、互いの主張を認めた上で「私は戦いに行く、お前は行かない、以上」ということになります。

松村　実際、そこでの戦争というのは、どのくらいの集団で、どんな戦いが行われるんですか？

佐川　戦いには2種類ありまして、ひとつは、5～7人くらいの小さな規模で、待ち伏せして相手の家畜を略奪したりする。パッと行ってパッと帰って来る。伝統的にはこの攻撃は若者が自分の勇敢さを示すためのものです。
　もうひとつは、より組織的な戦いです。自分たちの家畜が奪われたから、相手から奪い返しに行かなければいけないというときに、１００人から数百人、多いときには１０００人くらいの規模で戦います。最近は、そういう大きな戦いはほとんど起きませんが。

松村　それは、やっぱり家畜を増やすことが目的なんですか？　それとも、食べ物に困って食料を得るために家畜を奪い合ったりするんですか。

佐川　うーん……「戦い」と言うと、みなが同じ大義を共有して一体になって戦うものというイメージがあるかもしれませんが、どうもこの地域の戦いは、各人がそれぞれにバラバラな動機を抱いている傾向が強いんですね。

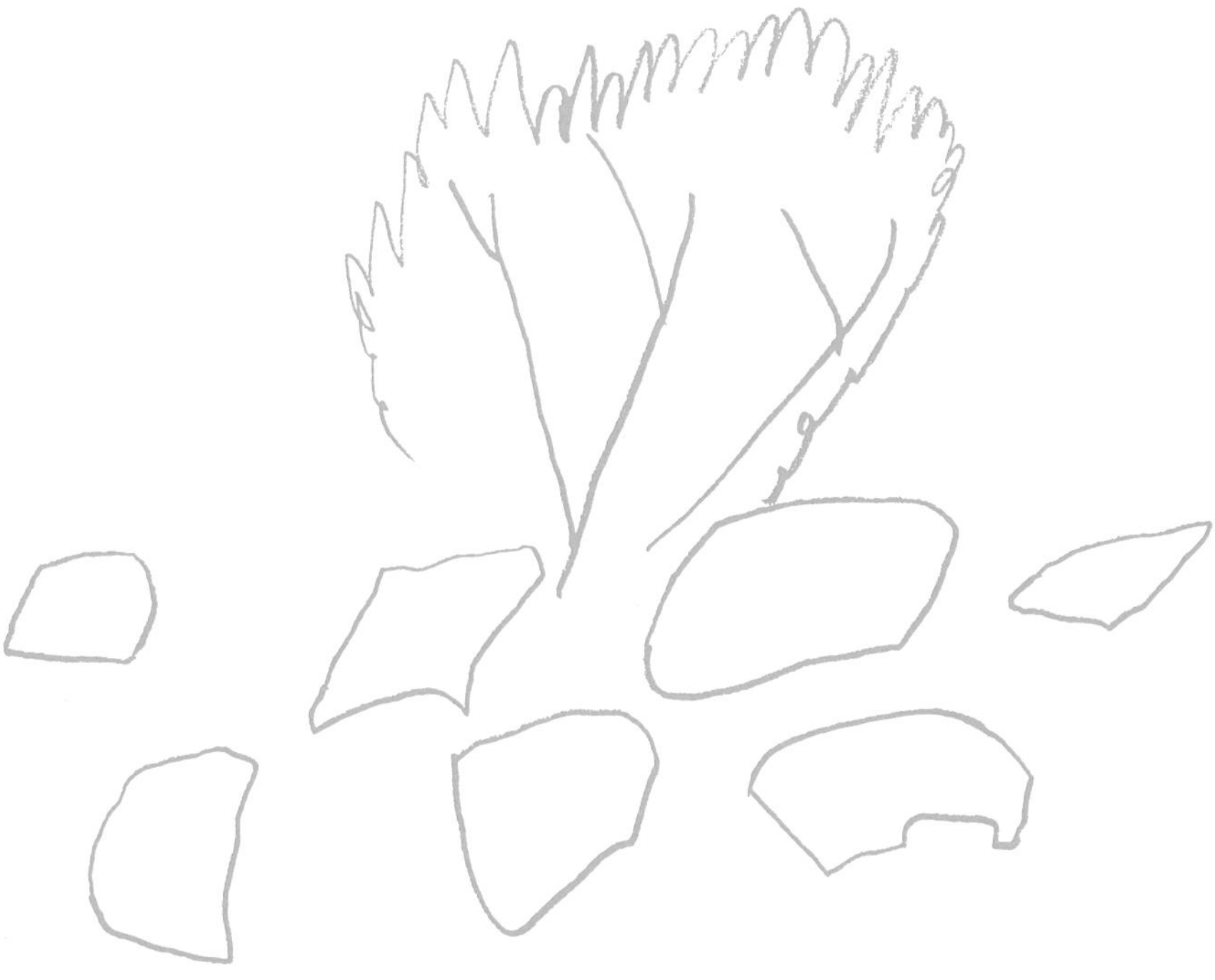

ある人には相手に復讐したい気持ちがある。別の人には、敵を殺して自分が勇敢な男として認められたいという思いがある。また別の人には、自分の家畜をもっと増やしたいという思惑がある。そうやってそれぞれ異なる動機をもった人たちが、胃はバラバラなままに、しかしひとつのまとまりとなって戦いに向かって行くところがあるんです。だからどれが主要な動機かというと、なかなか難しいんです。

松村　司令官のような、戦いのリーダーみたいな人はいないんですか。

佐川　それが軍隊とは違うところですね。リーダーとか階層的な組織は、戦いのときにもないんです。といっても、こういう戦略を組んだほうがいいとアドバイスする人はいます。戦争経験の豊富な人がそれをする。だからといって、その人の決定が絶対なわけでもないし、基本的にアドバイスはその場限りのものです。あの戦いであの人が主導権を取ったから、また今回もあの人に主導権を取らせようという話にはならないんですね。

松村　敵を滅ぼすのが目的、というわけではないんですよね？

佐川　そうなんですよね。戦いでそれなりに共有されている動機みたいなものを強いて探すとするなら、「バランスを回復する」ことかもしれません。「攻撃されっぱなしになっていてはやられる一方だから反撃が必要だ」とか、「このままだと相手集団との関係が対等ではなくなるから、一度やり返しておいたほうがいいだろう」といった感覚はなんとなく共有されていると思います。逆に言うと、バランスを回復しさえすれば、より多くの人を殺すとか、相手から領土を奪う必要はないわけです。

松村　だいたい何歳ぐらいの男たちが戦いに参加するんですか。

佐川　基本的に参加するのは、成人式を終えた15から20歳くらいから30代ぐらいまで、といわれています。ただ実際にはその通りになっているわけでもなくて、「自分の胃が望む」という人がいれば、そこに加わることができます。私が聞いたなかでは、50歳を過ぎても戦いに行っていたという人がいました。ただ、ある戦いから逃げ帰ってくるときに、自分だけ走れず敵に追いつかれそうになったから、もう戦いに行くのはやめた、と言っていました。

木陰とコーヒーの政治談義

松村　男性は10代から家畜の放牧をやっているという話でしたが、15歳から20歳で成人して戦いに行くようにもなる、と。でも結婚して子どもができると、家畜の放牧はしなくなるわけですよね。戦いも35歳ぐらいまでには、もう行かなくなる。そうすると、35歳を過ぎた男性たちは、そのあとは何をして人生を過ごしているんですか。

佐川　35歳ごろからの場合もあれば、40歳、50歳ごろからの場合もありますが、基本的には、休んでる感じです。

松村　休んでる？

佐川　放牧はもう自分ではしないんです。朝、子どもが放牧に行くときに、家畜を途中まで一緒に連れて行って、今日はあっちのほうで放牧したほうがいい、とアドバイスすることはあります。あるいは、子どもが放牧からなかなか帰ってこないからちょっと見に行く、ということもします。それ以外は、子どもが放牧に行ってしまうと、基本的に牧畜の仕事関係ではすることがない。だから、ある程度の年の男性たちはみんな、わらわらと村はずれの木陰に行って、座ったり寝転がったりしながら、喋るか寝るかしています。

松村　1日中ですか？

佐川　1日中です。朝のコーヒーを飲み終えて、雑用を終えたら木陰へ行く。夕方になって、家畜が帰って来てミルクを搾るときまで、快適な木陰にいます。昼に食事やコーヒーのために、集落に戻ることはありますが。

松村　35歳でもうリタイアして、あとは余生を過ごす、みたいな感じなのかな。

佐川　余生を過ごすと言うと、実社会から引退したみたいなイメージがありますが、むしろダサネッチはそれからが本業みたいなところもあるんです。木陰に座って何を話しているかというと、もちろん家庭の話や噂話もありますが、いわゆる「パブリック」な話題も多いですね。「政府がこんなことを言っている」とか、「この開発プロジェクトにどう対応しようか」とか、「近隣集団との関係がまずくなってきているが、どう考えればいいか」とか、そういう話です。

松村　つまり「政治」ということですよね。

佐川　そうです。政治の話をよくしていますね。

松村　それに、女性は参加するんですか。

佐川　女性は、昼は木陰に行ってはいけないんです。

松村　男の領域なんですね。

佐川　女性は女性で、集落の家のなかや家がつくる日陰に集まって、日々の何気ない話から政治的な話までしています。

松村　そうすると、女性が話すことと男性が話すことは別々のものであって、お互いに交じり合って議論することはないんですか？

佐川　交じり合うという意味で一番大事なのは、コーヒーを飲む時間です。松村さんもよくご存じのとおり、エチオピアはコーヒーの原産地ですね。ダサネッチは1日に3回くらい家のなかでコーヒーを飲みます。この場は毎回1時間から2時間くらい続いて、そこにはだいたいゲストがいますね。その家の妻がコーヒーをつくってみんなにサーブします。家は狭くて、だいたい10人入ったらいっぱいで身動きがとれないくらいですが、毎回大量の汗をかきながらコーヒーを飲むんです。

松村　なるほど。

佐川　同じ村から来るゲストもいるし、村の外から来るゲストもいる。ときには、近隣民族からゲストが来るときもある。ここではプライベートからパブリックな話題までさまざまなことが議論されます。それまで男性が木陰で、女性が家で話していた話がここで突き合わされて、情報交換や議論がされることもあります。

松村　女性がコーヒーを沸かしてサーブするとなると、その場では女性がホストっていう感じですか。

佐川　そうですね。

松村　議論の進行役というか議長みたいな感じになるんですか。

佐川　議長にはならない、というかそもそもそういう役職はこの場にはないんですが、女性はかなり積極的に議論に参加していきます。この場には夫は必ずしもいなくていいんです。妻がいないとサーブする人がいないので「コーヒーの場」は成り立ちませんが、夫がいなくても場は成立します。ですから必然的に、女性がある程度の主導権を握ることになります。

松村　ダサネッチでは、コーヒーと言っても、豆のコーヒーじゃないんですよね？

佐川　彼らが飲むコーヒーは、コーヒーの実の殻を煮出したものですね。

松村　エチオピアはコーヒー生産国なんですけど、場所によって飲み方が違うんですよね。私の調査している村のようにコーヒーをつくっている地域では、殻を取った豆を煎って潰して飲みますが、南部の牧畜民の地域にいくと、コーヒーの葉っぱや殻の部分がお茶として飲まれるんですよね。その違いも面白いんですが、「コーヒーの場」が女性を中心に、対話の場、ときには討議の場になるのも面白いですよね。交渉すること、自分の胃のなかにある意見や感情をちゃんと相手に伝えることが、繰り返し話に出てきたと思うんですが、胃が違う人間同士が対話をする仕方を実際に見ていて、佐川さんが面白いと思うのは、どんなところですか？

佐川　日本で生まれ育った人が、彼らが交渉している場面に居合わせたら、たぶんほとんどの人が、最初は喧嘩しているように感じるでしょうね。

松村　そうなんですね。

佐川　まず口調がとても強いと感じると思います。彼らのことばがわかるようになっても、ずいぶんと真正面から意見を表明し合っているという印象を抱きますね。でも、彼らにとって、自分の感情や欲望を相手に示すとか要求すること自体は、まったく悪いことではない。遠慮は必要ないんです。

議論の場に私がいると、私にも「何がしたいんだ」とか「何を求めてるんだ」と意見を聞かれます。日本だと「お前、何を求めているんだ」とか直接的に聞かれることってあまりないですよね。だから、そう言われて私はもじもじしてしまうこともあったのですが、するとその場にいる誰かが「お前の胃にあるものをすべて話してしまえ」って言うんですよ。日本語に訳すと犯人を取り調べる警察みたいですが（笑）。

ダサネッチにとっては、胃に何かたまっているのは非常に良くないことなんです。だから胃にあるものを、常にことばに出して、相手にその存在を知らしめる。互いにそうすることによって初めて対話や交渉が始まるわけです。

松村　でも違う意見や感情をただぶちまけていたら、対話にならないんじゃないかって思ってしまうんですけど。

佐川　そこは、「胃が違う」ことが大前提としてあるわけです。ダサネッチにとっては意見や感情が違うのは当たり前なんですよね。

松村　ああ、そうか。

佐川　違うからこそ、お互いに胃にあることを外に出していかなければ、何も決めることができないし、何にも達することができない。ですからその自分が抱えている事情というものを、徹底的に双方が打ち出し合うことによって「この部分は、お互い胃が同じになれるよね」と納得して協力するとか、助けるという合意に達することができるわけです。

「論破」と「熟議」

松村　日本ですとSNS上で政治的な意見が互いに違うと、罵詈雑言が飛びかったりけなし合ったりする感じになりがちですけど、そういうコミュニケーションとはどこが違うんでしょうね。

佐川　最近大学の授業で牧畜民の交渉の話をしたら、ひとつ面白い意見があったんですね。「私たちは最近『論破』ということばをよく使うけれども、ダサネッチの人たちの議論というのは、それとは対極にあることがわかりました」と。それを聞いて、なるほどなと思ったんです。

論破というと相手を打ち負かすイメージがありますよね。論破したほうが100％正しくて、論破されたほうは100％間違っているという勝ち負けの問題になる。そして、最終的にどちらか一方の要求が通ったというイメージが非常に強いことばですね。牧畜民の交渉は、決してそういうものではないんです。私が抱える事情があって、あなたが抱える事情があって、その双方を相互に打ち出して十分に両者が納得できるだろうところまで、徹底的に折衝していくものなんです。

松村　なるほど。

佐川　逆にそれを経ない決定は、決して自分たちの決定だと彼らは感じないんです。

松村　熟議って感じですね。

佐川　そうだと思います。

松村　すごい。でも男たちは、35歳からそれなりの年齢まで生きるわけですよね。おそらく70歳とか、80歳くらいまで。そうすると残りの半生を政治的な討議、熟議に当てて、女性たちも家事は続けながらもそういう話をする。この話を聞くと、ハンナ・アレントの『人間の条件』（ちくま学芸文庫）のなかの「労働」「仕事」「活動」の話を思い浮かべます。つまり、生存のために必要なのが「労働」で、政治的な談義をする「活動」のほうが、古代ギリシャでは上位に位置づけられていたという話とつながるように思ってしまうんですが、ダサネッチはこの35歳から始まる本来の仕事と、生きていくために必要な家畜の仕事との関係をどう捉えているんでしょう。

佐川　「直接民主主義」という点ではアレントの話と重なる部分がありますが、決定的に違うのは、ダサネッチは「労働」と「活動」が分離していないということだと思います。例えば、戦いが起きると自分の家畜が奪われてしまうとか、政府の開発政策が進むと自分の生計が変化してしまうとか、ダサネッチは常に、自己の抱えている具体的な生活の事情に則して議論を行うわけです。
　逆に、そういうときには一般的な「私たちの道徳や決まり」には、ほとんど言及されません。「みんなで助け合ったほうがいいんだ」とか「平和はそれ自体として尊いんだ」とか、誰が決めたのかよくわからない規範みたいなものに基づいて相手を説得しようとすると、常に空振りします。私たちはルールに依拠して相手を説得しようとしがちですけど、そういう議論は彼らには響きません。

松村　ああ、だからさっき言ったように「俺は足が悪いんだから、お前らが戦いに行くっていうことは、俺を殺すことだ」みたいな具体的な自分の事情、あるいは生活の状況に基づいたことばで、胃をぶちまけ合いながら話していく感じなんですね。

佐川　そうですね。近隣民族との関係や政府との関係は、常に自分の生活に何らかの影響を与えるものだという認識があるからこそ、そういう議論の場に参加しているんです。

松村　とすれば、食べ物を得るために必要な家畜の放牧も、政治的な話と切り離しているわけでも、下に見ている感じもないということですか。本当だったらやりたくないとか、誰かに任せてもいい仕事とは考えていない。

佐川　そうですね。基本、それらが直結しているのだと思います。

松村　「子どもでもできる仕事だ」みたいな言い方もないですか。

佐川　ないですね。家畜の放牧は非常に重要な仕事です。実際、近隣民族との関係を具体的に考える上でも、放牧に行って相手の民族の家畜の群れがどの辺りにいるなどといった具体的な情報をもっているのは、若い人たちです。彼らの情報がないと、相手民族との関係についても、自分の世帯の家畜をどこで放牧するかについても、確たることが何も言えない。ですから若い人たちの意見は、経験に基づいたものとして尊重されます。特に、近隣集団との関係については、ダサネッチは徹底した「経験主義者」ですね。

松村　1日のうちにすべきことがなくて、ただ木陰で話しているだけだと退屈するんじゃないかとか、それでいったい何が生きがいなんだろう、と働いてばかりいる我々には見えちゃうところもありそうですが、彼らにとっての生きがい、あるいは幸せみたいなものって、どのあたりにあると思います？

佐川　まず話すこと自体が楽しい、というのは間違いなくあると思うんです。そして話し合いによる対処の結果、政府や近隣民族との関係がうまくいくと、結局家畜が増えるわけです。彼らがなぜ家畜を増やしたいかというと、増えること自体が喜びだということもありますが、男性にとっては家畜が結婚するときに支払う「婚資」になる、ということもあります。男性は結婚するときに家畜を何頭か、妻側の家族や親戚にあげなければいけないんです。ダサネッチの社会は一夫多妻制なので、結婚によって妻が増えると、子どもも増えていく。子どもがたくさんいると、家畜も多く放牧できるから家畜も増えていく。

　ある程度年が行った男性に、「一番『胃が心地よい』（私たちにとっての「幸せ」に一番近いダサネッチ語の表現）のは何をしている時間か」と聞くと、夕方木陰から集落に帰ってきて、家の前に家畜の皮を敷いて、そこで座っている時間だ、という答えがよく返ってきます。遠くから家畜のモーモーという声が聞こえてきます。家畜の声が聞こえてくると、子どもが集まって家畜囲いのなかにある家畜の糞を中央に集める。そこに火をつけると煙が上がるんですが、その煙は彼らにとっていい匂いです。そして家畜がたくさんいるほど糞がたくさんあるから、煙が高く上がる。これが彼らにとっての富の表れなんです。

煙が高く上がっていくなか、家畜が家畜囲いに戻ってくると、子どもたちがミルクを搾乳しに行く。その様子を見ているのが至福のときなんだ。そう彼らは言いますね。

松村　いいですね。女性にとってはどうですか。

佐川　女性もそうです。女性は家畜のミルクを搾乳しているわけですけれど、搾乳したミルクがミルク入れに当たってシュッ、シュッ、シュッって音が出るんです。女性たちはその音がずっと続いているときに満ち足りていると感じる、と言いますね。

若林　横からすみません。「胃が違う」というお話についてなのですが、例えば、家族とか同じ集落とか、コミュニティの単位によって、集団としての胃の違いや同質性みたいなことが認識されるようなことはあるのでしょうか。隣の集落の奴らとは胃が違う、とか、あの家族とは胃が違うといったような。

佐川　それは文脈によってありますね。家族だから胃が同じなんだ、という言い方がされることもあります。ただ、夫と妻でも財布は違うみたいな話もあるので、家族だから常に同じというわけでもない。私はよくダサネッチから物やお金をねだられるんですけど、例えば夫が何かをねだってきたときに「この前、あなたの妻にあげたからもうあげられない」と言ったら、「いや、私と私の妻の胃は違うじゃないか」という答えが返ってきたりする。つまり自分と妻とは胃が違うと表明して、「だからいま俺にくれよ」と説得してくるわけです。同じ世帯の成員でも、そういう場面では胃が違うことになりますね。

若林　「胃が違う」という感覚は、やっぱりなじみがないですよね。ことばとしてはわかるんですけど、どういう感覚なのか想像するのが難しく、「佐川さんと僕は胃が違いますよね」と言われれば、それはそうだという気もするのですが、その「胃が違う」という感覚は佐川さんはスッと理解できましたか？

佐川　ことばだけを聞くとちょっとわかりにくい面もあると思うんですけど、実際、彼らの行動を観察していると、感覚的にわかってしまうところはあるんですよね。例えば、コミュニティの大事なお祭りがある。私としては、み

んな集まって一緒にやるもんだと思いこんでいるのだけれども、そこでお祭りに参加しない人がいるわけです。そして人びとは、参加しない人を別に批判しない。

「なぜ彼は祭りに参加しないのか」と聞いてみると、そこで出てくるのが「胃が違う」ということばなんです。だから何か具体的な場面を見て、みんなそれぞれ別々のことをしているなあ、なぜかなあ、と思っているときに「胃が違う」からなんだと言われると、「なるほど、胃が違うんだ」と妙に納得してしまったという面はありますね。

若林　日本人は、自分たちの胃をどう思っているんですかね。同じだと思っているんですかね。「腹を割って話す」みたいな言い方はあって、ちょっとそれと近いかなとは思うんですが。

松村　僕らは、具体的な人間関係を超えて「日本人」という「想像の共同体」というか、イメージでつくられた集団性みたいなものに小さいときからなじんでいて、「私が個人としてある」という以上に「私は日本人である」という集団への所属意識が先にあるような気がするんですよね。本来、個人ごとに違う存在なのに、同一の存在として捉える見方に慣れている。

　それがダサネッチの場合は、より個人を起点にした具体的な人間関係が先なんじゃないかと。もちろんダサネッチも、7万人とそれなりにまとまった人口があるので、イメージで共有されている部分も多いと思うんですけど、人間関係と個人の位置付けが日本とはちょっと違うのかな、という気がします。

佐川　日本でも、一人ひとり色々な違いがあって、それを尊重し合ったほうがいいという感覚は、多分共有されていると思うんです。「お互いに文化が違うから尊重し合おう」とか、「お互いに性格が違うから尊重し合おう」みたいなことは日本でもよく言いますよね。でも、それってどちらかというと、コミュニケーションをそこで断念しようというか、それ以上相手に突っ込むのはやめようっていう文脈で使われることが多いのではないでしょうか。文化が違うからしょうがない、性格が違うからあとは放っておこうというような、諦めや不関与、ときに無関心を正当化することばになっている気もします。

　けれどもダサネッチにとっては、胃の違いは出発点になっている。違うからこそ、相手と色々なことを交渉しなければいけないと考えている。「胃が違う」ことを前提とした上で、ではどう協力したり助け合えるのか、という方向にコミュニケーションが向かうわけです。「違いの尊重」や「個性の重視」とまとめてしまえばことばとしては同じなんですが、そのことばがどういう文脈で使われるのかという点ではだいぶ違うなと感じます。

若林　胃についての話で、佐川さんは「パカッと開く」という言い方をされましたが、お腹をパカッと開いて、胃をパカッと開いて、そこから草がドロドロになったものが出てくるというお話を聞くと、一人ひとりの「胃」というものが、周囲の自然環境とつながったものとしてイメージされているように思ったのですが、いかがでしょう?

佐川　そこは彼らもハッキリとは言わないんですが、私もそんなふうに感じています。自然から食物を摂取して、それによって体が出来上がる。その器官として「胃」があるので、胃は人間を形づくる根底的なところだという認識がある。だから人間が死ぬときに、あるときは「胃がこぼれて死ぬ」なんて言い方もするんです。悪いことをすると、胃が本人も知らないうちに自然と膨れあがっていって、大きくなりすぎて下にドカッと落ちて死んでしまうらしいんです。
　つまり胃は、それをもっている当人も完全には管理や制御ができない器官としてある。だからこそ、「私の胃がこう決めたんだ」という説明に人びとが納得してしまうんだと思います。

アフタートーク

その「ノマド」は間違っている

牧畜民の暮らしから現代人は本当は何を学ぶべきなのか？　佐川さん、松村さんも交えて「現代日本が見失っていること」をさらに考えます。

若林　3話目のアフタートークでございます。どうですか、遊牧民。

山下　私も前回、狩猟採集民と牧畜民の違いをまったく把握していないままに「ノマド」なんていうことばを出してしまったんですけれど。

若林　そうですよ。間違いですよ（笑）。

山下　失礼しました（笑）。本家本元のノマドの話を聞いてみて、思い描いていたものとまったくイメージが違いましたね。私が研究している働き方の文脈に引きつけていうと、「ノマド」ってほとんどフリーランスに近いことばになっていると思うんです。そこではおそらく、とにかく何かから逃げることが第一の目的になっています。

　つまり会社のなかにいて、つまらない働き方とか、あるいは対人関係の問題だとかで、そこから脱出するためにノマドという働き方を選択する、という文脈で注目が集まってきたと思うんです。でもダサネッチのお話を聞くと、むしろ家畜の力を使いながら自分たちの富や生活を整えていく、そのための手段としてノマドがあったんだなと気づかされました。

若林　ほんとですね。「ノマドワーカー」って言ったときに、ダサネッチの方と共通しているのは、こっちの草があるところ、あっちの草があるところとエサを求めて転々としているところだけじゃないですか（笑）。

山下　草を電源に置きかえれば、まさに（笑）。アフリカのノマドは、牛や羊といった家畜を移動させることによって財力なりを得られるので、移動すること自体に意味があるわけですが、現代的な意味でのノマドは、仕事をする場所としてカフェや自宅を選ぶといった、仕事場所の選択肢が複数ある、という意味でしかないのはつらいところですね。

若林　今日のお話のなかから、自分たちの生活のなかにポジティブな形で参考にできる何かがあるとしたら、どこでしょうね？

松村　これは第2話の丸山さんの話でも出てきたテーマだと思うんですが、狩猟採集民のブッシュマンの人たちも、ダサネッチも自立／自律にすごく価値を置いているわけですよね。他人をコントロールすることなんて、しよせんできないんだと。だからルールをつくって強制されることも嫌う。でも、個人がそれぞれ違う存在として尊厳をもって自立していることと、それと同時にその個人が集まって社会をつくっていることが両立している。

　個人が自立していると、むしろバラバラになって社会がまとまりを欠いてしまう、というイメージが私たちにはありますが、狩猟採集民にしても牧畜民にしても、個が自立することで社会をちゃんとつくっている。この矛盾しているように見えることこそが、社会をつくるときに重要なんじゃないかなと思いましたね。

山下　なるほど。どちらが近代的な社会なのかわからなくなりますね。

松村　例えば会社組織みたいなものを考えたときに、会社が組織としてまとまりをもつことと、そのなかに所属している人が自律的に動いたり考えたりすることをどう両立させるかは、いろいろな組織にとって難しい課題だと思うんですが、それを独特の形で両立させているダサネッチに学ぶところがあるかもしれません。

　ただ、佐川さんの話を聞いてもわかるように、ダサネッチの社会では色々なことが深いところで絡まりあっているんですよね。移動するときに数百メートルだけ動くとか、戦争するときにも一人ひとりの動機は同じに見えて違っているだとか。そうやって、その場にある多様性をあまり単純化せずに調べていくことで、ひとつにまとまりきらない彼らの複雑な社会のあり方を考えていくのが人類学の特徴でもあるんですね。だから単純に「ノマドの生き方から、私たちの社会にこの部分を抽出して応用しましょう」とはならない。

若林　ならないでしょうね。

松村　そもそも環境が違うわけですから。ただ、私たちとは違うアプローチで個人と社会とか、個人と組織の関係を成り立たせている社会があることは、私たちが個人と社会、個人と組織の関係を考えるときのヒントになると思うんです。「そういう選択肢があるかもしれない」と想像力を膨らませるひとつのきっかけにはなる。

あとは政治の位置付けにも学ぶところがあるかもしれないですね。今回の話題だと、私たちは仕事のほうが大事で、政治なんて忙しくて関心をもっていられないと思っているところがありますが、自分たちの社会のことを考えるって、何も生活と切り離された社会問題について、ああだこうだ言うことではないですよね。

ダサネッチのように自分たちの生活と直結するものとして社会のあり方を議論することこそが、実は人間が人間として生きていくときに重要なんじゃないかと思わされました。いまの日本社会には、そういうものがない気がして印象深かったです。

若林　狩猟採集民は、自然と人間の関係が直接的といいますか、自分の手で自然に直接働きかけるところがあったと思うんですけど、牧畜民は自然と人間の間に動物という存在がありますよね。牧畜っていままでよくわかってなかったんですけど、単に人間が搾取する対象ではなくて、自分たちの側でもあり、自然の側でもあるみたいな中間的な存在というか、独特の距離感のなかにあるものなんですね。道具のように使役してもいるんだけれども、彼らがいないと自分は何も取り出せないと考えると、人のほうが牧畜に依存しているところもあって。牧畜っていいものですね。

佐川　ダサネッチにおける人と動物との関わり方は、現在の私たちの社会の畜産のあり方とは大きく違っていて、生きた個と個の間のコミュニケーションという感じが非常に強いんですよね。家畜にも多様性があるので、個々の家畜の個性をきちんと知っておかないと、放牧ひとつできないわけです。そしてその多様性や個性が人間の生活や文化を豊かなものにしています。例えば、先ほどもお話ししたように、家畜の毛色の多様性をもとに、少年たちはお気に入りの毛色のウシを決め、その歌をつくり、放牧という大変な仕事を彩りのあるものに変えているわけです。

若林　「胃が違う」というのは何も人間だけじゃなくて、牛1頭とかヤギ1頭の家畜にも適用されるということですよね。

佐川　そういう言い方をするときがありますね。すぐに跳ね返っちゃって、なかなか群れのまとまりに入ろうとしないようなヤギがいると、「あいつの胃がそうさせてるんだ」という言い方をすることもあります。

若林　なるほど、いいなあ。山下さん、まとめの一言をお願いしてもいいですか。

山下　いや、もう十分にみなさんと同じ胃を共有できたと思います（笑）。

若林　はい。今日の残りは木陰に行って、政治の話でもするとしましょうか（笑）。

第4話

小川さやか

「その日暮らし」の力

ずる賢さは価値である

アフリカの古着商人たちや、中国と行き来しながら
ビジネスを展開するタンザニア商人たちの
生き方や人間観・労働観から
現代のビジネスにも不可欠な「起業精神」や「狡知」の価値を
立命館大学の小川さやかさんと考えます。

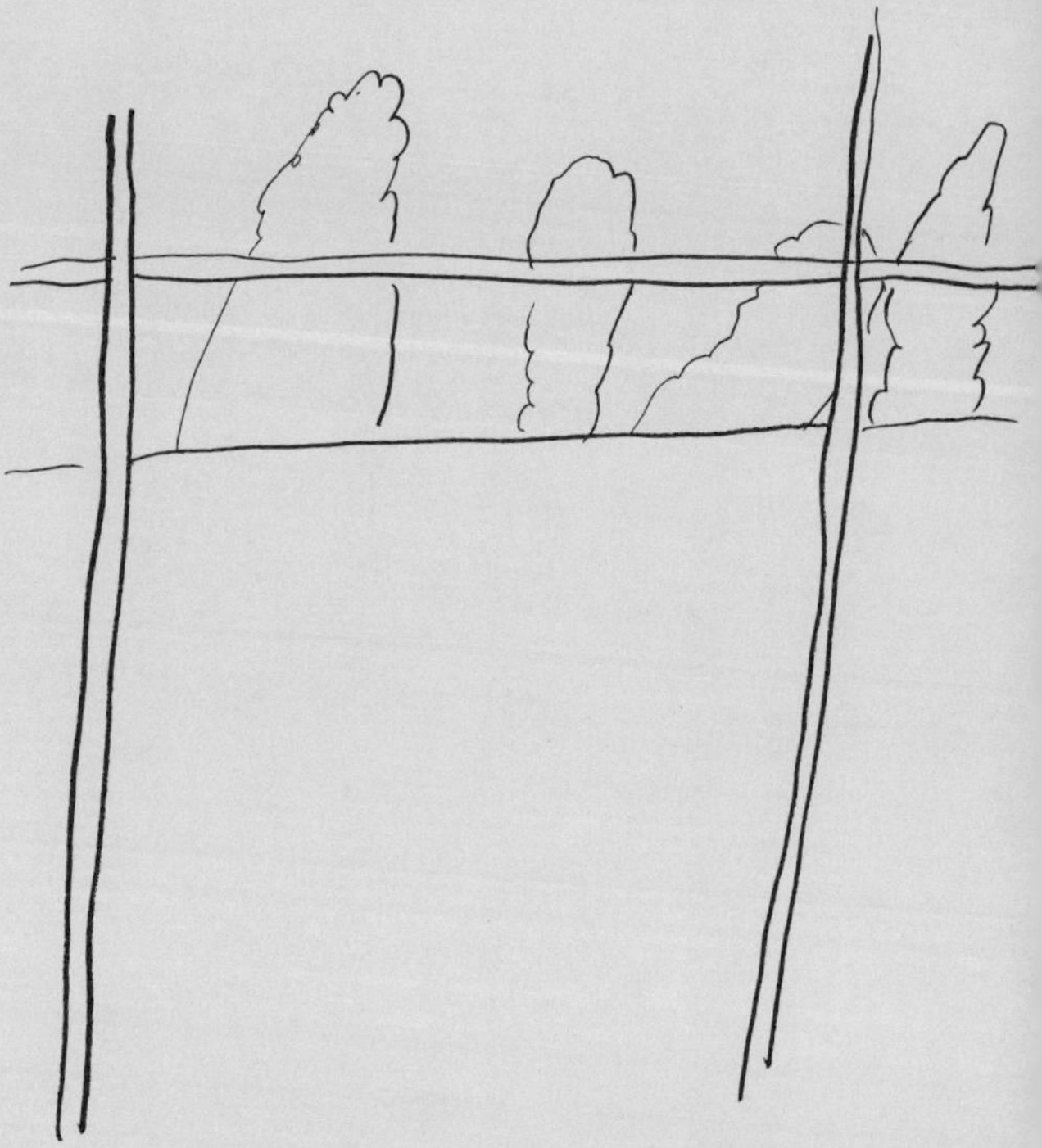

小川さやか―おがわ・さやか
立命館大学大学院先端総合学術研究科教授。主な著作に『都市を生きぬくための狡知』（世界思想社、2011年。第33回サントリー学芸賞）、『「その日暮らし」の人類学』（光文社、2016年）『チョンキンマンションのボスは知っている』（春秋社、2019年。第8回河合隼雄学芸賞、第51回大宅壮一ノンフィクション賞）。

松村　今日は『「その日暮らし」の人類学』（光文社新書）などのご著書でみなさんもご存じの小川さやかさんにご登場いただきます。小川さんは2019年に出された『チョンキンマンションのボスは知っている』（春秋社）が河合隼雄学芸賞と大宅壮一ノンフィクション賞をダブル受賞されて、いま人類学者のなかでも最も注目されている方です。

若林　実は一度チョンキンマンションに泊まったことがあるんです。香港映画が大好きで、ひとりで遊びに行って、めちゃ怖かったんですが、びくびくしながら泊まりました。いい思い出です（笑）。

松村　それはど真ん中ですね。『チョンキンマンションのボスは知っている』の舞台は香港ですが、描かれていることは、小川さんが博士論文で研究対象としたタンザニアの古着商人の話とテーマも一貫しているものなんですよね。また、都市で生きるタンザニア商人たちの生き方は、これまでお話を聞いてきた狩猟採集民や牧畜民の生き方にも、意外と通ずるところがあったりします。

若林　今日のお話は、完全に現代が舞台ですよね。香港のチョンキンマンションという、きわめて現代的な空間に生きている人たちのお話なんですけれども、そう思ってこれまでの回を振り返ってみると全部、現代の話なんですよね（笑）。狩猟採集民や牧畜民と聞くと、なぜか勝手に「昔の人」だって思ってしまうところがあって、現在の話なのに「昔の人、すごいな」みたいに考えてしまっていることに気づかされました。ちゃんと現代の話として聞かないと意味ないですよね。

松村　そうなんですよね。

あらゆる仕事は起業である

松村　では、小川さんにさっそくお話を聞いていきましょう。

小川　今日はすごく楽しみにして来ました。

松村　小川さんとは昔から一緒に勉強会をやったり、院生時代から刺激を受け合いながら学んできたりした仲でもあります。今回はこれまでの研究のエッセンスに関わるところを聞いていきたいなと思うんですが、最初に、タンザニアの都市部の若者たちがどんなふうに働いているのか聞いてみたいと思います。

　タンザニアの若者の失業率は4割、高いときは5割以上と、ものすごく高いイメージがあったんですが、最近調べてみると、逆に若者の失業率がすごく低く出ていたりして、どういうことなんだろう？ 何が起きてるんだろう？ と不思議に思っていたんです。いまのタンザニアの若者の就業状況はどんな感じですか？

小川　最近の新聞報道では「タンザニアが中所得国の地位を得た」と書かれていたりします。たしかにGDPは7％くらいの成長率を誇り経済は発展しているんですけれども、若者の失業率については、どのようにカウントするかで統計がかなり変わってくると思うんですね。いわゆる公務員や企業の会社員のような安定的な雇用に特化してみると、実際はもう少し失業率は高いと思います。私が調査している零細商売をはじめ、政府の雇用統計には載らないインフォーマル経済に従事する人たちを雇用統計に入れると、失業率は途端に下がります。何をフォーマルセクターとし、その残余としてのインフォーマルをどの範囲とするかの境界は曖昧で、実態を把握するのは困難です。

松村　アフリカで統計をベースに話をしようとすると、いつもその問題に突き当たりますね。

小川　そうなんです（笑）。行政や管轄する省庁によっても違いがあり、しばしば混乱します。

松村　小川さんはフィールドワークのなかで、実際にご自身も古着商人として路上で古着を売ったり、中間卸商として若い古着商人を子分のように従えたり、といった経験をされてきたわけですけど、そういう若者たちはどこから来て、どういう形で都市で職を得ていくのか、そのあたりを最初に説明していただけますか。

小川　私が調査を始めた2000年代初頭は、学校を卒業したあと、しばらく農村に留まる人もいたものの、早い人は15歳、16歳で、遅くても20歳前半に仕事を求めて都会を目指す若者が大勢いました。都会での生活が合わないと農村に戻ったりもしますが、都会にやって来た若者の多くは、そこで生きていくことを選択します。とはいえ、正規の雇用機会が必ずあるわけではないので、食べていくために自営業を始めようとなります。『都市を生きぬくための狡知』（世界思想社）という本にも書いたのですが、古着商人に「どうして古着商売を始めたのか」と聞くと、「あるとき、お腹が減っているんだけどポケットには500シリングしかなくて、これでお昼を食べちゃうと夕飯が食べられないし、どうしようかと市場を巡っていたら、オレンジが1個50シリングで売られていた。同じオレンジが、自分の居住区では100シリングで売られている。じゃあ、このオレンジを10個買って行商すれば、今日の夕飯も食べられるし、うまくいけばもう1回くらい往復して行商できて、明日も明後日もずっと食べられる」みたいな感じで商売を始めたんだ、と言うんですね。彼らは、とにかく食べていくために、暮らしていくために、まずは何か仕事を始めるんです。

松村　古着商人は、そうした選択肢のひとつにすぎない感じですかね。古着よりも少ない資本で始められるものとして、オレンジがあるといった感じで。

小川　そうですね。

松村　資本が貯まってくると、古着商の次には、例えばどんな仕事があるんですか。

小川　私がいま香港で調査している人たちのなかには、日本円にして月収600万円を超えるような人たちもいます。そのひとりは香港から大量に携帯電話を買いつけていますが、同じくらいの資本があれば、タンザニア国内でも、電化製品や自動車部品を仕入れたり、商店を構えたりして商売することができます。商売の基本は、あるものを、それがないところにもって行って差額で稼ぐ仕事なので、知恵を絞れば、さまざまな商品で商売が可能です。

松村　小川さんが付き合ってきた古着商人の若者たちも、ずっと古着商をやっているわけではないんですね。

小川　「古着商ひと筋」と考えている人たちは、ほとんどいないです。みなさん古着商をしている間も「もっといい仕事はないか」と半分くらい身を開きながら、「この商品のほうが儲かるんじゃないか」「この仕事のほうが実入りがよいのではないか」って考えながら商売しているので、気が乗ったら、次の日から古着商をやめて違う商売を始めたりもします。

松村　彼らにとっての「稼ぐための手段」である仕事は、日本人にとっての「仕事」とはちょっと違う気がするんですが、小川さんにはどう見えていますか？

小川　そうですよね。彼らは、本当によく「仕事は仕事」って言うんです。日本人が「仕事は仕事」って言うと、仕事そのものに価値の序列がある感じがしますよね。このような仕事が良い仕事で、こういう仕事は生活のために仕方なくしている。経済的な価値だけではないと思いますが、自身にとって望ましくない仕事をしているときに「仕事は仕事」みたいな言い方で割り切ろうとするというイメージがありますけど、タンザニアの人たちは、「どんな仕事もうまくいかなくなるときはやってくる」という構えで仕事に向き合っています。だからいい仕事に転職をしても「まあ、仕事は仕事だからね」と敢えて強いこだわりをもちすぎずに仕事をしているように思います。

松村　例えば公務員になったり、NGOで働いたりしているとなると、結構いい給料をもらえると思うんですけど、それでも、「この仕事に一生を捧げる」みたいな感じではなくて、それも稼ぎの手段として割り切る感じなんですか？

小川　もちろんやりがいもあるし、夢もあるんです。ただ、ひとつの仕事だけにこだわって全力を尽くしても、うまく生きていけないかもしれないという思いが、常にどこか頭の片隅にあるんですね。知人に、タンザニアで大統領秘書を三代にわたって務めている方がいます。彼とも香港で出会ったんですが、「そりゃあ、秘書室にいるときは120％秘書の仕事をするけれど、仕事のオフの時間に何をしようが私の勝手じゃないか」と語っていました。彼は、香港に中古車を仕入れにやってきていたんです（笑）。

松村　現役の大統領秘書が、香港で中古車を仕入れてる？

小川　そうなんです（笑）。香港で商売をしている理由は、「秘書の仕事もいつかなくなる」かもしれないし、「複数の収入源を確保して安定的により稼ぐ」という戦略かもしれません。いずれにせよ公務員や企業の正社員でも突然の馘首にあったり減給などがあったりするので、みんな身半分くらいは、いつも違う仕事を探すという生き方をしています。

松村　丸山淳子さんの回で、狩猟採集民が、「ひとつのことをするやつはバカにされる」という話がありましたが、それとも通じるところがありますね。

小川　私も「なぜ大学教員しかしてないんだ」みたいなことを、仲間の商人たちによく言われます（笑）。「どうするんだ。ずっとそれだけをやるのか」って言われるんですけど、彼らからしてみると、大学教員の仕事で得た給料を他のビジネスに投資するほうが良いだろう、と不思議なんですね。

松村　私も「なんで、大学の給料を投資しないんだ」って、よく言われます（笑）。私からすると、「いや、それは自分の仕事じゃないから」とひるんでしまうんですが、「これは自分の仕事／これは自分の仕事じゃない」みたいな切り分け自体がおかしいんですかね。

小川　おそらく彼らにとっては、どんなに小さな商売でも起業しているという感覚なんだと思います。アイデアがあったら、どんどん違うものにチャレンジするのが普通だと考えているように思います。また、「貯金をする」ということに対する考え方も私たちとは異なっているように思います。私たちは給料を頂いて、余ったものは貯金をして将来に備えますよね。

松村　そこも違うんですか？

小川　お金って貯めておいても何も変わらないですよね。銀行預金なら利子はつきますが。タンザニアの人たちは「将来、貨幣価値が下がるかもしれない」と、そもそもお金を信頼していないこともあるんですが、お金は人やビジネスに投資することで回していくものだと考えているように思います。そうやって投資をしておけば、きっとどこかで何らかの可能性を掴むことができる、という感じだと思うんです。銀行に預けっぱなしになっているお金は死んでいると言われたことがあります（笑）。

松村　それは経済的にも正しいですよね。日本では、みんなが貯金ばかりしてお金を回さないことが問題になっていますが、タンザニアの人たちには、ちゃんとお金は常に動かさないと死蔵されてしまうという感覚があるんですね。

小川　お金を貯めていると支援を求められやすいのですが、基本的にケチな人はイメージが悪いので、支援を求められたときに断るのは難しいんですね。ですから、そうやって金銭として分配する代わりに何かビジネスをしたり、何かに投資したりしておけば、少なくとも誰かにとって幾ばくかの機会になるかもしれない、とも彼らは言います。

松村　日本人がお金を貯め込むのは「将来が不安だから」という理由が大きいように思いますが、といってタンザニアの暮らしに将来の不安がないわけではないはずですよね。けれども、そうした将来の不安に対して、タンザニアの人たちは、そこでむしろお金を使うことを選択する。日本人とはすごいコントラストがありますね。

小川　そうなんです。でも、よく考えると「たしかに」とも思うんです。私がいくらお金を貯めても、そのお金が将来どんな価値になってしまうのかはわかりませんし、私自身が将来にわたってずっとうまくやっていけるかどうかもわかりません。でも、色々な人に贈与や支援という形で賭けておけば、私が失敗しても、賭けたうちの誰かはおそらく成功する。とすれば、たとえ自分が困っても、そのとき成功している人たちに「キミ、私に借りがあるよね」っていう感じで（笑）、何とか生きていけるじゃないですか。自分自身ですべてをマネジメントしていくよりも、リスクと可能性を色々なところに分散させておくほうが、実は安定的なのかもしれません。

松村　日本にいると、他の人に分け与えることと、自分の利得のために投資をすることって対極にあることのように捉えてしまいますが、いまの話を聞いていると、タンザニアの商人たちにとっては、ビジネスを起こすことも、誰かに投資することも、そのお金を気前よく振る舞うことも、実はほとんど変わらなくて、同じカテゴリーに入っちゃう感じなのかもしれませんね。

小川　まさにそうなんです。「外付けハード」っぽい感じなんですよ。自分自身が、色々な技能を身に付けて、どんどん資産を増やして立派になっていくのはかなり大変ですし、不確かです。それよりも自分とは全然違う能力や資質や考え方をもっている人たちを、ちょっとした親切を通じてどんどん接続していけば、自分自身の能力や財産は増えていかなくても、そのネットワークからそれらの能力や資質を取り出して使うことができる、というイメージかもしれないです。

松村　私たちは、自分の専門性に磨きをかけてスキルアップして仕事ができるようになることを、より安全な生き方のように思ってしまいがちですが、タンザニアの商人たちにとっては、誰かとつながることによって自分の能力を高めて、生活の安定を図ることになるわけですね。どれだけ多様な人とつながるかが、むしろ自分の安定を支えてくれるネットワーク、セーフティネットになると。

小川　より多くのさまざまな人とつながっていくことで、アイテムが増え、使える武器が増えていけば、どんな荒波がやってきてもなんとか戦える、みたいな感じですよね。

松村　逆に言えば、個人のスキルアップを求める文化は、「孤独な戦いをしろ」と強いているように思えてきますね。タンザニア商人たちから見たら、日本のビジネスマンはどんなふうに見えるんでしょうか。

小川　「日本はよほど安定しているからひとつの仕事だけで大丈夫なんだろう」という認識はもっていると思いますが、彼らからすると、そんな生き方のほうがよほど不安定に見えるかもしれませんね。

松村　ひとりで生きていくのは、タンザニア商人たちからしてみれば、すごいリスクがあることなんですね。

小川　「全部自分で抱え込んでやってるなんて不思議」みたいな感じです（笑）。

松村　さっき「いい仕事」と「悪い仕事」の区別がないという話がありましたけれど、彼らにいい仕事とそうでない仕事の区分がないのだとすると、将来の選択をするときも「いい仕事」に賭けるのではなくて、むしろ「人」のほうに価値を見いだしていく感じなんでしょうか。

小川　「人」に賭けるというのは、たしかにそうです。ただ、彼らにとって誰かとのつながりに投資していくことはとても大事なことなのですが、まず自分で動かないと人とのつながりは増えていきませんから、彼ら自身も生計の多様化やジェネラリスト的な生き方を通じて自らが試しにする仕事を増やしていきます。そうすることで新しい知り合いができて、そこでまた仕事をして、そこからまた新しい知り合いができて……という感じで、知り合いがねずみ算式に増えていくんです。ずっとひとつの場所にいたら、多様な人間関係はつくりにくい。好きな仕事や向いている仕事は人それぞれですから、自分はあまり向いていなくてすぐにやめた仕事も、他の人はその人なりの特技になるかもしれない。

ずる賢さは「弱者の武器」

松村　これは小川さんが本のなかで書いていたことですが、そうやって仲間を増やしていくときに、彼らはお互い騙し合ったり、もち逃げされたり、あるいは売り上げをごまかしているとわかっていてもお小遣いをあげてみたりと、相手を信用しているのかしていないのか、よくわからない人間関係のつくり方をしていきますよね。このあたりは、どんなふうに説明できるのでしょう?

小川　『チョンキンマンションのボスは知っている』にも書いたんですが、彼らは「この人は信頼している」「この人は信頼していない」っていう区別を、あまり明確にしないいんです。

松村　そうなんですね。

小川　どんな人間でもその時々の状況によって信頼できるかどうかは変わると言います。タンザニアで古着商売をしていたときにも、初対面の人に掛売りをしても、その人がそのとき儲かっていたり心に余裕があったりすればちゃんと支払われますし、たとえ親族や仲良しであっても、3日間くらい何も食べていないほど、にっちもさっちもいかなくなって心身ともに追いつめられていたら、支払ってもらえないし、取り立てられない。ないところからは取れないし(笑)、インフォーマル経済は不安定なので、1カ月前には羽振りが良かった人が病気になって商売も立ち行かなくなるという事態は珍しくない。逆に3日前は売り上げをごまかした小売商が、上客をつかまえて突然に羽振りが良くなることもある。なので、彼らからすると「信頼できる人間」と「信頼できない人間」がいるわけではないんです。

松村　なるほど。

小川　状況に応じて、信頼できるときもあるしできないときもある。だから嘘をつかれても、自身の状況によっては騙されたフリをしてあげてもいいし、関係を切るしかないときもあるし、また関係を復活させてもいい、みたいな

感じなんです。

松村　仕事に対しても半身であるように、人に対しても半身なんですね。誰かを全面的に信頼する、みたいなことはないんですね。

小川　一人ひとりが約束や期待を必ず遂行すること自体には過度な信頼はないです。といって、全員を信じていないわけでもなくて、「誰か」のことは信じているんです。「たくさんいるうちの誰かは、きっと私のピンチや要望に応えてくれる」と信じているように思います。特定の誰かは信じないけど、彼らが生きているネットワークのことは信じているのではないでしょうか。

松村　『チョンキンマンションのボスは知っている』のなかに、香港にフラッときた人が亡くなったときに、その人のことを誰も知らないのに、みんなでお金を出し合って遺体をタンザニアに送還するというエピソードがありましたよね。この人がどういう属性だから助けるとか助けないとか、あいつは悪いことをやってるからだめだとか、知り合いかどうかとかがまったく問題にならないところがすごく印象的だったんです。

小川　そういうことは、あまり考えていないですよね（笑）。属性で信頼できる、できないみたいな判断はしませんし、悪いことをしたから二度と助けないという事態にもならないですね。彼らの間では、脛に傷があるかもしれない他者を詮索しないので、どこまでが不運の領域でどこまで本人の責任か自体がまず不明瞭ですし。

松村　それは、時に騙したり嘘をついたりもする不完全な存在として、人間を捉えているということなんですか。

小川　そうですね。とはいえ、騙し方って、人それぞれ違うんですね。ですから「この人は、この程度のことはするだろう」みたいな勘をみんなが働かせるんです。「この人は、窮地に追い詰められたらこのぐらいはやるだろう」みたいな。そうした勘に基づいて、実際に騙されたときにも「スルーしてあげよう」とか「ここはいったん切り離そう」とか、上手に駆け引きをすることが知恵なんです。でも、基本的には、それぞれの騙し方を踏まえながら、お互いにちゃんと人間関係を続けていくつもりはあるんです。

松村　「一度裏切られたから縁を切る」とか「絶対関わらない」ってなりがちなのは「友だちや商売仲間だったら、信頼に応える行動をするのが当たり前」みたいな、理想的な人間像が前提としてあるからのような感じがします。

小川　ずっと仲良くしていた男の子に久しぶりに会ったら、ガリガリに痩せてしまっていて「どうしたの？」って聞いたら「いや、借金まみれで大変なんだよ」って言うので、借金を肩代わりしてあげたんです。彼と一緒に借金相手の家を1軒ずつ訪問したんですけど、「女の子に返済させるなんて恥ずかしいから、君はここで待っててくれよ」と言って付近の路上で私を待たせ、借金相手に会わせてくれなかったんです。

それがひと通り終わってから別の知り合いに「実は○○君に会ったら超ガリガリだったから、私が借金の肩代わりしてあげたよ」と話をしたら、「君が今日回ったところは、全部ドラッグの密売所だよ」と教えてくれたんです。でも、私、騙されながらもすごく感動したんですよね。

私はそのときたくさんお金が入ったポーチを下げていましたし、彼の話を完全に信じて、のこのこ薄暗い路地裏について行ったりしていたので、彼は私からもっと簡単にお金を奪い取れたと思うんです。でも実際に嘘をついて騙し取ったのは飲み代程度で、しかも私を密売所には連れて行かなかった。「それなりの友情があるな」って思ったんです（笑）。騙されてはいるんだけど騙されてはいない。そういう感覚でお互い付き合っているんです。

若林　すみません、横から。ずっとお話を伺ってきて、義務とか責任みたいなものがあまり問われないのかなと思ったのですが、その辺って、どうなんでしょうか。義務感とか責任感とか。

小川　彼らもたぶん、裏切ろうと思って裏切っているわけじゃないんですよね。基本的には約束したことは守ろうと思っているんだけれども、守れない事態があったり、追い詰められて魔がさしたりすることもある。周りは、それをすぐさま「義務違反」とか「約束違反」だとは捉えないのだと思うのですが、とはいえ、義務や権利をお互いに主張しないかというと、そんなことはないと思います。なぜなら、守れる事態のときには守ってもらうし、前に踏み倒された金銭を返してもらうこともあるので。

若林　チョンキンマンションの人たちは「誰のことも信頼しない」と断言すると著書のなかで書かれていましたけれど、

それは基本、言葉通りに受け取っていいんですよね？

小川　はい。全然、信頼していないです（笑）。

若林　と言って、ギスギスしているわけでもない。

小川　淡々と仲良く付き合っています。

若林　そこに入っていくのは、小川さんとしては難しいことでしたか？　そこに入っていって「この人と友だちになれた」「仲間として認められた」みたいな感覚を、自分だったらどうしても重視しちゃうと思うんです。

小川　彼らは、私たちよりも自分の手が及ぶ権内とそうでない権外とを冷静に見極めているように感じます。自分の思うように相手をコントロールすることは難しいし、自分もされたくないと、みんな思っているんじゃないかと思います。「私の期待に応えてくれ」「私を裏切るな」って、相手をコントロールすることでもありますよね。でも、自分の人生も行動もこんなにままならなくてつらいのだから、他人だってままならないんです。他人はままならないものだという経験は豊富にあるし、ままならなくてもいいように関係を築くほうが互いにとって良いという理解のなかで、それでも相手がときどき自分の思うように応えてくれることに賭けているという感覚ですよね。相手をコントロールしないし、自分も相手にコントロールされることを嫌うという意味では、かなり自律的で自由な人たちですよね。

松村　自律しているけどつながり合って関係をつくっている。それは狩猟採集民でも牧畜民でも共通していましたし、他人をコントロールできない感覚も同じように共通していて、それをエチオピアの牧畜民の社会では「胃が違う」ということばで表現していました。いま若林さんがおっしゃった「権利と義務」が時に相手を縛るものになることも、彼らはきっとよくわかっているんでしょうね。『チョンキンマンションのボス』のなかに、「チョンキンマンションのボス」が、パキスタン人の商売相手に対しては約束を決して守らないという話が出てきますが、「律儀に約束を守っちゃうと、彼が俺のことを子分みたいに思い始めるので、対等にビジネスをするために、扱いやすい人間にはならない」と語るんですよね。だからこそ、あえて約束を守らなかったり、わざと約束の時間に寝過ごしたりする、と。それを読んで、「相手に良くしてもらったからこちらも良くしてあげる」という権利義務関係が、実は搾取関係にもなりうることを、彼らは敏感に察知しているのだなと思ったんです。

小川　本当にそうだと思います。「約束を守れ」が窮屈なのは、なにも企業のルールみたいなレベルにおいてだけでなく、「贈与」や「助け合い」といった個々人のレベルにおいてもそうだと思うんです。「私はあなたを助けてあげたからあなたも私に報いてほしい」と言うのだって、相手を縛っていることになりますから。彼らは、そうした「支配」ができるだけないようなやり方で、社会を築いているんだと思います。

若林　会社のような組織ですと、そもそも構造上、上司が部下をコントロールしなくてはいけないようになってしまっていると思うのですが、タンザニアの人たちには、そうしたなかにあっても「支配／被支配」の関係性をすり抜けるというか、脱臼させるような振る舞いをされるのでしょうか？

小川　私が最初に書いた『都市を生きぬくための狡知』という本は、「ずる賢さ」がテーマなんですが、彼らが、コントロールされるのもするのも嫌いといっても、ボスとの関係において「こいつは俺に反抗している」「言うことを聞かない困った奴だ」と思われるように抵抗するかといえば、そうではないんです。むしろ、「こいつはちょっと心配だから、自分が一生懸命やらないとな」とボス自身が思ってしまうような、そういう抵抗の仕方をするんですね。ジェームズ・スコットの言う「弱者の武器」みたいなものを使うんです。

さらに、いつも言うことを聞かないでいるのは、彼らからすると全然賢い戦略ではないので、ボスの心に隙があってうかうかしているときにはうまいことサボって、ボスが落ち込んでいたりするようなときには、むしろすごく頑張って働いてくれたりするんです（笑）。それでボスが調子に乗って「あいつは俺の言うことなら何でも聞いてくれる」と思ってコントロールし始めると、またひそかに抵抗しだすんです。

若林　あはは。ずる賢い。

松村　彼らは、約束や責任を１００％果たすことが、いずれ自分を追い詰めたり、他人から縛られたりすることにつながることにちゃんと気づいているんですね。

若林　インターネット上でビジネスをするには、基本的に遠く離れた見知らぬ他人同士で商取引をしなくてはならないわけですが、「こいつは言ったとおりのことをやってくれるのか」「払った分だけのことをやってくれるのか」

という問題が必ず出てきて、どう信頼関係を成立させるのかは、相変わらず大きな問題です。

そのとき、その人間を丸裸にしていけば信頼できるかできないかがわかるはずだという考えに基づいて、過去データの解析から「こいつは、こういうものが好きなのだ」とか「こいつはこういう行動をするはずである」といったことを明らかにしていくのがいまのインターネット的な考え方だと思うんですね。信用スコアが重要になるのもこうした考えからですが、個々人の過去の実績からその人の信頼度を測定するやり方は、結局、支配へとつながっていきかねませんし、加えて、「相手のことを知れば知っただけ、信頼できるかどうかがわかってい く」という考え方って際限ないじゃないですか。疑いがなくなるまで相手の情報を得続けるって、それ自体があまり意味あることじゃないですよね。むしろ「知ったからといって信頼できるわけではない」、あるいは「どうせ相手のことなんかわからないんだし」ということを前提にしておくほうが、何かといいんじゃないかと思ってしまいます。

小川　私が研究しているタンザニアの路上商人や香港で働いている商人たちは、取引相手にも、ある程度のずる賢さを求めるんです。私からすると「なんで信用を供与する人たちに、わざわざずる賢い人を選ぶのか」と思うんですが、彼らだって取引を続けていくうちに「この人はこうだから信頼できる」みたいな信用スコアのような指標を採用したり、「あのときはできたのに、なぜいまはできないのか」といった期待を高めたりしてしまうんだと思います。人格的な信頼は、人には晴れの日も雨の日もあって、それでも関係を続けることを希望して、その人それぞれの状況を見極めて、許したり許さなかったりといった塩梅を調整していくものですが、それよりも客観的な指標で取引したほうが楽なのは誰でも同じです。そうすると気づかぬうちに相手を追いつめることもある。

でも彼らは、ずる賢い相手と商売をすれば「そういうところからハッと目が覚める」みたいな言い方をするんです（笑）。先ほど、松村さんがおっしゃった「属性」だとか「この人はこんな取引を何回もうまく成功させたから信頼できる」といった客観的な指標に頼らないように、うまく駆け引きしてくれる、駆け引きをしかけてくれるずる賢い人こそ「最高だ」ってみんな言うんですね。

若林　面白い。でも、それはどうしてなんですか？

松村　不思議な世界に見えてしまうんですが、きっと、その場その場のやり取りを楽しんでいる感じなんですよね。逆に、客観的な指標に沿って自分の責任とスキルだけで孤独に働くなんて、端的に言うとつまんないじゃんって言われそうな感じもありますよね。ずる賢い奴と丁々発止とやっていくこと自体が仕事の楽しみでもありそうですね。

若林　ずる賢さみたいなものが価値とされているのは面白いですね。

松村　タンザニアの商人たちは、未来が不確実であるという前提に立って仕事をしたり、人間関係をつくったりしているわけですよね。私たちも同じように将来のことは不安なのに、それとはまったく異なる行動を取っている。私たちは将来に備えて貯蓄をするとか、自分の能力を高めるみたいな、個人の内に閉じこもる対策を取るけれども、彼らは多様な人的ネットワークを張りめぐらせることで、その不確実さに備えています。そこに、根底から異なる人間観が見えてきますね。

ギグエコノミー・イン・香港

松村　ここからはタンザニアから香港に軸足を移して、タンザニア商人のずる賢さが、香港でのビジネスの現場でどう生かされているのかを聞いていきたいと思います。
　小川さんは『チョンキンマンションのボスは知っている』で、香港のチョンキンマンションに住み込みながら、そこにたむろしているタンザニア人やその他のアフリカ系の人たちの生業の風景を書かれていますが、チョンキンマンションは、どういう人が集まっているどんな場所なんですか？

小川　チョンキンマンションは、商業施設兼安宿みたいなところです。日本の方には、バックパッカーが泊まる安宿だと思われているんですが、そこでは中国系の香港人や南アジア系の商人などがずっと商売をしていて、さらにアフリカ系の交易人たちもたくさん宿泊し、中国系や南アジア系商人との取引をしています。
　こうした交易人たちがやっているのは、平たく言うと「爆買い」です。彼らは「商業的旅行者」とも呼ばれていまして、タンザニア商人でしたらビザなしの観光客のステイタスで3カ月滞在できますので、その間に中古家電や衣料・雑貨といった品物を仕入れてコンテナで母国に送ります。ただ、彼らのなかには何を買いつけるかに関してノープランでやってくる人たちもいっぱいいて、「言語もあまりしゃべれないし、着いてから考えよう」という感じの人も多いので、そんな人たちをアテンドする仲介業者として、本のなかでも書いた「ブローカー」と呼ばれる長期滞在者がいます。

　ブローカーにあらかじめ連絡さえしておけば、空港に迎えに来てくれて、「どんな商品が売れるかな？」みたいな相談から、商売地までの案内、値段交渉まで全部お任せできます。そうしたブローカーのなかには、爆買いツアーにひとりでやってくる交易人たちを案内しながら自分も輸出業をしている、という人もいます。

松村　輸出業をしている人たちが扱っている商品は、どんなものがあるんですか？

小川　主に扱っているのは中古車とか中古家電、それから中古スマートフォン、あと衣料・雑貨なんかも扱っていますが、衣料品や新品の電化製品などは中国本土のほうが安いので、香港を経由してみんな中国本土に行きます。ですから、香港のブローカーたちは、中国のブローカーたちに交易人たちを橋渡しする役割も果たしています。

松村　中古家電なんかは、中国本土側の広東省とかで買い付けて、コンテナに詰めて香港からタンザニアに輸出する、といった感じなんですか？

小川　いえいえ。中国本土で買い付けた人は中国本土からコンテナで送ります。もうちょっと高品質な商品は中国よりも香港のほうがいいものがありますので、高品質なものが欲しければ香港で買い付けます。

松村　タンザニアから中国側に輸出するのも、あるんですよね。

小川　もちろんやっています。天然石や海産物を仲卸している人たちもいます。

松村　天然石は、宝石の原石のようなものですか。

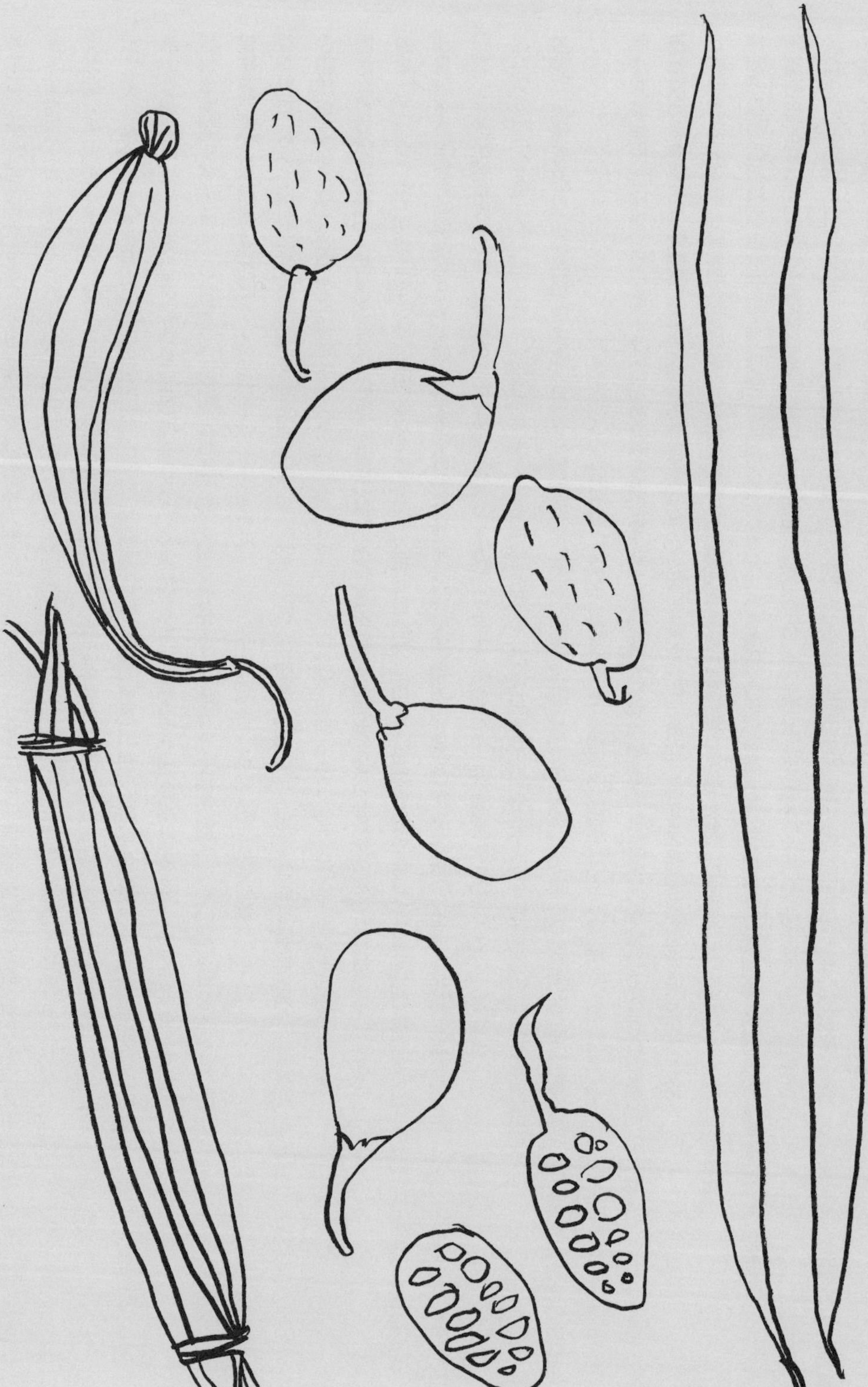

小川　ダイアモンドなどの高価な宝石よりも、日本でいうパワーストーンとかのほうが多いですね。

松村　パワーストーン？

小川　アメジストやトルマリン、タイガーアイなど、数珠に使うようなものです。

松村　ああ、なるほど。タンザニアの路上で商売をしている人たちと、そうやって飛行機に乗って大量に製品を買い付けて売買する資本のある商人たちとでは、何か違いはありますか？　路上商人たちといわゆるグローバル貿易商とでは、雰囲気は同じですか？

小川　私の印象ではかなり近いです。そもそも香港に行っている人たちは、タンザニアの路上商人の仕入れ先である商店主たちの一部、つまり輸入商でもあります。なので、商慣行などの考え方自体は、かなり似通っています。資本力や学歴などが違うくらいです。タンザニアのお金持ちの間では、２０００年ぐらいから中国に行って一旗揚げようという、アメリカンドリームならぬチャイニーズドリームが吹き荒れまして（笑）、中国を目指しました。ただ、なかには資本が30万円くらいしかない人もいます。

松村　香港で失敗したら、彼らはどうなっちゃうんですか？

小川　資本を完全に失えば、タンザニアに帰れなくなりますね。飛行機のチケットがあり、なんとか帰れても、再び香港に戻って来るのは至難の業です。でも先ほどちょっと触れましたが、香港にいる間はなんとかなるんです。タンザニア人の仲間のなかで助けてもらえるので、とりあえず死ぬことはないかもしれません。

松村　一銭もなくなっても食ってはいける。

小川　はい。資本を失い商品の買い付けができなくなったら、みんなブローカーになろうとします。亡命希望申請を出して滞在を延長するか、オーバーステイ組になるという感じです。

松村　香港は政治的な締め付けもありますし、コロナウイルスの影響もあって入出国が閉ざされたりもしていますが、いまはどんな状況なんでしょう？

小川　私も香港に行けなくなっているので確かなことは言えませんが、チャットをしている限りでは意外とちゃんと暮らしているようです。市民によるデモが頻発していた時期には仕入れ先の店が閉まったり、交易人が来なくなり大変だったと聞きましたが、コロナの影響をさほど受けていない理由のひとつは、商売自体がオンライン化あるいはギグエコノミー化していたからでしょうし、もうひとつは、彼らにとって香港での商売は、数ある生計手段のうちのひとつでしかありませんから、香港での商売が困難になればタンザニアに帰ったり、あるいは日本やドバイなど別の商売地域へ移ったりしますし、貿易がうまくいかなかったら違う商売を模索します。

松村　こういう不安定な状況下でもビジネスは続いていくわけですね。

小川　はい。交易人はまったく渡航できなくなっていますが、香港からの輸出自体は規制されてはいませんので、香港のブローカーに注文し、商品をタンザニアに輸入することはできます。

松村　さっき「ギグエコノミー」ということばが出ましたが、ちょっと解説してもらってもいいですか。

小川　ギグエコノミーはインターネットを介して単発で請け負ってやる仕事ですね。UberやUberEats、Airbnbなどに代表されますが、インターネットで受注をして単発仕事をするものをすべてギグエコノミーと言うのであれば、香港の人たちがやっているのはまさにそれです。彼らはWhatsAppやInstagram、FacebookなどのSNSを使って、アフリカにいる消費者や商人から「こういう商品が欲しいから探してきて」と注文を受けて香港から輸出する、ということを毎回やっているわけですから。

松村　「ギグエコノミー」ということばが広まる前から、タンザニア商人たちはインターネットを介して、香港でそれをやっていたと。

小川　昔は電話を使っていましたが、いまはみなWhatsAppなどのスマートフォンのメッセージアプリやSNSを介してやっています。先進諸国では「ギグエコノミー」には、すでにいろんな懸念や批判がありますよね。

松村　はい。

小川　ギグエコノミーは、自分の好きな時間に好きな仕事をして稼ぐ新しい働き方として当初は注目されていましたけれど、好きな時間に好きなように働くだけでは思ったほど稼げませんし、企業に雇用された場合に受けられる社会保障や保護などもありません。さらにその仕事を取り仕切っているプラットフォームとの軋轢が取り沙汰されてもいますよね。

でもタンザニアの人たちはもともとみんな自営業者で、正規の企業に雇用される可能性が低く「企業による保障って何があるのだろう？」という人びとでしたから、ギグエコノミーが不安定である、という認識はほとんどありません。むしろ、インターネットのおかげで商売が拡大できたし、便利になったと捉えられています。きちんと契約書を結ぶ必要がある取引でも、契約書は書いたことがないし、住所不定であるといった人びとでも、インターネットそれ自体の機能によって担保される信用を使って仕事を請け負えるようになった。それはたしかに彼らのビジネスチャンスを広げました。ですから、「インフォーマル経済」のギグエコノミー化は進展しています。

松村　これまであった「その日暮らし」の経済にインターネットというテクノロジーが接合したということですよね。その日暮らしのビジネスがインターネットによって格段にスピードアップし、仕事のバラエティも増えたという感じですかね。

小川　そうですね。UberEatsは飲食店から食べ物を届けてもらうサービスですが、タンザニアで暮らした経験のある利用者としては、もっとさまざまな仕事に広がれば便利だろうとよく思います。「ちょっとクリーニング屋さんに寄ってきて」とか「郵便局に行ってきて」とか、お使いをお願いできるサービスが、もっとたくさんあったらいいなって（笑）。というのも、タンザニアには、まさにそういう商売が数多くあったんです。行商人たちに「お葬式があるから黒いシャツを探してきて」とお願いすると、探して届けに来てくれましたし、いまでは行商人だけでなく「靴を修理してほしいから取りに来て」とメッセージやチャットでお願いすると、自営業の靴修理工が取りに来てくれたりもします。洗濯屋さんなんかもそうです。そういった、ありとあらゆる零細サービスが全部インターネットとつながれば、それこそまさにギグエコノミーですよね。

松村　タンザニアや香港で、そうした日常的なサービスがインターネットを介してやり取りされることはあるんですか。

小川　ありますね。私がかつて古着商売の行商人をやっていたときは、「あの人はこの服好きかな?」と自分の顧客を思い浮かべながら服を見繕って、実際にその人の家を訪ねて売ったりしていました。「この服、絶対兄さんに似合うと思ってもってきた」と訪ねていくと、「今度子どもが生まれるから子ども服もよろしくね」と頼まれて、今度は子ども服をもっていく、という感じでやっていたわけです。

でもいまは、「こういうものが欲しい」と画像つきの写真があらかじめ送られてきて、市場に行ってその写真を見ながら注文品を探し、「こんなのどう?」って動画に撮って見せながら、「その右上の、それが欲しいかも」ってやり取りをするわけです(笑)。

松村　ライブ中継しながら。

小川　中継したり、あとは自分自身で実際に使用してみて「このオーディオ機器、音もいいし、ボタンひとつで操作できて良いですねぇ」と動画をやり取りしたり(笑)。

松村　まさにライブコマース。すごい。

小川　テレビショッピングみたいな商売を、普通の行商人がやっていますね。

松村　インスタライブですか?

小川　インスタライブです。

松村　お使いの人が店の商品をライブ中継して、買う側は、自宅でインターネット経由でそれを観て購入する。

小川　そうです。

松村　すごく近未来的というか。コロナ以降のステイホーム型ビジネスがそのまま実現されています。

小川　そうですよね。インフォーマル経済っていうのは、基本「隙間産業」でして、「こういうのがあったら便利だな」ってみんなが思うようなことを、御用聞きみたいな感じでやっていたものなんです。それに個々の御用聞きは、みなさん単独の個人ですから、面白いアイデアがいっぱい出てくるんです。例えば少し前から、ネイル道具をもって家々を回りながらネイルアートをしてくれる人が増えていまして、これもインターネットでつながれば、「モバイルなネイルサロン」ですよね。

松村　たしかに。

小川　カラフルなネイル道具を50個くらいもって、行商して回っているんです。そういう人たちに「いまからちょっと来て」とSNSを介して予約をすると、家やオフィスに来てくれるんです。

松村　そうしたビジネスが成立するためには、インターネットを介して潜在的にお客さんになる人とつながっていないといけないですよね。友だちになったり、フォローし合ったり。

小川　そうですね。

松村　よく知らない相手であっても、気軽にFacebookでつながっていく感じなんですか。

小川　そうですね、電話番号を気軽に交換してしまう人たちですし。あと、そうしたビジネスが広がっていることの大きな要因のひとつは、「M-PESA」というモバイルマネーが行き渡っていることも関係していると思います。かつては、そうしたサービスの支払いは「いついつに払うから家に取りに来て」といった約束をしていたのですが、いまは自分の携帯番号を教えれば、簡単に支払ってもらうことができるようになりました。

松村　ああ、携帯でメッセージをやり取りするように、電子マネーのやり取りができるわけですよね。

小川　電子マネーを自分の携帯電話の口座から、相手の携帯の口座に送ることができるんです。買い物をするたびに、みんなが電話番号を交換しますので、結果、顧客の電話番号ネットワークが増えますし、FacebookやInstagramが好きでなくても、WhatsAppやメッセージを送り合うのは以前から続いていたので、ネットワークはそれなりに大きいです。

松村　だからか。Facebookをやっていると、エチオピアの知らない人からいっぱい友だち申請が来るんですよ（笑）。でも彼らからしてみれば、ちょっとでもつながりがあったら、とりあえず友だちになっておくのが普通なんですね。

小川　そうですね。基本「スリープモード」ですけど、それで全然問題ないです。

SNSとセーフティネット

松村　いま日本でも、スマートフォンでの決済や電子マネーを普及させようとしていますが、「M-PESA」はだいぶ前から使われていますよね。

小川　2008年から使われています。

松村　そこからアフリカでは電子マネーが一気に日常化した、という感じですか？

小川　いわゆる「リープフロッグ」、直訳すると「蛙跳び型現象」が、そこで起きたんですね。固定電話さえ普及していないところに、いきなり携帯電話が普及し、その結果、銀行口座をもっていなかった人たちに携帯電話の口座ができてモバイルマネーをやり取りできるようになりましたので、「これは、便利だ」ってあっという間に拡大した感じです。

松村　電話も銀行口座もないところに、一気にデジタル経済圏ができたということですよね。それから見ると、日本の状況は、2周ぐらい遅れているみたいに見えるんでしょうかね。

小川　そういうことを指摘する人はいますよね。ギグエコノミーについてもそうなんですが、先進諸国に暮らす人たちは、すでに組み上がった既存の制度が十分に機能しているので、それとは違う方法に不安を感じがちです。既存の銀行システムにはなかったデジタル通貨のようなものを怪しげなものと感じるのは私自身もよくわかります。逆に銀行システムがうまく浸透していなかった場所では、それが怪しいかどうかよりも必要性や利便性の向上、そしてもともとの社会のあり方と対照して考えることになります。いま成立しているシステムや制度を括弧に入れることができるという意味では、先進国よりも柔軟に新しいものを受容できる可能性はありますよね。

松村　日本から見ていると、よくわからない人と電話番号を交換して、1回つながったぐらいで何かを頼んだりするのは不安ですし、どうやって取引の信頼性を担保するのかは、とても大きな問題と感じられますが、彼らはその辺をどうクリアしている感じですか。

小川　彼らは電話番号を用いたショートメールやSNSを使っていますので、「この業者はちゃんとしてました」みたいな、利用者が評価するような信用スコア的な仕組みはないんです。でもそういう画一的な評価のかわりに、日々みんな自分のことをインターネットのSNSにアップしているんです。お客さんは、そうした投稿を見ながら「この人はこんなにたくさん友だちがいて、こんなに羽振りが良さそうだから、きっといい人に違いない」「裏切らないに違いない」みたいに評価をするんです。信用スコアや経済的なパフォーマンスよりも、むしろ、その人の、いまそのときの状況をチェックしながら判断している感じですよね。電話番号を交換しても「この人やばいな」と思えば無視しますし。

松村　その見極めは難しいですよね。常に羽振りがよさそうな写真ばかりを投稿したりとか、そういう虚偽の情報も発信できちゃうわけじゃないですか。

小川　たしかにそうですが、それでいいんですよ。SNSってみんな多かれ少なかれ偽っているわけじゃないですか。そこも踏まえて、「あ、この人はこんなふうに偽りたいんだな」というのも込みで評価すればいいんです（笑）。それに、やっぱりどんなに偽っても、ネットワークにつながっていますので、結局嘘はバレるんですよね。

松村　ああ、そうか。お客さんとの1回限りの1対1の関係だけじゃなくて、ネットワークのなかで、その人のやり取り全体が可視化されるわけですし、ネットワークのなかでは、さまざまな噂も流れてきたりもしますもんね。

小川　面白いのはそうしたなかで一番効果があるのは、誰かに優しくすることなんです。例えば松村さんが誰かに優しくすると、優しくされた人は「松村さんは本当にいい人だよ」とつぶやきますよね。「こんな大変な、面倒くさいことをしてくれた」みたいなことをつぶやくと、それを見た他の人は「松村さんは、こんな面倒なことを見知らぬ人にしてあげられるくらい気持ちに余裕があるんだ」と判断します。しかもそれが、松村さんのことをほとんど知らない人の投稿であれば、なおさら効果は高まるじゃないですか。私は松村さんと長年の知り合いですから、私が「松村さんはいい人です」とつぶやいても、サクラ疑惑をかけられますけれど（笑）。

松村　たしかに（笑）。でも、ネットワーク上の評価が効力をもつのは、Twitterでどれだけフォロワーがいるかで発言力が変わるような日本の状況とあまり変わらないようにも思うんです。むしろ日本だと、SNS上では常に自分を偽らなきゃいけなくてしんどいとか、自分がSNSに縛られる感覚もあると思うんですが、彼らはSNSというツールをどう使いこなしているように見えます？

小川　彼らも「SNSは面倒くさい」って言うこともあります。でもなんていうか、日本の自粛警察みたいな感じとは違って、お互いに色々気にしないんだと思うんです。人を「信頼できる」「できない」を腑分けしないという話ともつながりますが、彼らの仲間は多様であるし、状況に応じて豹変する可能性があると捉えている。いま不適切な発言をしている人でも、その後の出会いに恵まれ、誰かに上手に諭されれば、3カ月後には変わるかもしれない（笑）、という感じでいちいち批判したりせずにしばらく様子をみたり、待つ感じです。

松村　その辺は若林さんも興味があるところじゃないかなと思いますが、いかがでしょう？

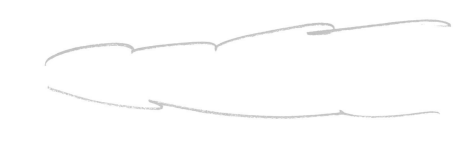

若林　お話を聞きながら思ったのは、結局、日本でSNSをやっていても、それをいったい何のためにやっているのかよくわからないんだな、ということでして、つまり、ほとんどが自己顕示欲を満たすためだけにやっているような状況になっていますが、タンザニア商人の場合、そこでの投稿も、ネットワークづくりも、基本、商売のために利用されているわけですよね。であればこそ、その使い方には、もう少し明確な目的もありますし、嘘のつき方もそのゴールに向けたものになるでしょうし、それを見る側も、取引相手として、その人の嘘も査定できますよね。だとすると、私たちのSNSの使い方よりも、もうちょっと合理性が高い感じなのかなと思ったんで

すが、どうなんでしょうか。

小川　それは、かなりあると思いますね。彼らにとってのSNSには、ビジネスの際に乗ってくれたり支援してくれたりする仲間を増やすという合理的な目標もあります。ただ、観察していると情報をアップするときには、必ずどこかで誰かに情報を与える喜びみたいなものがあるようにも思います（笑）。香港のタンザニア人と母国のタンザニア人のやり取りを目的とするSNSのグループページは、スワヒリ語で「頭をかち割る」という名前がついていますが、「新しい情報を知って、それまでの考え方を変えよう」という意味だと聞きました。香港側からは母国の人が知らない情報を教え、母国の側からは最近の故郷の変化を教える。だから「こんな面白い情報を教えてあげる」という感じがすごく重要なんです。私からすると全然面白くないコメディ動画とかがじゃんじゃん送られてきたりするんですけど、彼らにとっては「これで笑ってくれ」と。それがある意味サービスでもあるような気もします。

若林　自己表現みたいなものではないということですよね。

小川　自己表現みたいな感じではないですね。

若林　あと思ったのは、例えば古着を売ってらっしゃる方が羽振り良さそうだし良い感じだと思って、小川さんが「服を買います」と言ったのに、実際にデリバリーされなかったりとか、一種の詐欺まがいのことにあったとき、それに対するセーフティネットみたいなものはあるんですか。

小川　正直、そうやって騙されることはよくあります。騙されたことをもちろんみんなSNSでつぶやきますし、「あいつはひどい」みたいなことも書きますが、多くの場合、それを見て「あ、こいつ騙されたんだ。バカじゃないか」という批判はされず、どちらかと言えば同情的でして、むしろ、その騙した人に注文するのはやめようとなるんですね。

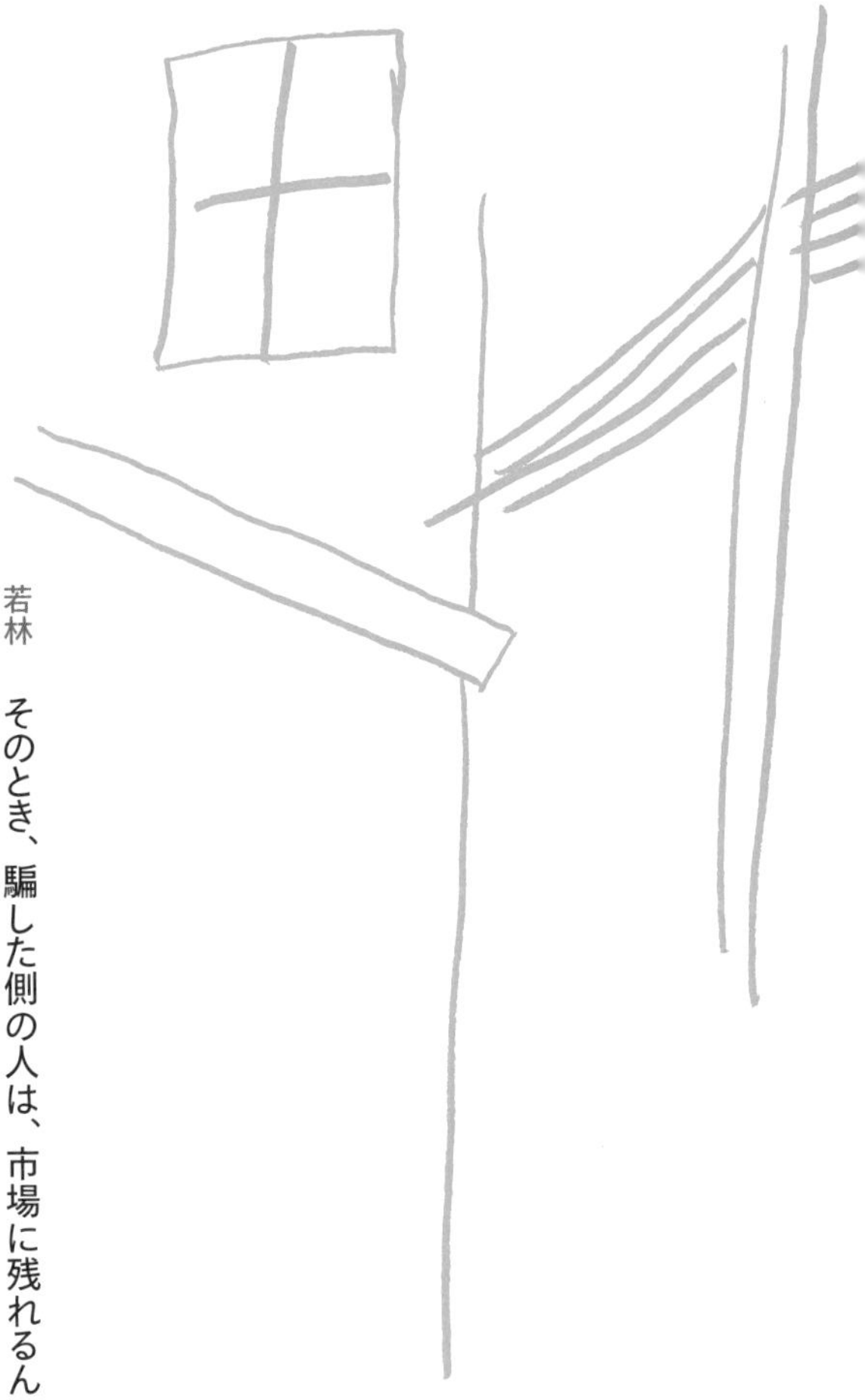

若林　そのとき、騙した側の人は、市場に残れるんですか。それとも、それとなく排除される感じになるんでしょうか。

小川　排除はまったくされないです。

若林　あ、されないんだ。

小川　はい。「この人と商売するのは、いまはやめておこう」っていう感じで、みんながちょっと距離を置いて付き合うようになる感じです。

若林　そうするとそのうち、騙したヤツも、「ちょっとやりすぎたかな」なんて反省したりして軌道修正がなされるんですか。

小川　されますね。前に騙した人が突然「sorry everyone」みたいな感じで（笑）、急にみんなに大盤振る舞いをして名誉挽回に走ったりします（笑）。

若林　なるほど、そこですよね。デジタルプラットフォーム上でのビジネスマッチングって、騙す、騙されるみたいなことが起きないように、売る側にものすごく厳しいルールが課せられたり、法的に規制したりといった方向にどうしても向かっていってしまうのですが、そもそもインターネットの良さは、「こういうことしてくれる人を探してるんだけど」と誰かが言ったときに、「おー、やるやる」と誰かが手を挙げるみたいな、そうした融通無碍なマッチングができるところにあったはずです。でも、詐欺を働くのがひとりでもいると、どうしても規制が必要になって、結局全体として非常に窮屈なものになっていってしまうということがありますよね。

小川　安心や安全をどうつくるか、ということだと思うんです。一度でも誰かを騙したり、パフォーマンスが悪かったり信用度的に怪しいところがある人を、あらかじめ査定して排除したりユーザーコメントを通じて徐々に排除していく仕組みを起動させることで、そこに参与する人が安全に取引できるようにするというのは、ひとつの方法だと思うんです。

一方で、タンザニアには、そうした信用スコア的発想ではないやり方があって、そこには騙された人が助けられる仕組みがあるんです。日々の生活を投稿することで取引を有利に働かせようとすると、みんなができるだけ人に親切にしないといけなくなるんです。例えば、私が松村さんに親切にすれば、松村さんが「小川さんはいい人だ」とつぶやいてくれて、私の商売が儲かるようになります。となれば、私は、松村さんだけでなく他の人にも、どんどん親切をするようになる。そのとき親切の対象となるのは、誰かに騙されたりしくじったりしたことがＳＮＳで露呈した人たちなんですね。

私が自分のビジネスを有利に動かすために、騙された人たちを支援していくことで、騙された人が助けられる仕組みが循環していくことになるんです。

松村　面白いですね。商取引においては、騙すつもりはなくても結果として騙すことになってしまうような事態って起こりうると思うんです。いざそうしたことが起きてしまうと、どうしても「じゃあ、規制を」となってしまいがちですが、タンザニアのやり方は、そうした事態が起きたときにどう対処するかを組み込んだシステムである感じがしますね。相手を信用できないかもしれない可能性のなかでみんな取引をしている感覚というか。

小川　彼らは、誰かが騙されても、それが悪いことだとは思っていないんですね。騙されたら「残念だったね」と思うだけで、それを誰も責めたりはしない。気をつけていても誰でも騙される可能性に満ち満ちているからです。

騙された人は、そのシステムのなかで勝ちたいと思っている人に助けてもらえるし、騙した人とは「この人とはしばらく取引やめておこうかな」と距離を置く。でもしばらくすると、騙した人がみんなに還元するような感じで復活してくるんですね。そういう意味では、商売のなかで与えることと奪うことが、トレードオフになっている感じがします。

ビジネスの裏グローバルスタンダード

若林　ちなみに、そうした暗黙の合意のようなものって、どこまで有効なんでしょうか。つまり、それはタンザニアの商売人のなかでしか通用しないのか、あるいは、ナイジェリア人の商売人たちとも同じ考え方でビジネスが動くのか、ということなんですが。あるいは、香港人とか小川さんのように日本人が入っていったときに、それはどう作動するのか。もしくは、ネットワークの内と外という境界は明確にあるものなのかどうか、ということですが。

小川　それは、すごく重要な話だと思います。内と外ということで言いますと、言語の壁がやはり大きいんですね。私が研究している集団には、タンザニア人だけじゃなくてケニア人やウガンダ人もいますから、ひとつのナショナリティで集団が構成されているわけでもないんですが、ただ「スワヒリ語を話す人」というところでネットワークが閉じてしまうところはありますね。スワヒリ語ができれば、そこに普通に入れるんですけど、できないと入れない感じなんです。

若林　ナイジェリア人だと別のことばですよね。

小川　そうですね。ナイジェリア人は、イボやヨルバといったナイジェリア人の言語があります。

若林　比較は難しいかもしれませんが、例えばナイジェリア人のネットワークの運用の仕方は、タンザニア人とそれなりに共通性があるものなんでしょうか。つまり言語の壁を越えれば、もしかしたら融合することができるものなのかどうか、そのあたりはどう思われます？

小川　それはすごく調査したいんですけど、残念ながら私は、香港でよく出会うナイジェリアのイボ人の言語がわからないんですよね。彼らは英語も話しますが。正直、他のアフリカ系の人びとの実践は調査できていません。でも、アフリカには王家がある国もあるし、民族ネットワークがすごく堅固なところ、あるいは宗教組織が強いところなど、色々あります。ですからきっと、それぞれに違うシステムがあるんだと思います。

若林　せっかく融通無碍にネットワークを構成することのできるインターネットがあっても、言語の壁やナショナリティでその可能性が閉じてしまうのは、残念な気もしますが、やっぱり夢としては、そうした壁は越えていきたいですよね（笑）。

小川　越えていったら楽しいと思いますね。ただ、Google翻訳の精度がガンガン上がって、いつかそういう壁が突破できていくと、言語やナショナリティがミックスしていくなかで、また信用とか信頼に対するリスクをめぐる価値観みたいなものがぶつかるとは思います。

若林　そうやって異なるコミュニティが交錯していくと、どうしてもトラブルが起きて、それまで閉じた圏域のなかで作動してきた合意のメカニズムが作動しなくなって、やっぱり近代的なルールみたいなものを入れないと、という話に、また戻ってきちゃいますね。

小川　信用システムですよね。近代的なシステムと罰則みたいな。でも、どうなんですかね。松村さん、結局そういうものが必要なんですか？

松村　タンザニア人商人たちも、取引相手は中国人だったりパキスタン人だったり、色々なバックグラウンドの人たちなわけですよね。だから、それぞれのコミュニティはまったく切れているわけではなくて、関係をもっているはずです。タンザニア人たちのなかでのやり方と、中国人やパキスタン人相手のやり方はちょっと違うかもしれませんが、そのあたりはどうなんでしょうね。

小川さんは、香港で、中国人の商人たちの世界も垣間見られていると思うんですが、例えば中国人のビジネスのやり方と、タンザニア人のビジネスのやり方は、どう接続しているんでしょう。

小川　私は中国のデジタル経済にとても関心があって、最近『プロトタイプシティ：深圳と世界的イノベーション』（KADOKAWA）という本を読んだんです。日本の企業は、これだと決めたプロジェクトに、検討に検討を重ねてリスクを排除して、みんなで一丸となって取り組むことで、バッテリーの耐久性を上げるような「連続的な価値創造」に注力してきましたけど、中国の深圳ですと、有象無象の人たちが集まるなかで、偶発的に色々なものが組み合わさって、偶然パズルがはまるかのようにユニークな製品が出てくる「非連続的な価値創造」に向かっている、という話が書かれていたんです。

　そうした「多産多死型」の深圳の製造業のあり方は、タンザニアの人たちの商売や実践のあり方に似ているようにも感じます。慎重な議論を重ねる前に同時にたくさんのプロジェクトを走らせて、どれがうまくいくかを試しつつ、柔軟に他者との連携を模索しながら挑戦していくうちに、偶然パズルがはまって正解がパッと出る。そうした発想は、タンザニアの人たちの生計多様化戦略のビジネスの世界観とすごく似ていますね。

松村　小川さんのお仕事って、タンザニア人商人とかアフリカ人商人の特殊な世界と思われてしまうところもありますが、いまのお話を聞いていると、アフリカの多くの地域のビジネスのやり方は、中国のビジネスのやり方や南アジアのビジネスのやり方なんかとも似ていて、裏のグローバルスタンダードであるようにも思えてくるんですね。あるいは、いま「非連続的な価値創造」とおっしゃいましたけど、そうやってひとつの仕事に重心をかけ過ぎないとか、とりあえずアイデアを並行してどんどん出していくみたいなやり方のほうが、むしろ表のグローバルスタンダードになりつつあるとさえ言えるのかもしれません。

小川　そこですごく大事だなと思うのは、そうした裏システムのなかには必ずセーフティネットのような仕組みがあることです。それなしに「チャレンジせよ」みたいなことだけ言われても、やっぱり「無理です」となると思うんです。

若林　以前何かの本で、「経済学というのは、経済から『商売』というものをどんどん排除していった学問である」というようなことが書かれていて、「たしかにな」と思ったことがあったんです。そもそも「商い」って微妙にくだらないものだとも思うんです。何かちょっとした思いつきを「商い」として実行してみる、みたいなことが、本来的には経済の根幹にあったのに、そうした面白さみたいなものを社会としてそぎ落としていっちゃったんじゃないかという気がするんですね。いわば山っ気みたいなものですが。

小川　たしかに商いはいまの世の中から削ぎ落とされていきますよね。ところが、インターネット技術、情報、ＩＣＴとかＩｏＴと、どんどん新規なものがハイスピードで出てくるような時代になって、不確定性が増すと、一企業がすべてのリスクを計算し計画を立てること自体がすごく難しくなってきていますよね。

そうなってきたときに、商いの精神じゃないですが、タンザニア人のような、もうちょっと人と人との間で波乗りしていく生き方はかえって合理的というか、いまの時代にマッチしているような気もしているんですけどね。

若林　企業もそうした状況を、おそらくことばとしては理解しているんですけど、どうやっていいかわからないみたいな感じなのかなと思います。

小川　大事なのは、互いの自立と自由を保障しながら、世界とか他人のままならなさとどうやって折り合っていくかだと思うんですよね。

アフタートーク

大企業なんかもう要らない

人も会社も「一貫性」という呪縛から逃れられないのか。企業人でもある山下センター長は、小川さんの話に、すっかり考えこまされてしまいました。

若林　山下さん、いかがでした？

山下　面白かったです。シリコンバレーのベンチャーキャピタリストの話を聞いているような気分になりました。

若林　たしかに。

山下　いかに不確実な時代に生きているかというお話でしたから。おそらくタンザニアの商人たちは昔からやってきたことなのだと思うんですが、1周回って本当に世界が不安定化したなかで、タンザニア商人がむしろ最先端になってきているような印象を受けました。

若林　シリコンバレーの人に言われても、「おまえ、そんなに不安定でもないだろう」と思ってしまうところもありますが、タンザニアの話を聞くと、不安定さのリアリティがあって、「その日暮らし」というフレームもしっくりきて共感しやすいというか、身近な感じです。

山下　私たちが生きている日本の社会は、とにかく一貫性を求め、確実性を良しとする傾向がありますよね。働く文脈で言えば、組織を大きくし、分業や雇用のシステムを安定的なものにすることは、個人が不安を感じずに働ける一方で、目の前の仕事以外に頭を使わなくなるのだなとも感じました。逆にタンザニアの商人たちの世界では、そもそも大きな組織をつくりづらいですよね。常に瞬間的にネットワークでつながっていく社会ですから。日本もいよいよ不安定な時代になってくると、いままでのような大企業は、もはや必要じゃなくなるのではと感じます。

若林　コクヨも？

山下　どうなんでしょう（笑）。

若林　山下さんは、困らないからいいのか。

山下　いやいや（笑）。実際に企業はとても苦しんでいると思います。変わらなきゃいけないことはわかっているんだけど、できない。こういうサービスがあったらいい、というアイデアは個人にもあるし、実際にやろうと思っている人はいるんですが、「でもそれ、なんでうちがやらなきゃいけないの？」という、会社組織の一貫性のなかで捨象されていくんですよね。歴史の連続性がかえって重荷になっていることも多いんじゃないかと。あとは、ポジティブな文脈で「パーパス（purpose）」ということばが最近の組織論で話題になっているのも厄介ですね。

若林　目的。

山下　「我々の組織は、なぜ社会にあるべきなのか」といった目的を定めて、それに沿ったビジネスをすることによって社会から信頼を得ていきましょう、というものですが、その考え方自体が、どこかこの不安定な社会にあっては、逆に自分たちを縛ってしまう可能性もあります。

若林　難しい話ですね。でもやっぱり、みんな自分のなかの一貫性というのはどうしたって気になっちゃいますよね。自分もイベントで、「この芸能人の問題どう思います？」みたいなことを聞かれたりして、それなりに自分のなかで一貫性のあることを言わなきゃと考えてしまったりしますが、そんなこと、別にどうだっていいじゃないすか、実際のところ。なんで自分にまったく関係ない話について、一貫性のある「意見」を言わなきゃいけないんだって。

山下　アメリカを中心に盛り上がっている「キャンセルカルチャー」って、あるじゃないですか。ある人のちょっと考えられないような言動を過去の履歴から掘り起こして、「こいつはテレビに出しちゃダメだ」「映画に出しちゃダメだ」ってキャンセルする運動です。日本でもオリンピックのロゴ問題がありましたよね。過去の作品からの盗用があやしいからダメだという判断とか、デジタル社会がむしろ、そうした一貫性への圧力を強化してしまっているように思います。

若林　履歴が残っちゃうから。

山下　そう。もちろん時代背景はありつつも過ちは過ちなので、いけないことではあるんですが、それを反省したり、解消する仕組みをもたないと、いわゆる安定や一貫性を求める西側の文化圏にいる人たちは、過去に縛られてどんどん生きづらくなってくるんじゃないかなと思いますね。

若林　ほんとに。どんどん自分の首を絞めていくことになっていっちゃいますよね。でも、小川さんのわざと約束を守らなかったり寝過ごしていくタンザニア人の話を聞きながら、自分も「言いなりにならねえからな」というポーズで、わざと打ち合わせに遅れて行ったりすること、あるなと思いました（笑）。

山下　素晴らしい。仕事でNOと言えるって、フリーランスの特権ですよ。

若林　従順な感じばかりを出しても、あまりよくないですから。

山下　そうですよね。僕も「sorry everyone」って言いたいですよ。免罪符を切れるチャンスは、本当にこれからの人生に残ってないような気がするんですよね。

若林　たしかにね。イノベーションをめぐるセミナーなんかに参加するよりも、小川さんにチョンキンマンションに泊まりに連れて行ってもらうのがいいなと思いました（笑）。

第5話

中川理

トランスボーダーな生き方

逃げろ、自由であるために

国境を越えて移動し、世界中で暮らすモン。
フランスや南米の仏領ギアナなどで暮らすモンとともに
フィールドワークされてきた中川理さんに
その「トランスボーダーな生き方」を学びます。

中川理—なかがわ・おさむ
国立民族学博物館准教授。フランスや仏領ギアナをフィールドとして、人びとと国家とグローバリゼーションの関係について研究。最近の仕事として、『移動する人々』（共編著）、『文化人類学の思考法』（共編著）、『不確実性の人類学』（アルジュン・アパドゥライ著・翻訳）など。

松村　中川理さんは、若林さんに推薦文を寄せていただいた『文化人類学の思考法』（世界思想社）を一緒に編集した方で、私より少し先輩にあたるんですが、ずっと刺激を受けてきた尊敬する人類学者のおひとりです。

中川さんは長年フランス南部でフィールドワークをされてきて、いまはフランス南部にいる東南アジア出身のモンの人たちを研究されています。この対話シリーズは、第1話の深田さんがオセアニア、そのあと3話続けてアフリカの人たちの話が続きましたが、ここで取り上げるモンの人びとは、まだ取り上げていない東南アジア、ヨーロッパ、南北アメリカに暮らしています。

もともとラオスなどに暮らしていた人たちが、なぜ世界中で暮らす状況になったのかというところから聞いてみたいと思います。まずは、中川さんのモンの人たちとの出会いなのですが、最初南フランスに行かれたのは、モンの研究をするためではなかったんですよね？　そのあたりの経緯からお話しいただけますか。

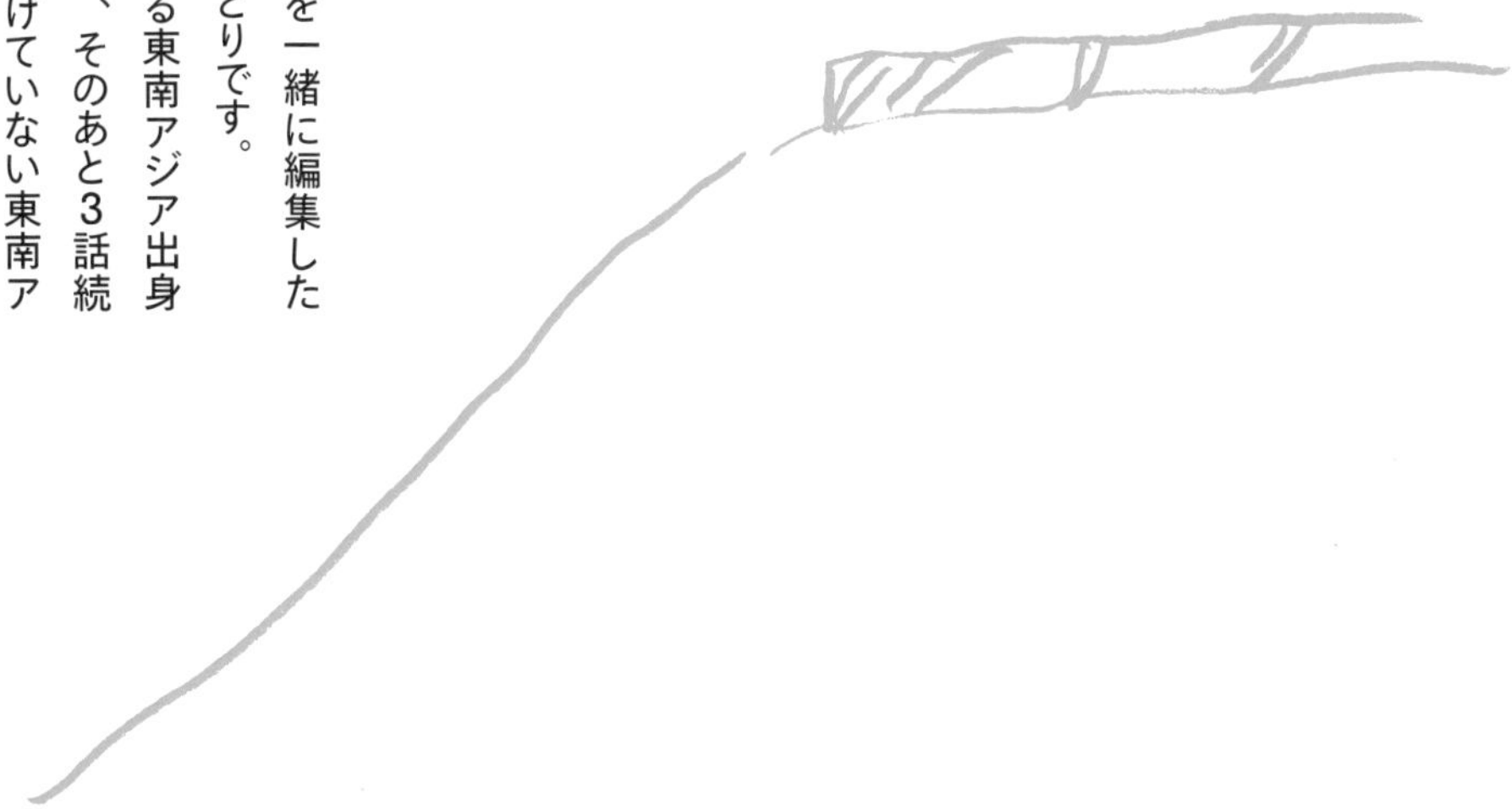

モンの数奇な運命

中川　これまで登場した人類学者の方々と違って、私が研究対象であるモンの人たちと知り合ったのは比較的近年のことです。松村さんから紹介していただいたように、私は長年フランスで調査をしてきたのですが、博士論文はフランスの相互扶助アソシエーションについての研究でして、モンについての調査は最近始めた感じです。

　これまでの4人の方々は、研究者として自己形成をしている学生時代にそれぞれ対象としているフィールドの人たちと出会っているので、対象とする人たちの世界が骨の髄まで染みついている感じがあったと思います。私の場合は40歳になろうかという頃に、いまの調査対象であるモンの人びとと出会いましたので、なんというか中年になってからの新しい発見のようなところがあります。

　これまでのみなさんも、偶然に自分の研究対象と知り合ったという話をされていたと思いますが、私の場合も同様で、モンの人たちとの出会いはまったくの偶然でした。モンの人びとを集中的に調査するようになる前は、南フランスで農民の調査をしていました。フランスの農民というと伝統的な土着のフランス人というイメージがあるかもしれませんが、南フランスの農民社会は、実はさまざまな移民が次々に入ってきて形成されてきました。フランス人の農民がいて、その後イタリア人、スペイン人、ポルトガル人が入ってきて、マグレブ人、主にモロッコからの人びとが入ってきて、結果として多民族的になっています。そんな彼らが、いったいどんな社会を形成しているのかということにすごく関心があったわけです。

松村　なるほど。

中川　その研究をする上で一番注目したのが市場《いちば》でした。南フランスのアヴィニヨンの近くに、生産者が仲介業者に農業生産物を直接販売するとても大きな市場があります。私はそこに通ってさまざまな人にインタビュー調査をするようになりました。そして、その市場で、以前からなんとなくその存在について聞いていた、私と同じような顔をした人びとに偶然出会ったんです。特に、市場のなかでズッキーニを売っているあたりに、その人たちがたくさんいた。

　最初は警戒感から、あまりうかつに近寄らないほうがいいかな、と思っていたのですが、向こうから知らないことばで話しかけられて、「いやいや、私はあなたたちと同じ民族じゃないよ」と。でも市場に通ううちに次第に「お前は、なんのためにここに来ているのか」と聞かれるようになって、徐々にやりとりが生まれたんです。

最初の頃は、多民族からなるフランス農民の一部としてモンの人びとについて研究を始めたのですが、研究を進めるうちにどんどん興味が出てきて、2015年あたりから、しばらくのあいだ集中して研究してみようと決意して調査を始めたという流れになります。

松村　モンの人たちは、歴史的にはどの辺りに暮らしていて、そもそもなぜフランスの農村で生活するようになったのでしょう。

中川　モンの人たちは数奇な運命を辿っていまして、ノマドのように色々な土地を渡り歩いて暮らしてきました。もともと、といっても歴史に残っている限りにおいてということで、それ以前を遡ると実態がよくわからないところもありますが、中国山間部の貴州省や雲南省に居住していたとされています。

その後の経緯については諸説あります。一般的には18世紀から19世紀にかけて東南アジアに向けて移動し始め、ベトナム、ラオス、タイにまで移動して住むようになっていったと考えられています。そして山地の高いところに住んで焼畑農耕をするようになった。彼らが中国から出ていったのは、戦争に巻き込まれて逃げたり、焼畑の土地を求めて移動したりとさまざまな理由がありますが、徐々に中国から南下して山間部のあちこちに点在して住むようになっていったわけです。

では、なぜ東南アジアからフランスにまで来るようになったのかというと、そこにはラオスの内戦が大きく関わっています。1953年に始まった内戦は、最終的には1975年に社会主義国のラオス人民民主共和国が樹立されるまで続きました。モンの人びとの多くはアメリカ側につき、反社会主義勢力としてゲリラ戦争を戦いました。そのため、最終的に社会主義側が勝利した際、多くのモンの人たちは難民化しました。直接的に戦争に関わった人もそうですし、関わらなかった多くの人も難民となって、メコン川を渡ってタイ側に逃れました。

タイ側に逃れ、1975年から80年代までの数年間をタイの難民キャンプで過ごした後、モンは難民として色々な国に渡ったんですね。多くはアメリカに移住しました。10万人単位の規模でアメリカに移住したのですが、ラオスの旧宗主国ということもあって、1万人ほどがフランスに難民として移住していったというのが大まかな流れです。

松村　一番多いのがアメリカで、その次がフランスと考えていいですか。

中川　そうですね。

松村　中川さんはいま、フランスだけではなくて仏領ギアナなど他の地域にいるモンの人たちの調査もされていますよね。その地域に住んでいるモンの人たちも、同時期に一斉に国境を越えていったんですか？　それとも別の時期になるんでしょうか。

中川　移住については色々なパターンがあります。仏領ギアナに関して言うと、初期の難民はフランスに滞在せずに直接仏領ギアナに行きました。この人たちは飛行機で難民としてフランスに運ばれて、いったんパリに着陸はしたものの上陸せずにそのままギアナに渡っています。

松村　仏領ギアナって、ブラジルの北にあるんでしたっけ。

中川　仏領ギアナは、ブラジルのすぐ北側、赤道に非常に近い、熱帯にあるフランスの海外県です。一部のモンは一夜のうちに何もないジャングルのただなかに連れていかれて、一から開拓してそこで住むようになりました。

　面白いのは、そうやって仏領ギアナや、フランス、アメリカに定住した人たちも、いったん定住したらずっとそのままそこで暮らすのではないということです。そこから二次的、三次的移住をする傾向があります。この話はまた後で出てくるかもしれませんが、彼らはいったんある国に落ち着いたとしても、その後も色々と移動しながら生きていくことが多いんです。

松村　2020年にアメリカで起きた「Black Lives Matter」運動の契機となったジョージ・フロイド殺害事件に関連して、「モン」ということばを耳にした方も多かったと思うのですが、そもそもモンの人たちは歴史的にあまり表舞台には出てこなかったイメージがありますね。フランスにたどり着いたモンの人たちの暮らしはどうだったのか、そこから教えていただきたいのですが、モンの人たちは移住先のフランスでは、当初どんな仕事をしていたんですか？

中川　彼らがとにかく早く自立して生活していけるようにするのが当初のフランス政府の方針でしたから、職業訓練や言語訓練は本当に短い期間しかやってもらえなかったそうです。ですから多くの人は、非常に短い適応期間を経て、全国の中小都市に送り込まれました。

そこでどういう仕事をするようになったかというと、単純な工場労働者です。タイヤや車をつくっているフランスの有名企業と言えばすぐに、みなさんいくつかの名前が頭に浮かぶと思いますが、そういった企業の工場で流れ作業の一部をやる仕事に就いていったわけです。もちろん、それはやむを得ないことでもありました。

戦争中、ちゃんとした教育を受けられなかった人たちが難民としてやってきた。一部には師範学校を出てフランス語ができる人もいましたが、それはごくわずかでした。ほとんどの人はフランス語もできない、なんの技能ももっていない人たちだったわけです。そういった人たちを手っ取り早く生活できるようにするためには工場労働がいいだろうということで、政府の方針で全国の工場に就職先を見つけて送り込んだわけです。

松村　フランス南部でズッキーニをつくっている農業地帯に暮らすモンの人たちは、最初から農業に関わってきたわけではないんですね。

中川　そこがひとつ面白いところだと思います。当初は工場労働をさせられたわけですけれども、一部のモンの人にとって、それはすごく耐え難いことだったんです。その理由は「モンらしさ」と関わっていると考えることができます。

ジェームズ・C・スコットの『ゾミア：脱国家の世界史』（みすず書房）という有名な本のなかでは、東南アジアの山岳地帯に住んでいる人たちは、ヒエラルキー関係を極端に嫌う存在として描かれていますよね。モンをはじめとする山地民は、支配される、あるいは命令されるという関係を非常に嫌って、平等主義的な社会を望んできた。だから、彼らが高地に暮らしているのは、平地を追われたからではなく、むしろ、より自由な生き方を求めて、自ら望んで山に入っていった結果なのだとスコットは考えました。この議論には学問的により精緻に論じなければならないところはあるのですが、非常に面白い考え方だと思います。

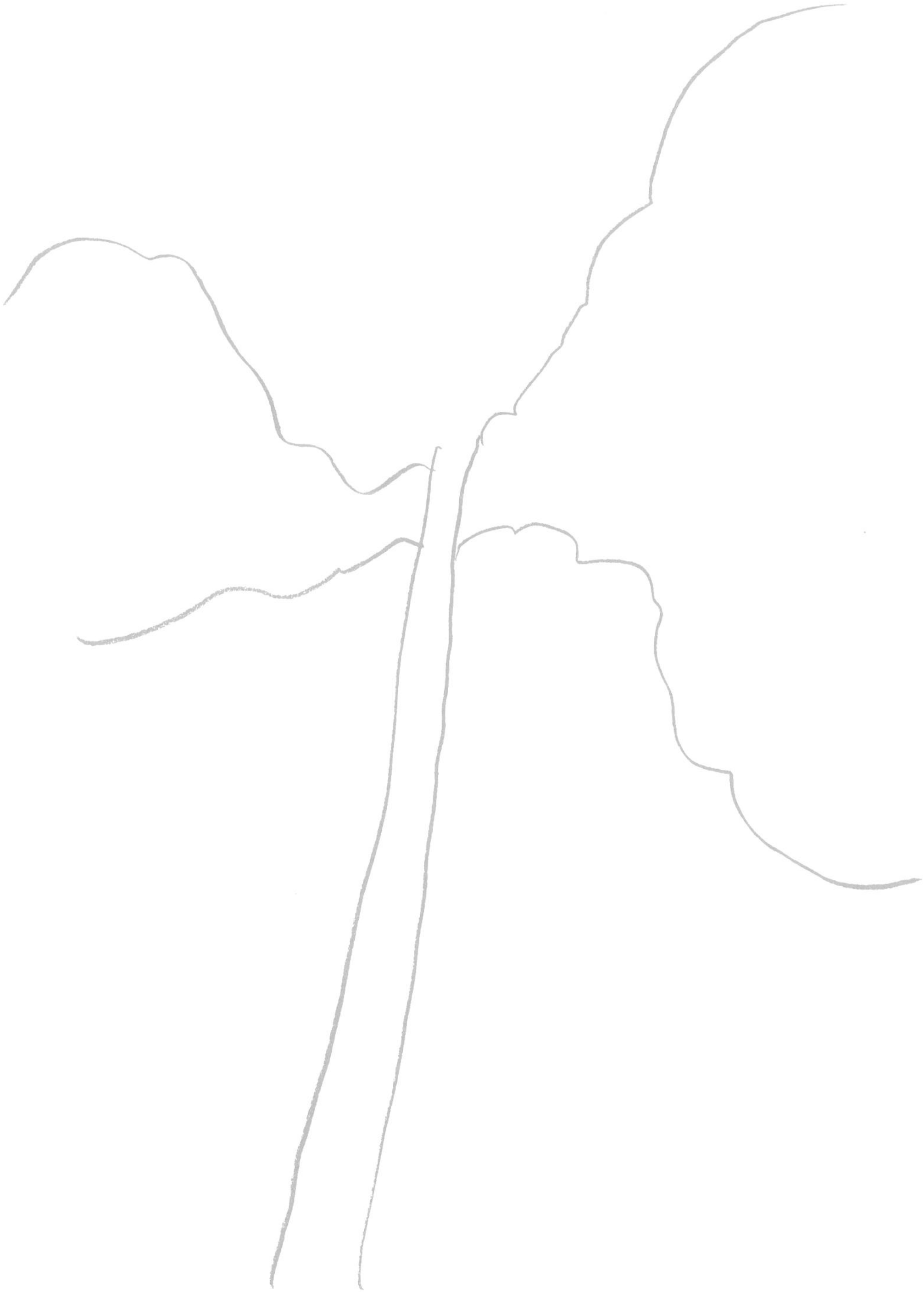

というのも、この見方は、実際にフランスにやって来て工場で働くようになったモンの人たちにうまく当てはまるところがあるからです。つまり、工場での単純作業労働は、どうしたって命令に従わなければならないものですし、決まったリズムで働かなければならないものです。それが多くのモンにとっては、耐え難い経験だった。その経験を彼ら自身は「奴隷をする」ことだったと語ります。

親族をツテに新しい場所へ

中川　私自身は工場で働くモンの調査はしていませんが、調査をした人の論文を読むと面白いエピソードが色々と出てきます。例えばモンの単純労働者が「給料を上げてくれ」と言うのですが、その理由は「私たちは命令を聞くという苦行をしているのだから、その分、給料を上げてもらうのは当然である」という、私たちには思いつきそうにないものだったそうです。つまり、命令を聞いた分だけ補償をしてくれ、と彼らは要求をしたわけです。私たちなら「命令を聞く立場なのだから給料が安いのは仕方がない」と思うところです。

もちろん工場で働き続けた人たちもいるわけですけれども、一部の人たちは我慢ができず、そのうちのひとりが南フランスで土地を得て、農業を始めました。すると、農業によって、これまでの工場労働よりもずっとモンらしい生活というか、人に命令されない自由で独立した暮らしに近いものを実現できることがわかった。ひとりが成功して「農業がいいらしい」と噂が広まって、工場で働いていた人たちの一部が「じゃあ俺も行こう」「俺も行こう」と、次々と農業をするために南フランスに移住していきました。

ちなみに、こうやってすぐに噂が伝わることをフランス語の表現で「アラブの電話（téléphone arabe）」と言いますが、それになぞらえてフランスのモン自身が「モンの電話」と言ったりします。まさに「モンの電話」ですぐに噂が広がったわけですね。

当時モンの人たちが入っていった南フランスの地域は、もともとはブドウや桃などの果樹の生産地だったのですが、栽培がうまくいかず生産をやめてしまった耕作放棄地がたくさんあり、そうした土地に、モンの人たちがどんどん入っていったわけです。

松村　それはいつ頃ですか。

中川　１９８０年代の終わりぐらいです。89年から92年のあいだぐらいに一気に移住が進みました。

松村　じゃあ、難民としてフランスに渡って10年も経たないうちに国内で再移住が進んだわけですね。最初にフランスに渡った1万人くらいのモンの人たちの大部分が南仏に集まった感じなのでしょうか。

中川　フランスの人口統計は民族別の集計をしないので、正確なところがなかなかわからないのですが、人口比で１割から2割くらいの人たちが集まってきたのではないかという感じです。フランス全土に住むモンの人口も増えていて、いまでは1万人を超えていますが、私が見ている南フランスのエリアで大体２０００人、１２０家族くらいのモンの人たちがいるのではないかと言われています。

松村　みなさん、ズッキーニ栽培で生計を立てているんですか。

中川　そうですね。最初はそうでもなかったのですけれども、徐々にみんなズッキーニをつくるようになっていきました。インゲン豆やグリーンピース、あるいは冬にレタス類をつくっている人たちもいましたが、徐々にズッキーニに特化していって、いまや南フランスでつくられているズッキーニの大多数はモンの人たちがつくっているような状況です。

松村　観光客がパリのレストランで食べるズッキーニも、モンの人たちがつくっていると。

中川　それどころか、モンがつくったズッキーニは、ドイツやロシアでさえ消費されています。彼らのズッキーニは地産地消型の作物ではなく、毎日何トンも出荷するような大量生産型の作物で、南フランスでつくられたズッキーニが、仲買業者を通して、ズッキーニが育ちにくい北ヨーロッパにまで輸出されています。

松村　なるほど。そもそも資本もないのに、新たに農業を始めるには大きな障壁や困難があったと思いますが、どうやって工場労働を脱して農業のスキルを身に付けていったんでしょうか。

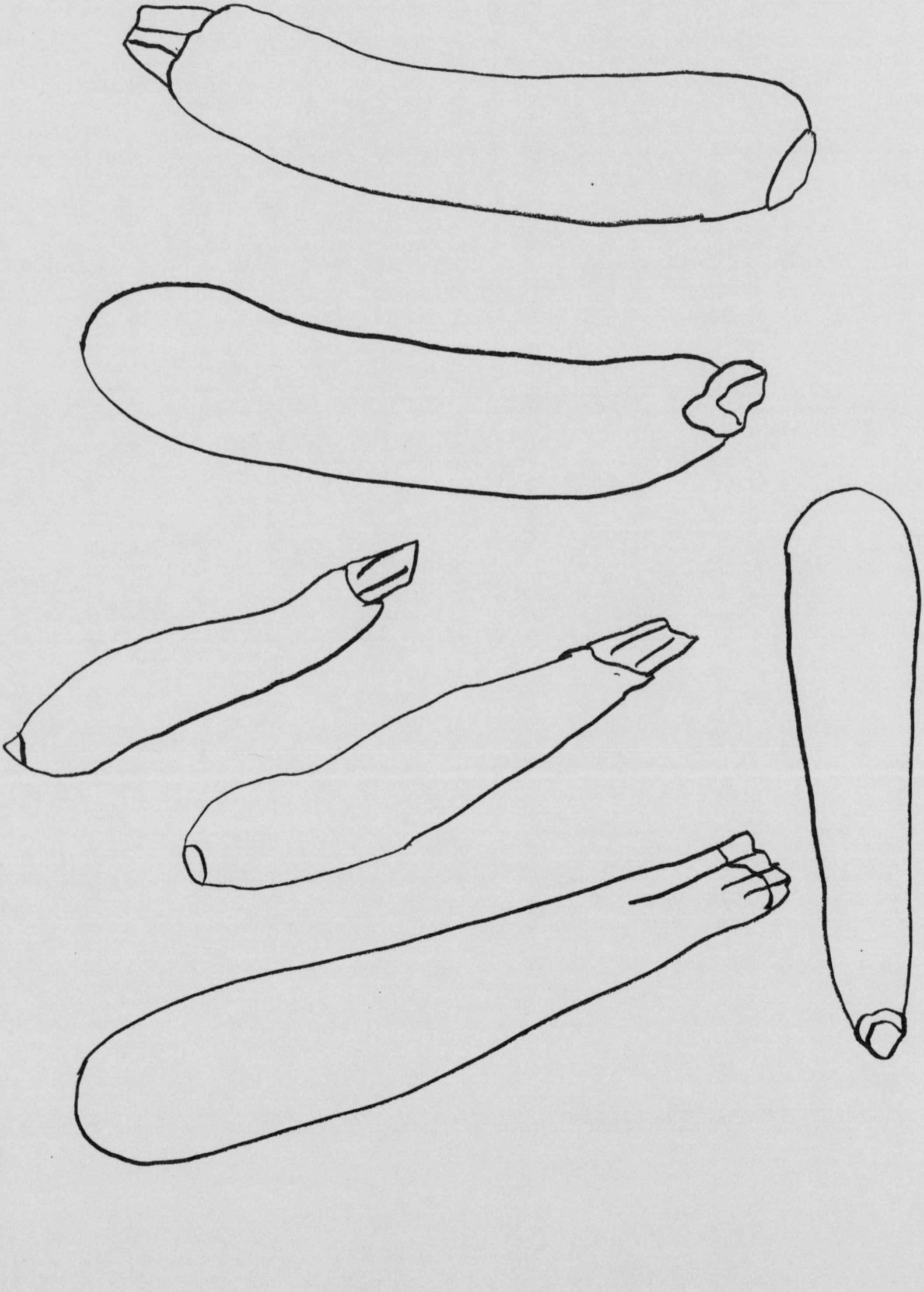

中川　最初に農業を始めた人は、フランス人の知り合いがいてその人に学んだそうですが、そこから後は、先ほども言ったように、短期間のうちに移住が起こりました。その移住のやり方は、彼らが中国を離れて東南アジアに移住していったときと同じパターンを引き継いでいると言われていますが、私もそうだと考えています。

このことを理解するには、まずモンの社会について少し説明したほうがよいでしょう。モンは、名字の数が限られているという点で、韓国人や漢民族に似ています。「リー」「シオン」「バン」「ムア」など、全部でも十数個ほどしか名字がなく、名字が同じ人たちはひとつのグループに属しているという意識をもっています。人類学では、このような集団を「クラン（clan）」と呼びます。モンは、同じクランのなかでは結婚ができません。

クランが同じだと、共通の祖先から下ってきている同族として認識されるのですが、その下にまた共通の祖先から分かれる下位のグループがあり、さらにそれが分かれるというように、モンの集団は次々と枝分かれしています。このような社会のあり方は「分節社会」と呼ばれます。また、クランの下にある集団は「リネージ（lineage）」と言います。モンの人びとは、クランやとりわけリネージを同じくする親族を頼って移動を重ねてきたと考えられています。中国から東南アジアに移動した際にも、そうだったと言われています。

ある村で焼畑農業をしていて、何らかの理由で新しいところに移動するとなると、まず頼りにするのが、同じリネージの家族です。同じリネージがいる場所に行ってしばらく過ごして、自分の畑と家ができて定着できるとなったら定住する。でもしばらくそこで過ごしてみて、ここにはいられないとなったらまた別の親族を頼りにして移動する、というようなことを繰り返しながら東南アジアでも移動してきたとされていますが、フランスでもそれと似たようなことが起こりました。

まず頼りになる親族の元に行って、しばらくのあいだそこで間借りして、どこかに土地を見つけて定住する。ホストになってくれた人の土地を一部借りて、その土地を耕しながら農業のやり方を学び、一人前になったら独立する。それでまた新しい人がやってきて……という循環が起きて、南フランスへの移住が進んだ、と捉えることができるでしょう。

松村　直接知っている親族を頼りにするのではなく、名前が一緒であることだけを頼りに移住してしまう、という感じですか？

中川　そうですね。一番型にはまった語り方としては「同じクランの人間は必ず歓待しなければならない」という言い方がされます。でも、現実はもっともっと複雑で、色々なパターンがあって、同じクランでなくても迎え入れてもらえることもあります。

例えば「うちの奥さんと、あの人の奥さんが同じクランの出身だから、あの人のところを頼ってみよう」というような、奥さん側をたどっていくパターンもあります。モンの人たちは同じクラン内の人とは結婚できませんから、何世代にもわたってたった十数個のクランのあいだで結婚を繰り返してきています。ですので、親戚関係がないクランが、そもそもあまりないんですね。ですから、頼りになるツテを見つけるのは、どうにかなる部分があるんです。「この人は頼れる・この人は頼れない」と厳密にルールで決まっているわけではなくて、試してみたらなんとかなることが結構あります。

松村　使えるツテは男性側の親族関係だろうが、女性の側だろうが、なんでも使うと。融通無碍で面白いですね。

モンのグローバル・ネットワーク

松村　ところで、アメリカに移住した人たちが一番多いということでしたが、なぜそんなに多くの人たちがアメリカに行ったのか教えてもらえますか。

中川　アメリカに多くの人が行ったのは、基本的にはラオスの内戦でアメリカの側にたって戦ったからです。「秘密戦争」と呼ばれるように、多くのモンが秘密裏にCIAとつながって、そこからの武器等の供給を受けながら社会主義勢力と戦ったわけです。そのときの軍のリーダーが、バン・パオ将軍という人で、その人がアメリカに渡り、彼を追うように多くの人がアメリカに渡りました。

松村　アメリカ側としては、対共産主義戦争に協力してもらったから寛容に多くの難民を受け入れた、ということですか？

中川　そうですね。引き受けざるを得なかったということだろうと思います。

松村　アメリカに移った人たちは、フランスとはまた違ったやり方でアメリカ社会に定着していったのですか。それとも似ているんでしょうか。

中川　大きく違う部分がありますね。まず人口規模がまったく違います。私はアメリカのコミュニティを調査したことはないのですが、フランスのモンの人たちは親族を訪ねてしょっちゅうアメリカに行きますので、その人たちを通してアメリカの状況を伝え聞くことがあります。よく語られるのは、アメリカには強固なモン・コミュニティが存在しているということです。例えばミネソタ州のミネアポリスとセントポールからなる都市圏には、数万人ものモンが集住しています。フランスの場合、そこまで強固なコミュニティができるほどの人口がいません。

また、フランスのモンたちがよく言うのは、アメリカにはそうやって強固なコミュニティがあればこそ偉い人も出てくるけれど、フランスではそうなってはいないということです。アメリカにはモン出身の上院議員も出ていますし、弁護士や教師もいる。けれども、逆に犯罪者とかギャングになった人もいっぱいいますし、物乞いをしている人もいる。それに対してフランスでは、みんなが同じだと。いままですごく偉くなった人はいないけれど、逆に落ちぶれた人もいない。少なくとも、南フランスに関して言うと、みんな農民で、農業をやりながら生きていくことができている。そういう意味では、社会のあり方によって、モンの生き方が変わってきている部分はあると思います。

若林　先ほど、ちょっと話に出たジョージ・フロイド事件はミネソタ州ミネアポリスで起きましたが、ジョージ・フロイドを殺害した警官デレク・ショーヴィンの奥さんがモンの人で、かつショーヴィンの同僚で現場にいたアジア系の警官もモンの人でしたよね。

中川　ミネアポリスとセントポールのように大きなコミュニティがあるところでは、公務員のような仕事に就いてアメリカのシステムのなかで地位を得ている人たちも多くいます。私にははっきりしたことは言えませんが、そのひとつの選択肢として警察官もあるのだろうと思います。一方のフランスに関しては、そうした社会的地位の上昇はこれから起こり得るとは思いますが、少なくとも現時点では起こってはいません。

ただし、アメリカにおいても、そうやって都市的な環境のなかで社会的上昇を実現するか、あるいはそこからドロップアウトしてギャングになるという両極しかないわけではないだろうと思います。都市部を離れて山奥

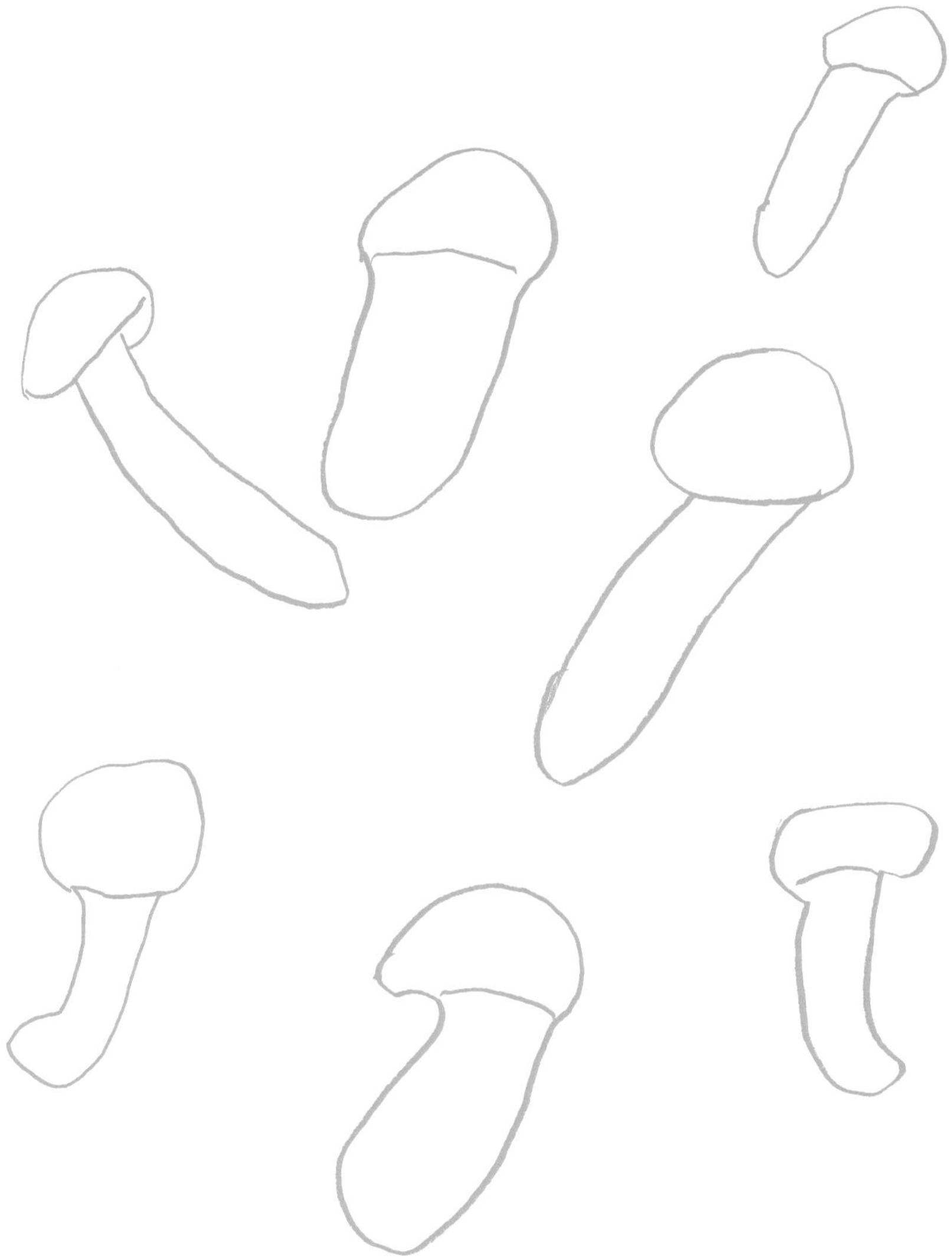

に移住して、フランスにおける南仏の農業と同じように、アメリカのなかでより自由に暮らせる場所を探し求めている人たちもいるようです。

その一番有名なケースが、アナ・チンが『マツタケ：不確定な時代を生きる術』（みすず書房）という本のなかに書いて有名になった、マツタケ採取者として生きるモンの人びとですね。この本に書かれたモンの様子は、私にはとてもなじみ深いものです。有象無象の人たちが集まるような周縁的な場所に入り込んで自由をなんとか見いだそうとする点において、南フランスのモン農民とアメリカでマツタケ狩りをするモンは非常に似ています。

ですから、それぞれの社会で色々な方向に分化していっていると言えるでしょう。現時点で多くの人がラオスを出国してから45年の月日が経っているわけですから、そのあいだに、色々な形に変わってきているということだと思います。

松村　『マツタケ』で描かれたマツタケ採取者たちにとってのキーワードも「フリーダム」でしたね。日本の食卓で食べられるマツタケも、アメリカの森でモンの人たちが採っているという意味では、モンの人たちは遠い存在のようで日本とも縁があるところが面白いですね。南フランスのズッキーニのあり方とも重なります。

若林　世界がどんどんグローバル化して人の流動性も高まっているなかでは、難民や貧しい人たちが必然的に、エッセンシャル・ワークと呼ばれる仕事にどんどん吸収されていくことになりますが、モンの人たちが、そこから逃げていく、そのやり方はすごく面白いですよね。わざわざニッチを探していたわけではないとは思いますが、自由を求めて居場所を探していった結果、ズッキーニやマツタケにたどりつくわけですよね。そうやってあまり混み合っていない隙間に入っていって居場所をつくっていく感じがすごく面白いのですが、それはさまざまな試行錯誤を経た上で、結果としてズッキーニやマツタケに収斂していった、ということなのでしょうか。あるいは、ただの偶然なのか。

中川　色々な要因があると思うのですが、例えばズッキーニの場合重要なのは、それが機械化しにくい農業であるところなんです。つまり、比較的少人数で行えて、労働力を集中投下すればよく、機械化は難しい。だからこそ、資本がなくても勝負ができる生産物なんです。そういう意味では、モンに非常に適していたのだと思います。

モンがズッキーニ栽培を始めた当初は、それまでズッキーニをつくっていたフランス農民とのあいだに、ものすごく軋轢がありました。フランス農民たちは「彼らは難民だから補助金をもらっているんじゃないか」「色々政策的に優遇されているんじゃないか」とか、「俺たちのマーケットを支配しようとしているんじゃないか」みたいな疑いをもっていました。それはどれも事実ではないのですが。

けれども、そう言っていた多くのフランス農民も、「もうズッキーニは無理」という感じで、非効率なズッキーニ栽培をやめて、次第に他の作物に移行していってしまい、その結果「ズッキーニといえばモンの人たち」となっていきました。いったんそうなれば強くて、そこからニッチ化していったということだと思います。ですからモンの人たちがズッキーニにたどり着いたのは、基本偶然の積み重ねではありますが、結果として、モンらしい生き方を可能にするニッチが見いだされていった、というプロセスなんじゃないかなと思います。

若林　全然関係ない話ですが、アメリカにおいてK-POPが広まったことの理由のひとつとして、1997年のアジア通貨危機で韓国がIMFによる救済を受ける事態になった際に、韓国からアメリカやカナダに移住した人が多くいたことが関係しているという話があるんですね。つまり、本国から出て行った人たちと本国に残った人たちの関係性が、それなりにタイトに機能しているということじゃないかと思うのですが、韓国や中国の人は、国境を越えたネットワークをうまく活用しているように見えるんです。ところが日本は、出て行った人には極端に冷たいが感じあると思うんです。それが先ほどおっしゃった「クラン」のようなもののネットワークと関係しているようにも思うのですが、どうなんでしょうか。

中川　先ほどお話ししたような、いわゆる分節型社会が、国境を越えたネットワークを維持するのに向いていると一般化して言えるかどうかについては、うかつなことを言うと他の人類学者に怒られそうです（笑）。しかし少なくとも、モンの人たちがトランスボーダーなつながりを維持する上では、この分節型社会の仕組みが非常に有効に機能しているということは言えると思います。やはりどこに行っても、「私とあなたは何世代前からこういうつながりがある」とその時々でつながりを見つけて、一時的であっても支援の関係をつくるきっかけになったりするわけですから。

フランスやアメリカに出て行った彼らの多くはラオス出身ですが、フランスやアメリカに行ったとしても、本国とのつながりはそう簡単には切れません。フランスに来ているモンの人びとも、ラオスに残った人たちに金銭

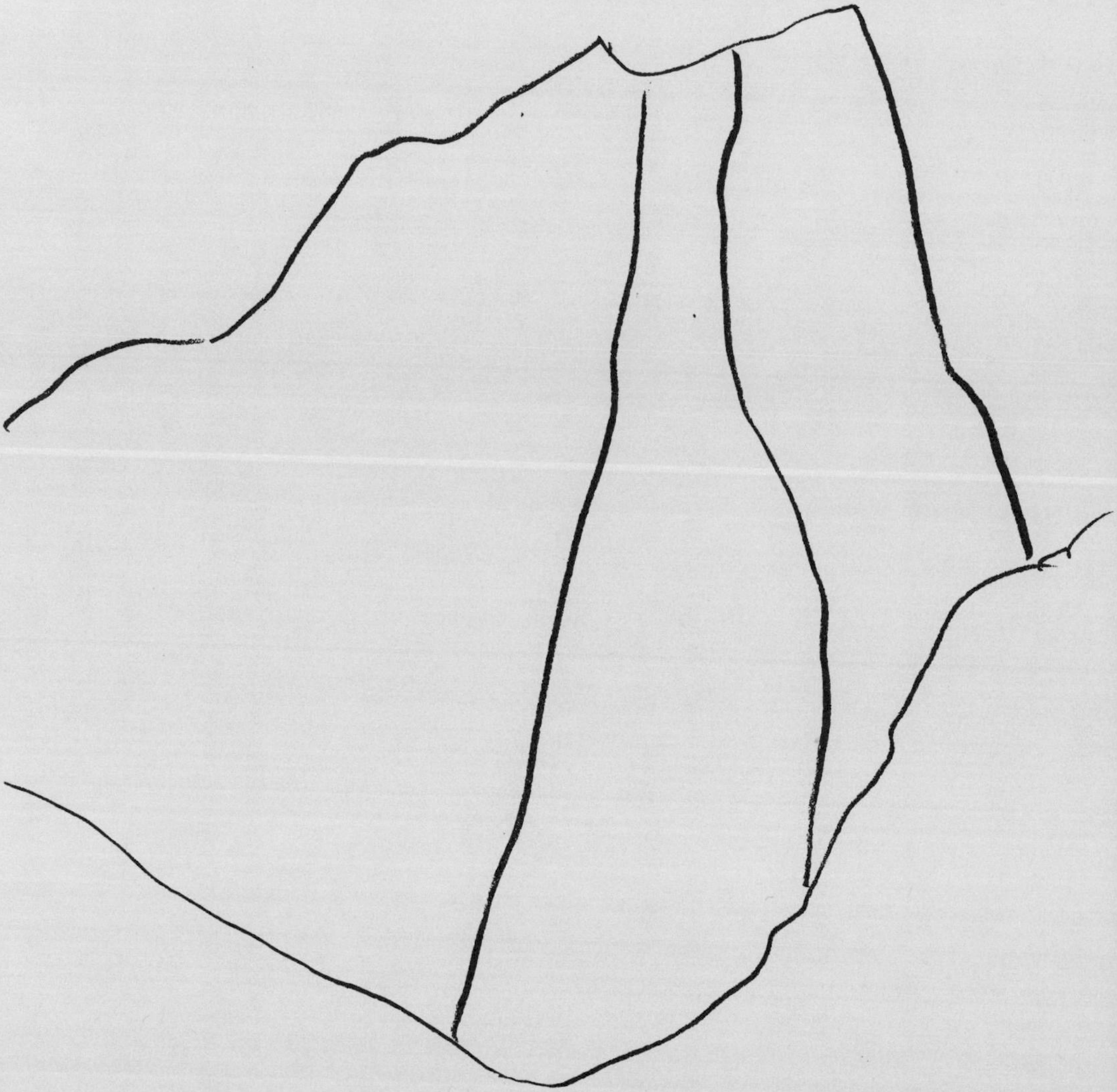

面で支援したり、色々な形で手助けをしたりしています。いまはSNSやインターネットを利用して、国境を越えて簡単に頼み事をすることもできますから。例えば、本国に残していった従兄弟から連絡が来て、甥っ子の学費をフランスから支援するようなことは、非常に活発に行われています。

逆に日本では、国境を越えると関係が切れてしまいますよね。仏領ギアナに行きますと、モンの人たちのコミュニティから遠くない所にブラジルの日系人コミュニティがありますが、その人たちと日本のつながりがあまり残っていないのを見ると、モンの人たちとは対照的であるように感じます。もちろん、世代によって母国との関係性の深さは全然違ってきたりもしますので、単純に色分けすることには慎重でなくてはなりませんが。

平等のために足を引っ張る

松村　最初に中川さんに説明していただいたように、モンの人たちはラオスにおける戦争という状況があって、難民のような形で、やむにやまれず世界に散らばっていったわけですけど、いったん散らばった後も、どうやら国境を越えて、まさにトランスボーダーに行き来があったり、協力する関係が維持されたり、本国との関係が強く保たれているんですよね。

ここからは、モンの人たちは自分たちの「コミュニティ」についてどう考えているのかを聞いていきたいのですが、先ほどのお話だと、いったんフランスに行った人たちも、その後ずっとフランス国内だけにとどまるとは限らないんですよね。

中川　そうですね。フランス国内でもあちこちに移動しますし、国境を越えてフランスからアメリカや仏領ギアナに移住したり、いったん仏領ギアナに移住していた人がフランスに戻ってきたりというような行き来も頻繁に行われます。最初にアメリカに来た人がフランスに移住する、ということはあまりないようですが、国境を越えた行き来は非常に多くあります。

私が調査する際に一番のホストになってくれている人は、お父さんはアメリカに行って、自分はフランスに来た人です。このように、ひとつの家族のなかでも移住先となる国が異なるというパターンはよくあります。私のホストは、学校教育が終わった後に、お父さんに呼ばれてしばらくのあいだアメリカで生活をしました。ですが、色々あってフランスに戻ってきて、南フランスに移動して農民になったという経歴をもっています。そうやって第二次、第三次の移動を、ときには国内で、ときには国境を越えて繰り返す例はよくあります。

松村　とすると、国境を越えてグローバルなモン人のコミュニティがあるのかなという印象を受けるんですけど、そのあたり、協力関係みたいなのはありますか。

中川　ありますね。難民として移住が始まった80年代初頭から現在にいたるまで、そうしたネットワークによってつくられているコミュニティはあります。例えば、お父さんはオーストラリアに移住して、息子はフランスに移住した家族のケースを見てみましょう。J・P・ハスーンというフランスの人類学者が調査したケースです。
　お父さんがオーストラリアで亡くなったときに、フランスにいる息子はちょうどお金に困っていました。そのとき、息子が父親の葬式のためにオーストラリアに来られるように、オーストラリアのモン・コミュニティの人たちがみんなでお金を出し合って飛行機代を捻出しました。さらに、お葬式での儀礼はちょっとした特殊技能で、できる人がオーストラリアのコミュニティにいなかったので、今度は集めたお金をタイに送って、儀礼の専門家に葬式の儀礼の一部を行ってもらいました。このケースを見ると、葬式ひとつをとってみても、1国にとどまらず3つの国が絡んでいるわけです。このようなことはいまでも見られます。
　先ほどお話しした、ラオスにいる甥っ子の教育を支援するような例もそうですね。それももともとは、アメリカにいたお父さんがずっと支援してくれていたけれども、その人が亡くなって、次にフランスにいるその人の息子がラオスにいる甥っ子を支援するようになったわけです。あと、モンの男性がタイなりラオスなりに行って、そこで結婚相手を見つけることもよくあるわけです。それによって、新しいつながりがつくられたりもしますので、そういう意味では、こういう言い方が正しいかどうかわかりませんが、モンのグローバル・コミュニティみたいなものはあると言っていいのかもしれません。

松村　本国のラオスを離れてから数十年も経っているので、本国とのつながりは薄くなるように思えますが、もう一度、ラオスやタイから奥さんを迎え入れると、また別の親族ネットワークがつながって、そこにまた新たな支援関係が生まれる、ということですね。

中川　そうですね。そうやって常に新しく関係性が更新され続けています。

松村　なるほど。先ほどの、お葬式をモン・コミュニティが助ける、というお話は、前話の小川さやかさんのお話ともつながると思います。タンザニアから香港に行った商人が亡くなったときに、その遺体をタンザニアに送るためにみんなでお金を集める、というお話がありましたが、それと似ていますよね。やっぱりそういう話を聞いていると、モンの人たちにはすごく団結力があって、何か問題が起こると、ちゃんと協力し合うという印象を受けますけど、中川さんがフランスなどでモンの人たちを見ていて、どんな印象を受けられますか。

中川　そこがとても面白く、ちゃんと説明しないといけないところなのですが、私のモンの友人なんかは「モンは困っているときはお互い助けるのに、その後、結局喧嘩をしてしまう。それがモンの駄目なところだ」という言い方をします。モンというのは、結局いつも互いに喧嘩をし合っている、だからどこに行っても弱いし、常に周辺化された民族であり続けてきたのだ、と言うんです。

例えば、フランスから仏領ギアナに移住する人はわりと多くいまして、移住した人は新しくジャングルを開拓していきます。国から「この区画は開拓していいよ」と言われた土地で、木を切って開拓して自分の畑にしていくわけです。そのためには最初は当てにする人が必要なわけで、親族のネットワークを利用してしばらく間借りしながら生活の基盤をつくって、やがて独立するという手順を踏みます。

そこだけ見るとモンの人たちは互いに助けあっているように思われるかもしれませんが、いったん一人前になったら、自分は自分、相手は相手、という感じで独立して互いに干渉しないんです。「昔お前の面倒を見てやったから、俺の子分だろ」みたいなことはあまりないんですね。一人前になったら自分は自分としてやっていく。そうやって家族単位で独立することがいいことだと思われている。逆にいうと、これも仏領ギアナのケースですが、生活基盤ができているのに相変わらず人にお世話になり続けている人は、否定的に見られてしまいます。「そろそろ出て行ってくれ」みたいな感じになるんです。実際にそう言われて、焦って必死に家をつくって移動した、という話を聞くこともあります。

ですからいつも協力し合う、助け合いのコミュニティがあるようにイメージされるかもしれませんが、実際はそうではなく、独立、自由を重視する側面のほうが大きいです。そこがモンの人たちの面白いところなんです。

松村　私なんかの感覚だと、自分が移住して、そこでまず土地を貸してもらってお世話になった人には、一生頭が上がらないというか、主従関係がずっと続くイメージがありますけれども、そういう上下の関係は嫌だな、という感じなんですね。

中川　そういう主従関係をものすごく嫌うところがあると思います。南フランスの農民を見ていても、そうですね。南フランスのモンの人たちが、なぜ南仏の農業を好んだのかというと、やっぱり自由で独立していられるからなんです。自分の畑をもって、自分の農機具をもって、自分の生産システムができると、独立して働けるわけです。誰の言うことも聞くことなく、市場においても自分で売ることができる。そういう独立性がすごく重視されます。

なかにはもちろん、人に恩を売って親分になろうとする人も出てきますが、すごく嫌がられます。ちょっとお金持ちになった一部の仲介業者が、困っている人にお金を貸して助けてあげて、「代わりにお前の生産物は俺のところにもってこい」とか「俺のところの子分になれ」みたいに言うこともありますが、それはすごく嫌がられます。モンは命令されるのを嫌うのだ、人の言うことを聞かされるのは我慢できないのだ、と。

ですから、一部の人がそうやってビッグ・マン（大物）になって命令を聞かせようとしていると、むしろそういう人の足を一生懸命引っ張ろうとします。あいつは何々クランの仲買業者だから、俺たちも自分たちのクランで自分たちの仲買業者をつくろう、あいつには負けないぞ、みたいなライバル心が出てきて、お互い競い合う関係になるんです。誰かひとりの人の下にまとまるのではなくて、お互い競い合って、足を引っ張り合うことによって結果的に平等になるわけです。

ですから、これまで話してきたように、モンの人たちにとって自由はいいものである一方で、否定的に言われることもしょっちゅうあります。つまり、誰からも命令されたくないとみんなが思っていると、話がまとまりません。常にいがみ合っている。互いに自由だけれども、まとまることができない、ということでもあるわけです。

これはかつて東南アジアにいたときから言われていることですが、こうやってバラバラでいつもいがみ合っているせいで、結果的に自由で平等ではあるかもしれないけれど、まとまりが弱くて自分たちの国をもてなかったのだ、と否定的に捉える語り口もあるわけです。そこが面白いところです。一方で自由でいいと言いながら、一方ではバラバラでいがみ合っているのは良くない、と。そのふたつのあいだを彼らはつねに揺れ動いているんです。

自由のための依存

松村　ズッキーニの栽培は機械化できなくて労働集約的な大変な仕事だというお話がありましたが、モンの人たちの働きぶりは、中川さんから見てどうですか。

中川　そこも不思議なところです。というのも、彼らにはめちゃくちゃ働く時期とまったく働かない時期があるんです。だいたい3月から苗を育て始めて、土を耕して苗を植えて、5月ぐらいからズッキーニの出荷が始まって、11月あたりまで生産し続けるのが基本的なパターンなのですが、いったん収穫が始まるとシーズンのあいだは彼らは絶え間なく働いています。朝は市場に行くために、夜が明けるずっと前、早朝の4時頃に起きて準備して市場に行きます。市場でズッキーニを売って帰って来たら、今度は畑に行ってずっと収穫を続けます。収穫が終わるまで続きますから、夜の9時になろうが11時になろうが働き続けます。そしてまた早朝に起きて市場に売りに行く。

　ズッキーニが育たない日はないので、この作業をシーズン中毎日やり続けるわけです。その意味では、彼らはものすごく働き者です。でもいざシーズンが終わると、パタッと働かなくなります。昔はそうでもなかったらしいですが、オフシーズンになると全然働かず、その年に稼いだお金で車を買ってみたり、あちこちにいる親族や知り合いを訪ねて行ったりします。

　このオフシーズンはちょうどモンのお正月の時期にあたります。ただ国や地域ごとにお正月の時期がずれていまして、例えばラオスは12月、タイは1月、となっています。ですので、それに合わせて訪ねて行って散財して帰って来ます。あるいはアメリカの親族を訪ねて帰って来るとか、とにかく3カ月間くらいはお金を稼がずに、ただ散財して、多くの場合、そのあいだにお金を使い果たしてしまうんです。

松村　あはは。

中川　前のシーズンにすごく儲かったとしても、休みのあいだに使ってしまうので、新しいシーズンを始めるときにはお金がない。そこでまた一から始める。ですから前年はものすごく儲かったのに、1年不作だったせいですぐにだめになる人がいたりするわけです。とはいえ、モンの農民たちも、そうした傾向にはものすごく自覚的で、「モンはその年暮らしで投資をしないから、こういうピンチに陥るのだ」なんて言うわけです。

松村　自覚はあるんですね（笑）。

中川　でも、投資をしないのには、合理的な理由もあります。つまり、人の土地を借りているので倉庫を建てられず、倉庫を建てられない以上、機材に設備投資がしにくいんです。

松村　どうしてですか？

中川　倉庫がないと機材を野原に放り出したままになるわけですけど、そうするとすぐ泥棒に遭うんです。その手の盗難が多いから投資しないのだという説明はよくされます。

松村　ふむ。投資しないのは、ある意味で合理的だと。

中川　もうひとつは、ここにいつまでもいるわけではないという感覚が強くあるからです。ここに土地を買って、倉庫を建てて、この場所に永遠に根付くんだという感覚が彼らには薄くて、「いつかこの生活は終わる」とどこかで思っているようです。「数年間のうちに、ここにやってきたときと同じように、ここからいなくなるんだ」みたいなことを彼ら自身が言うわけです。だから、不動産に投資するようなことはしません。「自分たちは結局ノマドなのだ」「自分たちの望まないような形に物事が移り変わっていったら、自分たちはいまの生活を捨てるんだ」と言います。ただ、若い世代は、そんなのは幻想だとも言います。「現実にはもう他に行く場所なんてないはずだから、ちゃんと計算をして、投資をして、蓄積していくべきだ。でもあまりにもそうでない人が多すぎる」と言って批判したりします。だから一様ではないわけですね。

でも、そうはいっても、南フランスの農業がうまくいかなくなってきたときに、彼ら農民が考えるのは、結局「じゃあ次はどこに行こうか」ということなんです。その候補地として、例えば仏領ギアナが出てきたりする。誰かがとりあえず様子を見に行って、行けるようだったら移住しようじゃないか、という案はすぐに出てくる。

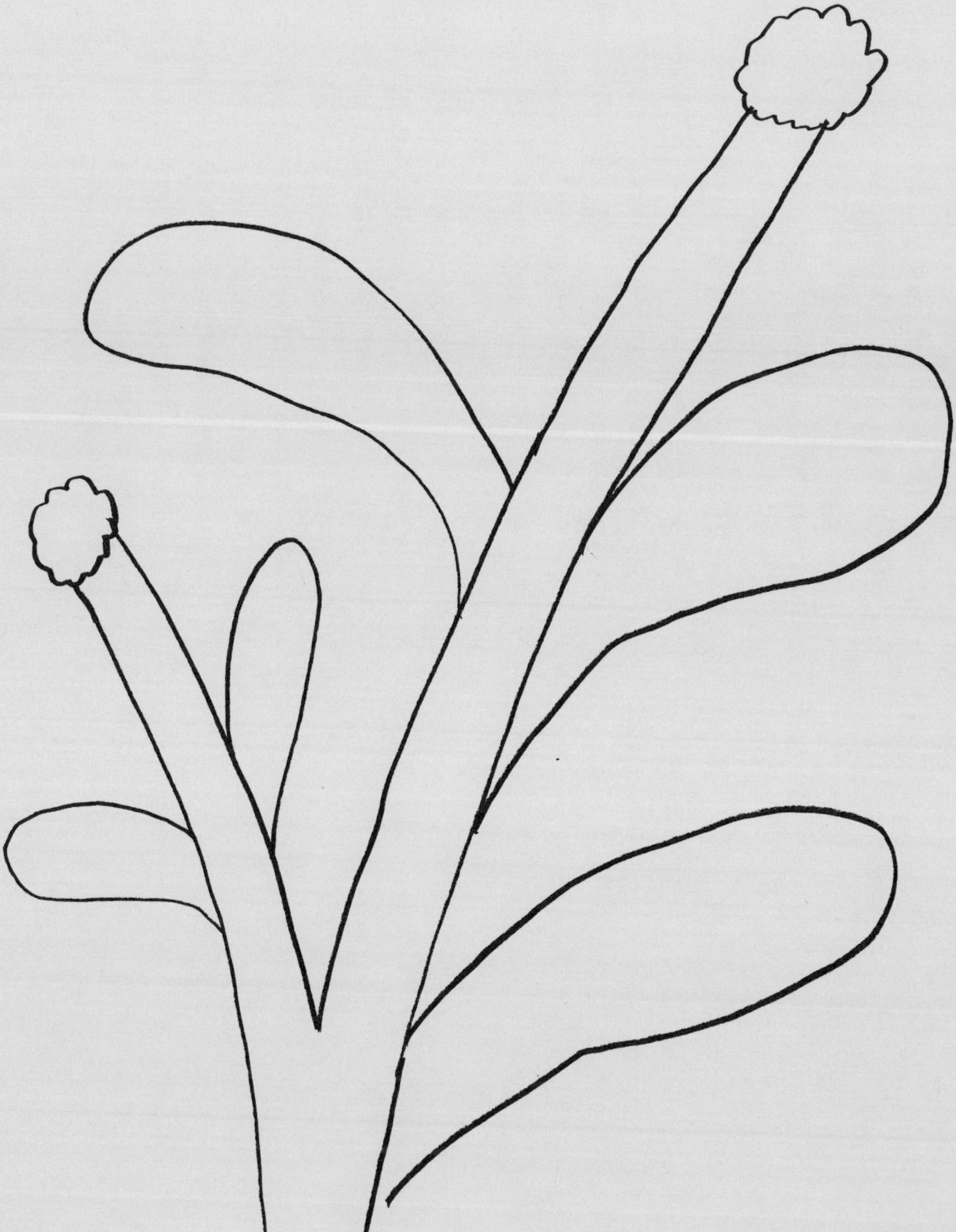

だから僕がフランスで彼らのことを調査していても、「お前は毎年来ているけれども、来年はもう誰もいなくなっているかもしれない」と言われたりするわけです。

松村　このあたりの話は、これまでの狩猟採集民とか牧畜民の話ともつながっているなと思います。それぞれにかなり自立を志向している。でも個人が人から命令されず自由に生きていこうとしながらも、助けが必要な人がいたら当たり前のように助ける。つまり、自立と依存が同時に起きている。あるいは、これまでも自由ということばが繰り返し出てきましたが、モンの人たちの生き方からも、自由に生きることは難しいけど、でもそれを求めて試行錯誤をしている感じが伝わってきます。中川さんはそのあたりをどう考えられますか。

中川　一方で「俺は自立している、独立しているんだ」「だから誰の命令も聞かないぜ」って言うんですけれども、新しいところに移住するときには親族を頼っていく。最初、私もそれは矛盾しているように思えたんです。「言っていることと、やっていることが違うんじゃない?」と。でも、ひょっとしたら私たちのものの見方が、それを矛盾と捉えてしまっているだけかもしれない、と思うようになりました。つまり、私たちは「自立している」とは誰にも頼らないことだ、何にも依存しないことだと考えがちなのではないかと。

彼らにとっては、新しいところに行くとき、最初の数年間は人の家に住ませてもらって、庭先を借りて小屋を建て、土地の一部を分けてもらって耕して、しばらくそういう形で過ごした

あとで独立をする、というのは何もおかしいことではない。むしろ、自立するにあたって最初誰かを頼るのは当然のことだ、と思われているわけです。そうやってある種の依存を通して自由を獲得していくことが、むしろ一貫したプロセスとして考えられているのではないかな、と最近思うようになってきました。

松村　「自己責任」って、自分でちゃんと自立してやっていくことで、誰にも頼らないことこそが望ましいと考えられていますよね。最近は「自助」ということばも出てきますけど、なんか個人が社会や他者と完全に切り離されて生きていると考えること自体、前提に無理がありそうに思えます。

中川　結局のところ、私たちも誰かに、何かに依存しないと自由になんかなれないわけですよね。ばかみたいな話かもしれませんが、空気がないと生きていけないし、水がないと生きていけない。そういうものに支えられて生きているわけです。さっさと歩くためには靴がなければいけないとか、普段は気づきもしませんが、そういうものに支えられて生きているわけです。

人間関係もそうですよね。誰にも依存しないで生きていくといくら言い張ってみたところで、誰に育ててもらったのか、これまで誰に何をしてもらったかを問い直していけば、日常のなかでいかに人に依存しているかが見えてきます。でも、いつからか、誰にも頼ってはいけないと思わされてしまっているようなことがあるのかもしれません。

モンの農民の人たちを見ていると、そこが矛盾として感じられていない。どちらかというと、それぞれの人が自由で独立して生きていけるようにするために「この程度のことは当然やるでしょう」ということが、ある程度みんなに共有されているわけですね。もちろん、それによって葛藤が生まれることもありますが。彼らは昔から誰かの土地に入って行って、山中の空いている場所を見つけて暮らしてきたという意味では、常に敵対的な環境のなかで生きてきた民族だったわけですね。そのなかで一定の自由を確保して生きていくためのインフラとして、ある種の共助のネットワークがあることを、矛盾として捉えていない。むしろ、それによって自由な生き方が可能になっていると見ているのではないかな、と思うようになりました。

松村　私たちの社会では、例えばフリーランスで働くというと、「それは自分で選んだ働き方でしょ？　それなら自力で頑張ってください」という感じで、自由を選ぶのであれば、依存を断ち切るコストを自分で払いなさい、と言われますよね。モンの人たちは、むしろみんなが自由であるためには、ちゃんと支え合わなきゃいけないと思っている。自由であるために支え合うって、どこかで誰かが助けてくれるというセーフティネットへの信頼があるわけですね。それがあることでみんながリスクをとっていろんなことに挑戦して、自立して自由であり続けられる。そういうあり方を聞くと、私たちの社会における自由な生き方のいびつさが逆に照らし返されている感じがします。

中川　もちろんそこには色々な矛盾があって、いいことばかりではないのですが、私たちの不自由さが逆に見えるようになるのは確かです。とはいえ、「相互扶助」とか「助け合い」「セーフティネット」というとなんだか温かいイメージをもつかもしれませんが、実際にはその枠に収まらない部分、ある種の酷薄さ、残酷さ、みたいなものが同時にあって、「お互いに助け合って仲良くやっていきましょう」というのとは全然違います。むしろ先ほどお話ししたように常に喧嘩し合っているようなところもあるわけですが、それでもこの部分については助け合いましょう、と共有されているというか、押しつけがましくないように助け合うというか。

　私たちも、ある程度のことについては相手に見返りを求めず、当然のこととしてやったりしますよね。先日亡くなったデヴィッド・グレーバーが言っているように、例えば水道の修理工事をしていて「ちょっとスパナを取ってくれ」と隣にいる人に頼んだら「代わりに何くれる？」と相手は言いません。スパナを取ってあげるというレベルでは、見返りを求めずに何かをするのは普通のことです。モンの人たちにとっては、よそから移住してきた人を自立できるまでしばらくのあいだ支えてあげることは、ひょっとしたらそういうレベルのこととして認知されているのかもしれませんね。だからこそ、押しつけがましい贈与にならないのかもしれません。でも、しつこいようですけれども（笑）、彼らの生き方もそれはそれで色々な矛盾をはらんでいるんです。

若林　面白いですね。移住してきて人たちの手助けをする、というのが、いまおっしゃった「スパナを取ってあげる」と同様の「見返りを求めない領域」だとしても、一方で「見返りを求める領域」というのもあるような気もするのですが、その辺っていかがでしょう？

中川　確かに、全部が全部見返りを求めないわけではなく、ちゃんと貸し借りの領域もあるんですね。ただ、そこは割と文脈によって分けられているように思います。例えば南フランスのモン農民は、モンの仲買業者に借りをつくるのをすごく嫌がるわけです。いっぺん借りをつくったら、そいつのところに自分の生産物をもって行かないといけない。となると、そいつの子分にならないといけない。それは嫌だ、と言うわけです。だから自分は市《いち》場《ば》で売るのだ、と。でも、新しい土地に定住するときにはそういう話をあまり聞いたことがない。ということは、彼らのなかで、そのふたつは文脈が分けられているのかもしれません。

　私たちもそうですよね。何かをしてもらったら返さなければいけない、と思うこともあるし、別にそう思わない局面もありますよね。それは文脈に応じて変わる。ただ、モンの人たちのその区別の仕方というか度合いみたいなものが、私たちとはずれているのかもしれないなとは思います。

若林　文脈がずれちゃうこと、ありますよね。こちらとしては普通にしてもらったつもりで、そんなに気にしてなかったのに、してあげたほうは「私はあなたにやってあげたのに返ってこない」みたいなことが起きるのは、両者の文脈がずれちゃっているからですよね。そう考えると文脈って難しいですね。「これはもしかしてお返ししたほうがいいのか？」みたいなことで悩んだりもしますよね。

中川　贈与、贈りものの交換自体が、コンテクストが曖昧であることによって成り立っているところがありますね。そしてそれが揉め事の種になるわけですが、少なくともモンと私たちのあいだでは、基本的なコンテクストの切り分け方が異なる部分があるのかなと思います。

自由のニッチのゆくえ

松村　仲買業者はきっとお金持ちで、力をもっていますよね。それに比べて生産者は資本もないし、低い立場に置かれると思いますが、生産者は仲介業者とどうコミュニケーションを取っているんでしょうか。経済的格差があるのに、親分・子分の関係にならないようにするって、難しい気もするんですが。

中川　やっぱり市場が面白いのは、そこが劇場だからです。仲介業者と生産者はそこでお互いに悪口を言い合ったりします。「お前のところになんてもう二度と売るか」と強気で言ってみたり「もう売っちまったから売るものはないよ」と嘘を言ったり、あるいは嘘の値段を教えたりするのですが、日常生活の文脈だと大喧嘩になりそうなやりとりをするので、こちらは「そんなこと言っちゃっていいの？」と驚くことがしばしばあります。

でも市場においては、モンに限らずありとあらゆる生産者が、ありとあらゆる仲買業者に向かってそのように言うのが当たり前なんです。それによって、俺たちとお前たちは資本力がどれだけ違っていても、この市場という場所では対等なのだとメタメッセージとして伝えているわけです。仲介業者はみんなベンツのような高級車に乗っていて、農民はいつ整備不良で捕まってもおかしくないようなボロボロのトラックでやってきて、車から降りて格差に驚くのですが、いったん市場のなかに入ってしまえば、そこは対等なんです。

でも、そうした市場を介さずに直接のやり取りをしていくようになると、平等な関係でなくなってしまうんですね。値段の交渉もなくなって、一方的に仲介業者が「お前は俺のところにもってこいよ。悪いようにはせんから」と生産者に命令するような上下関係になってしまう。それはモン農民にとってはもちろんのこと、南フランスの多くの農民にとってもすごく嫌なことだと思われています。

松村　だからこそ、できるだけ市場でやり取りをするし、コミュニケーションのレベルでも対等に振る舞うことで、自立性を保とうとするわけですよね。たとえ人にお世話になったとしても卑屈にならないというか、上下関係に入らないと。そうやって不利にならないようにコンテクストをコントロールするというか、自分で引き寄せるようにしているところが面白いです。

中川　でも、産業構造の大きな変化のなかでこうしたことの成立が難しくなってきているのも確かです。市場の調査を始めてからもう7、8年になりますが、当初と比べるとすごく寂しくなってきています。というのも、市場での取引がどんどん少なくなってきて、仲買業者が自分の配下のような立場の農民をどんどんつくるようになってきています。

でも仲買業者がボスなのかというとそうではなく、フランスの場合は、巨大なスーパーマーケット・チェーンによる寡占状態が進んでいるわけです。これは、日本以上だと思います。地域別のローカルなスーパーマーケットはなくて、全国区どころか世界規模の大チェーン店ばかりが幅を利かせるようになっています。そうなると、資本の差が大きすぎて、仲買業者がスーパーマーケット・チェーンの言いなりに、生産者がその仲買業者の言いなりにならざるを得ないという構図が徐々に強まってきています。それがこれまでモンにとっての生存のニッチ、自由のニッチだった農業のあり方を厳しいものにしつつあるということは、やっぱり言っておかないといけないと思います。

アフタートーク

市場、小さき者たちの自由空間

中川さんに再登場いただき、「市場」というものについてさらに深掘り。「市場は小さな者たちのもの」のことばにセンター長とキャプテンはいたく感動……。

山下　前話、前々話と、狩猟採集民とかタンザニア商人だとか、いかに不確実な状況に身軽に対応していくか、という生きる術を聞いてきましたが、今回のお話もまさにそうで面白かったですね。タンザニア商人にしても狩猟採集民にしても、ひとつの職業に対してあまり執着せず、職業に対しても強い倫理観を求めず、複数のことを同時並行でやることによって、不確実性に耐えるところがあったと思います。一方、モンの人たちはズッキーニやマツタケなどひとつのものに執着しているような印象も受けました。そのあたりを、中川さんに伺ってみたいなと。

中川　アフタートークの割には難しい話題ですね（笑）。確かに一時的にはひとつのことをやっていて、同時にいくつかの仕事をするわけではないのですが、彼らがいつも言うのは「次に来たときはズッキーニ農家とは違うものになっているかもしれない」ということです。「私たちは本来こういう農業をやっている人間ではない」という言い方もします。もちろん彼らの多くは元から農民だったわけですが、かつてやっていたのは焼畑農耕で、ズッキーニ栽培のようなインテンシブな農業とは違っています。つまり、彼らとしては自分たちがラオスで農民だったからいまも農業をやっているわけじゃないのだ、と言いたいわけです。

　どちらかというと彼らの理由付け、理解としては、どう生きていきたいかという選択を積み重ねていった結果、いまはこうなっている、という捉え方なのだと思います。だからいまやっていることが難しくなれば、次はまったく別のことをやるように変わっていくかもしれない。実際に彼らはよく旅行して、色々なものを見てくるんですよね。常に誰かが物見をしてくる。いま何がうまくいっていて何がうまくいっていないのか、どうやったら他のことができるのか、常に他の可能性を考えて移動を続けていくところがあると思います。それは、いわゆる「リスク分散型」とはまた違うものかもしれませんが。

松村　たとえ住んでいる移住先の国が違っても助け合うとか、本国との関係をもち続けるというのは、そういう意味で常に国境を越えたネットワークを維持しながら、次の動きが必要なときはポッと動けるようにしておく意味もあるんですね。

中川　そうですね。アメリカとか仏領ギアナとフランスのあいだのモンの移動を見ていくと、お互いの様子を見てチャンスをうかがうような意識は、少なくともいまの時点まではある感じです。逆に、本国とのつながりは、彼らにとってはどちらかというと重荷なんです。本国を訪れて結婚して女性を連れ帰るという逆の流れもありますが、お金に関して言えば本国には支払うばかりで、出費がかさむばかりの関係です。

松村　最後にお話のあった、巨大なスーパーマーケット・チェーンの寡占化という流れは日本も含めて色々な国で進行していますが、それは逆に言えば、これまで中川さんが見られてきたフランスの地方の市場のあり方とはだいぶ違うわけですよね。騙し合いながらもお互いに対等で自由な存在として値段交渉をする市場のあり方に対して、独占が進んだ市場はすべてが支配関係におかれている感じですよね。モンの人たちは、巨大チェーンのなかに組み込まれていくことをどう捉えて、そこから次の動きをどうしようとしているのでしょうか。

中川　モンの人たちだけでなく、南フランスの農民一般にとって、市場というものは基本的にすごくいいものなんです。「市場は小さな者たちの自由を保障してくれる制度である」「だから守らないといけない」と彼らは言います。それに対して独占は悪いものと考えられています。

　私たちは、市場万能主義イコール資本主義のように思ってしまいがちですけれども、彼らの頭のなかでは市場と資本主義のあいだには、かなりきっちりと線が引かれていて、市場は私たちのもの、資本主義は彼らのもの、と明確に分けています。ですからいま起きているのは、市場という「私たちの自由空間」に資本が入ってきて、自由を奪っている現象だと認識されているわけです。

　そのような状況のなかで、「座して死を待つ」みたいな諦めに近い反応をする農民も多い一方で、「もうひとつのグローバル化」を目指す反資本主義的な活動に加わる農民もフランスにはいます。しかし、モンの農民はそういう活動にはまず加わったりしません。おそらく、それほど彼らの感覚から遠いものはないのです。それが、いいことなのか、残念なことなのかはわかりませんが。

　ですので、彼らの戦術はどちらかというと、ごまかすことですね。なんとかごまかしながらやっていく。そして、それがついに通用しなくなると、逃げるんです。「戦うより逃げろ」と彼らは考えているようです。そして逃げる先の選択肢のひとつが仏領ギアナだったりするわけです。ただ、そのようにまだどこかに逃げる場所があると彼らは思っているのですが、それが本当にあるのかどうかは、また微妙な問題だと思います。

若林　またキラーフレーズが出てきました。「戦うより逃げろ」。いいですね。あと「ごまかす」というのも大事ですよね。大人になってから「笑ってごまかす」技術をかなり磨いてきた感じがあるんですけど、大事ですよね？　山下さん、どうです？

山下　いや、もう勤め人の立場から言うと、ほとんどごまかしてばっかりなので（笑）。逃げるのは本当に重要なスキルだなと思います。逃げるときの身軽さは、勤め人だとなかなかもてなかったりするので。ついつい会社の論理に最適化してしまいますが、どれだけ自分の可能性を外に開いておくか、常に考えておくべきだと感じています。

松村　日本では働く人に「逃げろ」とか「ごまかせ」とは言わないですよね。でも実はそれって自由のために必要な身ぶりだと思うんですよね。

若林　先の中川さんのお話のなかに「劇場」ということばがありましたが、前回、小川さんがお話になっていた「ずる賢さ」みたいなものには、演劇性があるように感じます。要は「プレー」ですよね。中国の市場なんかに行ったら、値切らないヤツはダメだって言われるじゃないですか。値切るという「プレー」にみんなが参加することで、そこに中川さんがおっしゃったような「対等性」が実現されると言いますか。そう考えると、みんなが同じ価格でモノを買っているみたいな状況のほうがいびつなのかもしれないですね。

中川　フランスに来ているモロッコ系の人たちなんかは名うての交渉好きで、交渉した結果値段が上がっても満足して帰るという話があるほどです（笑）。

若林　あはは。でもそういうことですよね。つまりコミュニケーションの装置でもあるということですよね。

中川　実際に市場を見ていると、値段交渉はある種の平等性の演出になっているんだなと強く感じます。

若林　面白いですね。これは前回話したことでもありますが、常日頃、商売というものが経済のなかから排除されているように強く感じます。商売、あるいは市場というものが本来もっていたはずの演劇性や「プレー」が自由をつくり出すという感覚が社会から失われつつあることが、本当に窮屈だと感じます。本当はインターネットのマーケットがそういうある意味猥雑な空間になり得たかもしれなかったわけですよね。アリババのジャック・マーは、「インターネットは貧乏人の世界である」と言って、巨大なオンラインのマーケットをつくり出すわけですが……こうなったら山下さんと新しいマーケットでもやりますか。ふたりで拾ってきた石を人に騙して売るみたいな。いや違うな、そういうことでもないか（笑）。

山下　……（苦笑）。

第6話

久保明教

テクノロジーと働く

小アジのムニエルとの遭遇

ロボットやAIを人類学の立場から研究されてきた
一橋大学の久保明教さんをゲストに
「テクノロジーと共に働くこと」について考えます。

久保明教｜くぼ・あきのり
一橋大学社会学研究科准教授。主な著書に『「家庭料理」という戦場：暮らしはデザインできるか？』（コトニ社）、『ブルーノ・ラトゥールの取説：アクターネットワーク論から存在様態探求へ』（月曜社）、『機械カニバリズム：人間なきあとの人類学へ』（講談社選書メチエ）など。

松村　久保明教さんは私が編集した『文化人類学の思考法』（世界思想社）のなかで「コラーゲン、プルプル」の章を書かれた方です。非常に切れのいい鋭い文章を書かれる方で、『ロボットの人類学：二〇世紀日本の機械と人間』（世界思想社）、『機械カニバリズム：人間なきあとの人類学へ』（講談社）、『「家庭料理」という戦場：暮らしはデザインできるか？』（コトニ社）など、本もたくさん出されていて、テクノロジーに囲まれた私たちの現代的な状況をテーマに人類学の観点から研究されています。シリーズの締めくくりとなる今回はこれまでの回を振り返りつつ、私たちに身近な状況に引き寄せながら「働くこと」を考えていけたらと思っています。

人類学では近年、「科学技術の人類学」という分野が注目されています。これまでの対話は、どこか遠いところに住む人を対象にする研究者が多かったですよね。人類学というと、一般的に現代化された私たちの暮らしとは異なる人びとを研究する学問というイメージがあったと思うんです。でも久保さんはあえて日本の文脈において、なかでも人間ではないロボットや人工知能や機械を人類学の研究対象にされてきました。なぜそうしたものを研究対象とされたのか、まずは、そこからお伺いしたいと思います。

久保　はい。よろしくお願いします。僕は、大学院に入って人類学の勉強を始める少し前ぐらいから、クロード・レヴィ＝ストロースの神話論（『神話論理』）に触れていました。南アメリカで古くから語られてきた神話では、技術や制度、慣習といった、この世界に存在するものの起源が語られる場面において、動物と人間が話し合ったり、騙し合ったり、結婚して子どもが生まれる、といったモチーフが繰り返し現れます。神話だけでなく、人類学の文献には、例えば「ジャガー人間」や「ハイエナ人間」のように、動物と人間が交ざり合った存在が両者の間をつないでいるという事例が豊富にありますよね。それらを横目で見ながら身近なところを考えてみたときに、現代社会におけるロボットやＡＩも似たような存在なんじゃないか、つまり人間と動物の間を「動物人間」がつないでいるように、機械と人間の間を「機械人間」がつないでいるのではないか、と考えるようになったわけです。

そもそも、ロボットにしてもＡＩにしても、単なるハードウェア、プログラムだと考えれば、別にわざわざ「ロボット」とか「ＡＩ」と言う必要はないですよね。それらが「ロボット」や「ＡＩ」と呼ばれるときには、常に私たち人間と何らかの意味で類似した存在と見なされていますし、そうした存在を媒介にして機械と人間が関わる未来が想像されています。それは南米の人びとが、人間と動物が交じり合った存在を神話において語るあり方と、ある意味で近いのではないか。つまり、非近代的な社会では、人間と動物の関係がしばしば重要な社会的・文化的争点になっていて、そこで良いことも悪いことも起きるわけですが、私たちが暮らす近代的な社会における機械と人間の関係についても同じようなことが言えるんじゃないか、と。そう考えて研究対象にすることにしたわけです。まあ、いまはこのように整理して言えますけど、当時はそんなに体系的に考えていたわけではないです。

松村　人類学というと人間社会を対象に研究する学問というイメージがありますが、もともと神話などでは、人間と動物がコミュニケーションをとったり、人間と人間でないものが交じり合ったりする状況が書かれていて、人類学はそういう対象を研究にしてきた。それがもしかしたら現代の私たちのなかでは、機械やロボットやＡＩと呼ばれるものなのかもしれない。そう考えると、ちゃんと古典的な人類学の研究の延長線上にロボットや機械の研究もあるということですよね。

久保　うーん、どうですかね。人類学者側はあくまで人間を対象としてきたけれど、研究対象の人びとにおいて人間が人間だけで閉じてなかった、ということじゃないでしょうか。彼らにとっての「人間」というのは、私たちが「人間」だと見なすものに限定されていなくて、ジャガーや精霊のような存在とも交じり合っている。そう考えると、現代のテクノロジーや機械の存在も、たいして違わないじゃないかと思ったわけです。でも、先輩の人類学者から見れば意味不明だったと思いますよ。「ロボットについて研究しています」と言ったら「人類学も終わったな」とか言われるような感じでしたから（笑）。

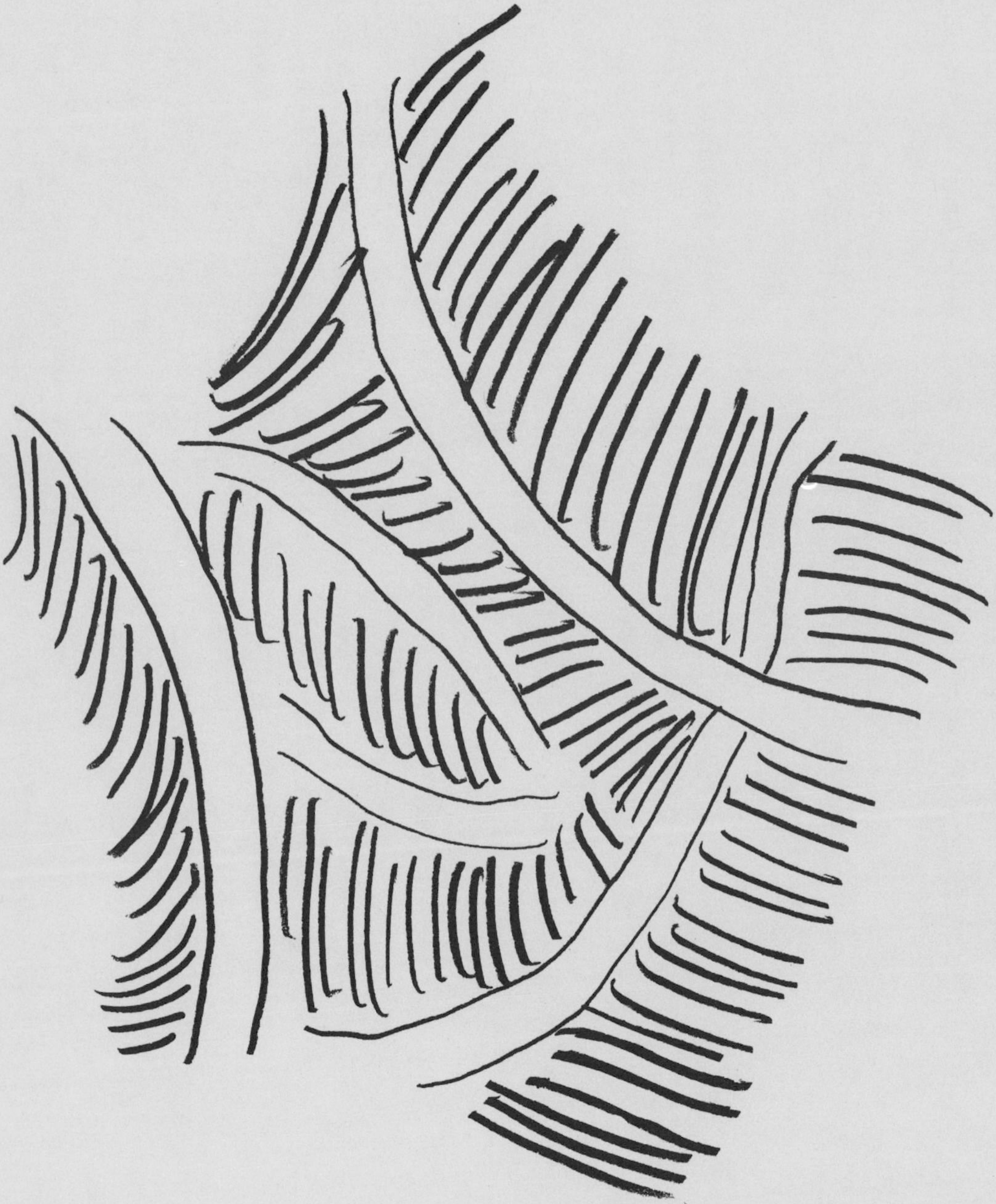

松村　へぇー、そうなんですね。ロボットやＡＩを人類学の研究対象にすると言われると、誰もが投げかけてくる質問だと思うんですが、「人間の仕事がやがてＡＩに奪われるのか」とか「人間の能力をＡＩが超える時期がやってくるのかどうか」といった問題、久保さんはどう答えていますか。

久保　そうした質問は、授業についての学生からのコメントでも多いですし、よく話題になりますよね。それに対しては、「あぁ、またそれか」という（笑）。

「シンギュラリティ」という仮説は、本来は文明の発展がそこから先は予想できなくなる技術的な特異点が現れるだろうという話なので、一般的に広まっている「機械が知的能力において人間を完全に超える時がいずれ来る」という言い方とはそもそもズレがあると思うんですが、「いずれ機械が人間を代替するのでは？」というのは、おそらく17～18世紀あたりからあるイメージで、技術が進展するたびに少しずつ異なる仕方であれ、繰り返し喚起されてきたものだと思います。

例えば１９２０年代、大正時代の日本で「第一次ロボットブーム」が起きていますが、話題の中心になったのは「テレボックス」という、アメリカで開発された遠隔操縦機でした。この機械は周波数の変化によって指令を出せるもので、科学雑誌の特集では、外出中でも電話口で笛を吹くと「テレボックスの女中さん」が煮炊きとか色々な仕事をしてくれる、といったぐあいで未来の生活が描写されています。だから「ロボットが人間の仕事を代替する、奪う」という未来予想は何もいまに始まったことではなくて、これまでも繰り返しなされてきたわけです。

そもそも「ロボット」ということばが広まったのは、人間の仕事を代替するように見える機械が登場してきた時代です。例えば、１９２０年代のアメリカでは、新たに登場した自動販売機が「ロボット」と呼ばれました。それまでは街中に飲み物を売る人がいたので、自動販売機が登場すると人間の労働を代替する機械であるように見える、だから「ロボット」と呼ばれる。ところが、飲み物を人間が手売りしている記憶が薄れると、つまり、ロボットに代替される人間の労働者のイメージがなくなると、自動販売機はもはやロボットとは呼ばれなくなるわけです。実際、いま私たちは、自動販売機を見てもロボットだとは思わないですよね。

あるいは１９６０～７０年代には「産業ロボット」と呼ばれるものが普及しましたけれども、現代的なロボットのイメージだと、産業ロボットは主流ではないですよね。つまり、ロボットが人間の仕事を代替するという見方が出てくるのは常に過渡期の状況で、実際に人間の仕事が機械に代替されて、それがもはや人間の主要な仕事ではないということになってしまえば、「ロボットが人間の仕事を代替している」ようには見えなくなる。この流れが、毎回忘れられ、繰り返されているように見えます。

「ＡＩが人間の仕事を奪う」と言われる現象は、「新たな技術の登場によって仕事の環境が変わる」とも表現できるわけです。「ロボット」や「ＡＩ」といってもソフトウェアやハードウェアなんだから、技術的な環境が変わるだけで、それに沿って労働の仕方も変わっていくだけだ、と。

ただ、これはやはり、そうした変化のなかでうまいことやっていける人の側の言い分でしかない。うまいこと新しい環境に合わせてやっている人はそう言えるけれども、実際その状況についていけない人からすれば「機械に仕事を奪われた」という言い方も妥当ですよね。

とはいえ僕自身は、「人間と機械が競い合って機械が人間の仕事を奪う」という考え方、あるいは「機械やロボットやＡＩは道具にすぎないから仕事の環境が変化しているだけだ」という考え方のどちらでもない見方をとっています。このふたつの言い方は、いずれも、「人間の側も機械によって変化する」という視点を欠いているからです。何を人間らしいものとするか、何が働き方として有効なのかということ自体が、人間が機械と相互作用するなかで変わってくる。「人間なるもの」のあり方自体がテクノロジーとの関わりを通じて変化していく。だから、人間と機械のどちらが主でどちらが従でもない、一方がもう一方を支配するのでもない、そうした互いに影響を与え合うような相互作用においてお互いがどう変化してきたのかという観点から、調査や分析を行ってきました。

ＡＩはプロ棋士になれるか？

松村 久保さんが研究されているなかで、人間と機械のどちらが主か従かわからないような形で展開しているものというと、例えば、将棋界におけるＡＩ、つまり将棋ソフトがプロ棋士に勝ってしまうみたいな状況がありますよね。まさにいま、将棋をする能力において人間よりもＡＩが強く見えるような状況が起きていると思うんですが、これは「ＡＩが棋士よりも強くなっている」と言えるんでしょうか。

久保 それはすごく言い方が難しいですねぇ。つまり、将棋ソフトは単体で動いているわけではないので。すごく昔のパソコンを使えば棋士が勝ちますよね。

松村　たしかに（笑）。

久保　あるいは、大量の熱いコーヒーをパソコンにかけてしまえばいい。

松村　（笑）。

久保　でも、じゃあ、なんでそれをしてはいけないのかということですよね。

例えば第2回将棋電王戦では、数百台のコンピュータをつないで並列処理で動かす将棋ソフトが出てきて、実際にめちゃくちゃ強かった。第3回電王戦からは、人間ひとりに対してパソコンも1台であるべきだという意見が出て、複数のコンピュータが用いられるのは禁止されましたが、単一の整合性をもったプログラムを動かすという観点からは、コンピュータが1台でなければならない理由はありません。なぜ1台のパソコンがひとりの人間と同等だと言えるのか、なぜ1人対1台がフェアなのか。考えるとよくわからないですよね。

というのも「ひとりの人間」に相当する明確な単位がコンピュータにはないからです。人間のプロ棋士と将棋ソフトが戦う場面において何がフェアな勝負の条件なのかはあらかじめ確定できない、ということですね。

実際問題として、最新のハードウェアとプログラムによって、トップ棋士を圧倒的に蹂躙《じゅうりん》するようなソフトはつくれるでしょうし、そんなソフトはすでにあるとも言えるでしょう。でも、「将棋の強さ」をいったいどうやって測るのか、人間と人間以外のもののあいだに、共通する強さの基準があると言えるのかという問題は、簡単には答えが出ません。

たしかに勝負における勝ち負けはわかりやすい強さの基準のように見えますが、人間を測る基準と機械を測る基準がそもそも違うので、プロ棋士と将棋ソフトを対決させることは、「異種格闘技」のようなものにならざるを得ない。「猪木対アリ戦」のような、全然違う基準で測られる強さがぶつかる場合、単に勝敗によってどちらが強いのかを判定することはできない、ということですね。

例えば、第3回電王戦で将棋ソフトに負けた棋士がリベンジを試みるエキシビションマッチが行われて、棋士が将棋ソフトに勝ったケースがありました。そのとき、実際に指している将棋盤とは別に、もうひとつ「継《つぎ》盤《ばん》」と呼ばれる将棋盤を用意して、棋士は継盤で駒を動かして検討しながら指しました。そうすることでミスが少なくなりますし、戦っている棋士自身が候補手の検討を言語化してくれるので見ているほうも面白かったのですが、電王戦本戦では導入されませんでした。なぜ導入されなかったのかというと、棋士同士の公式戦では継盤など使わず頭のなかで考えているので継盤を使うと正々堂々と勝負しているように見えない、という理由くらいしか思いつかないですね。でも、将棋ソフトは、実際の指し手も候補手の検討も同じ種類のデータとして処理しているわけですから、棋士も継盤を使ってその両方を同じ媒体（将棋盤）で把握するのがフェアだとも言えます。結局のところ、棋士とソフトのフェアな勝負の条件というのは、「1人対1台」とか「継盤は卑怯」といった曖昧な理由で設定するしかなかった、ということかと思います。

あるいは将棋ソフトのほうも、棋士と同じようには戦っていないわけです。将棋ソフトは休憩せずにずっと計算し続けています。でも人間には体力的な限界がある。すると将棋は純粋に知性の勝負のように見えても、実際には「一局の将棋」の区切りをどこでつけるか、という問題が出てきます。

例えば、先ほど話したエキシビションマッチは、大晦日の朝10時に始まって元旦の明け方4時ぐらいに「指し掛け」（対局を中断して後日続ける）という裁定がされました。序盤は一進一退で、日付が変わる頃には棋士側が優勢になっていましたが、ソフトがあきらめの悪い手を指し続けてなかなか終わらせてくれない。プロ棋士だったら、これはもう負けだと思って、お正月だしここら辺で投了か、となるわけですが、ソフトはそういう判断をしませんので、延々と指し続けるわけです。

そうすると、そこで比べられている強さとはいったい何なのか、同じ基準で比べられるものとして考えていいのかという問いが出てくるわけです。ですから、「ロボットやＡＩが人間の仕事を奪う」というときにも、人間と機械の知性を同じ基準で測って比べられることが前提になっていますけど、そもそも同じようには測れない、

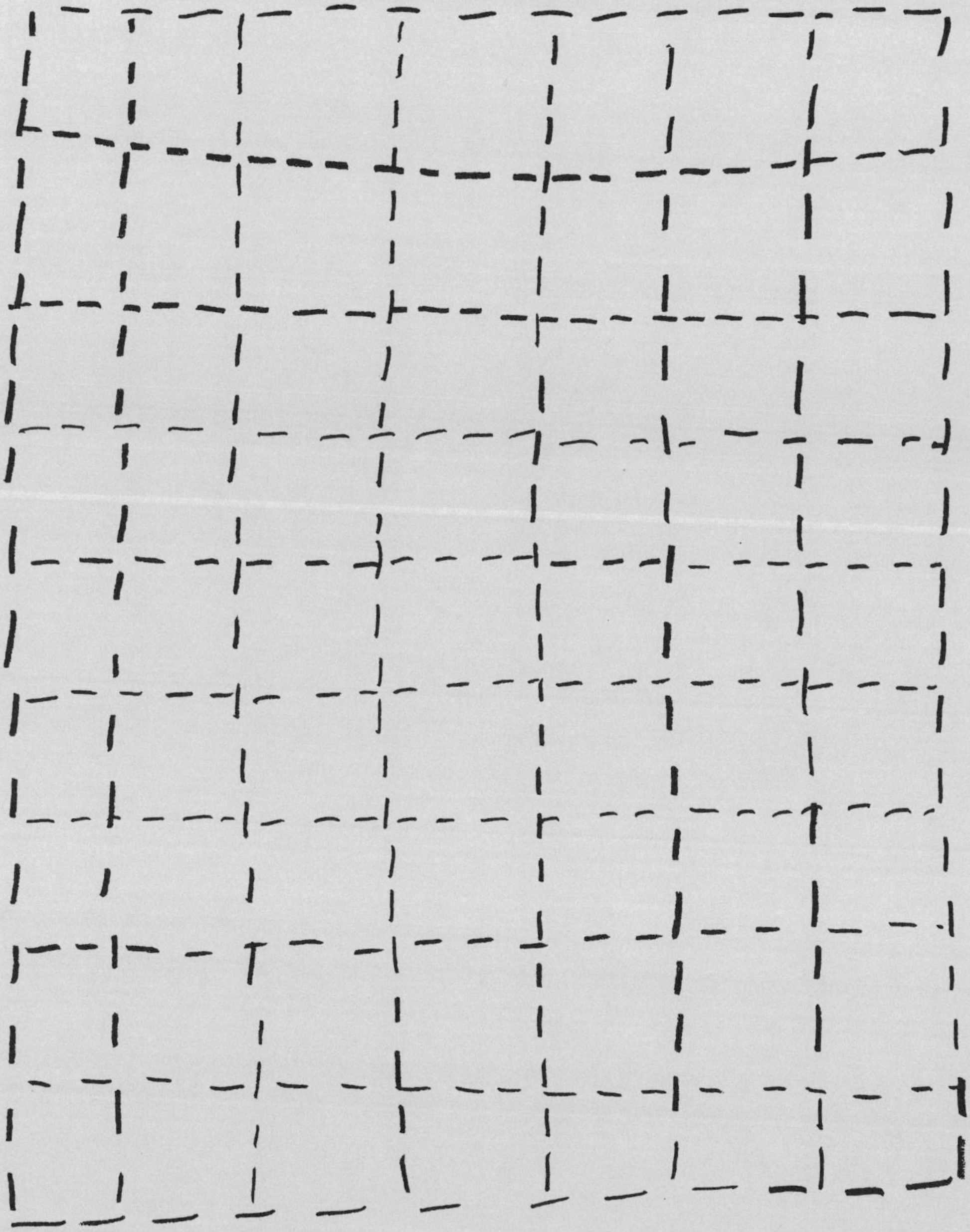

ということが問われるようになると考えています。

松村　どんなにAIソフトが出てきても、プロ棋士という仕事が単純に奪われるみたいな話にならないわけですよね。

久保　それも結構、難しいところですよねぇ。例えば、藤井聡太さんがプロデビューしたときに、ある将棋ソフトの開発者の方が、「おいおい、14才でよりによって『AIに奪われる職業ナンバー1』に決め打ちしちゃだめだろ。たぶん10年後、遅くとも20年後には棋士は『食べていける職業』ではなくなる。20年後、34才。どうすんの」といったコメントをして話題になったことがあります。

棋士の方々は、「将棋を指して大半の人間より強いことを結果で証明する」ことによって、具体的には奨励会三段リーグを勝ち抜くことによって、棋士という職業についているわけです。それが棋士の仕事だと言うのであれば、それはたしかにソフトによって代替可能であるように見えますよね。でも、現時点では公式戦にソフトは登場しませんから、対局という最も主要な仕事がソフトに代替されるといったことは起きていませんし、その兆候もいまのところ見えません。そもそもプロ棋士の仕事は何かというと、将棋を指すだけではなく、生中継で対局を解説したり、将棋ファンが集まるイベントで多面指しをしたり、企業の将棋部に招かれて指導対局をしたりもします。そのほとんどの場面で、自らの心身をもって将棋を知り尽くしていて、それについて語れる人物であることが大きな意味をもっています。いまの将棋ソフトは、候補手と評価値しか出してくれないですから、その意味がわからない将棋ファンにとっては、やはり棋士が解説してくれないと楽しめないわけです。

松村　そりゃそうですね。

久保　あるいは、棋士の方は「揮毫《きごう》」といって、扇子や色紙にかっこいいことばを書きますね。「天衣無縫」とか「百折不撓」とか、普段あまり使わないような漢語を記すわけですが、若いときから書道の指導も受けていて、みなさん書もうまい。タイトル戦ともなれば全国の老舗旅館に赴いて、その地方のお偉いさんたちと歓談し、高価な和服を着こなして対局に臨みます。和服を着こなすことが将棋の強さと関係するとは思えないけど、和服もスーツもうまく着こなせないから、いつも公式戦はジャージです、という棋士はいないですよね。でも、これを機械で代替しようとすると、ちょっとわけのわからない機能の寄せ集めになってしまいます。正座して、たまに胡坐になって、時々立ちあがることができて、和服の着こなしも書もうまい機械というのは現在のロボット工学の水準からいっても難しいでしょうし、さまざまな将棋ファンやお偉いさんたちと歓談できる高度な会話能力を備えたプログラムというのは現在の人工知能研究の水準からいっても簡単ではないでしょう。たしかに「遅くとも20年後には」こうした機能も実現可能になっているかもしれませんが、そんな奇妙な機械を誰が望むのかというとよくわからないですよね。むしろ、将棋棋士という仕事がこれから「将棋を指して強い」という機能にどんどん還元されていけば、ソフトによる代替は可能だと思います。でも、そういう仕事をする人って「将棋はすこぶる強いが、服はいつも同じ、解説に呼ばれても候補手と評価値しか喋れず、勝っても負けても何の感情も示さない」人なんですよね。

人間が行う仕事が、ある入力に対して特定の出力が返ってくるという機械的な機能として捉えられる限り、機械との優劣の比較はできますし、ある職業がそのようにしか捉えられなくなれば、それはたしかに機械によって代替され得ます。でも、私たちが漠然と「仕事」と呼んでいるものは、そういった機能では捉えられない特徴をたくさんもっているのではないでしょうか。

棋士という仕事は、将棋を指して強いだけじゃなくて、和服の着こなしとか、話の上手さとか、将棋とは直接関係ない色々なことが結びついて形になっている。そして棋士だけじゃなくて、仕事というものは結構そういうものじゃないかと思うわけです。

特定の機能で捉えれば、より効率的な機械に置き換わり得るように見えるけれども、実際私たちが仕事と呼んでいるものには、休憩時間の雑談とか、出張から帰ってきたらお土産を配るとか、愚痴や陰口を聞くとか、顧客に笑顔で接するとか、仕事なんだかどうなのかよくわからないものが付随してあって、さまざまな関係性のなかで成り立っている。そのうちの一部のものが、仕事として浮き上がって見えているけれど、仕事というものは、そうしたさまざまな関係性の効果として、特定の機能、入出力が仕事として見えるようになっているということなのではないか、と思っています。

松村　どんなにＡＩソフトが強くなっても、ＡＩソフト同士が対戦するのを見ても、たぶん全然面白くないわけですよね。

久保　まあ、現時点ではそうですよね。ソフト同士の対局はいまのところ「この手は人間には指せない！」という驚

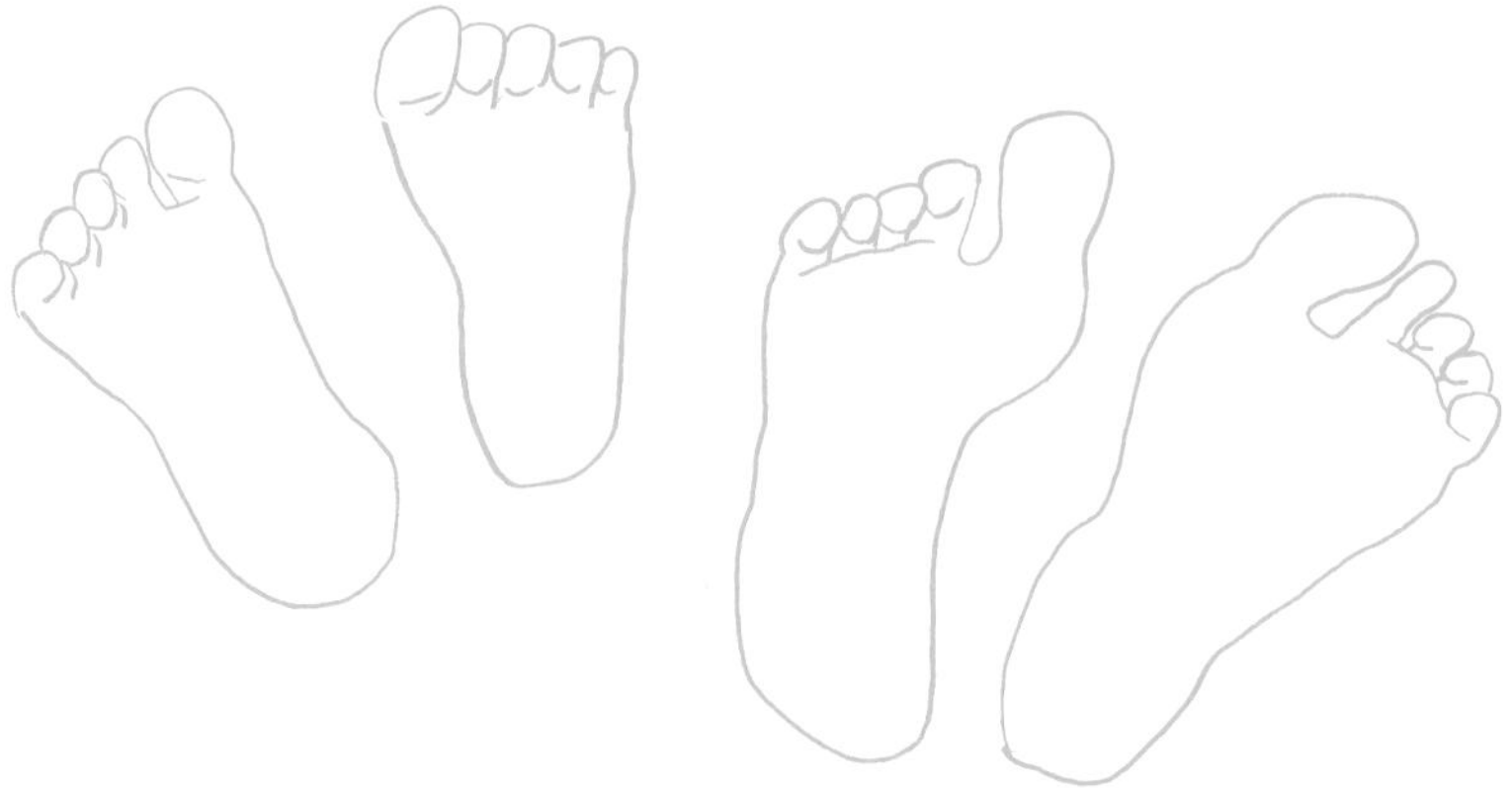

きとか「この手は人間の将棋にも導入できるだろうか?」といった興味でしか観戦されていないと思います。でも、その「つまらなさ」というのは別に本質的に機械が面白さをもっていないということでもなければ、人間は本質的に面白くなる性質をもっているとか、将棋を見ている人は人間の生の感情を見たいんだ、ということでもないんじゃないかとは思います。むしろ面白さというものは関係のなかで生じるわけだから、機械であってもその関係性をうまいことつくれば、面白い対局をつくることはできるんじゃないか、という気もしますけどね。

松村　でも、いま人間がやっているプロ棋士の仕事の大半は、ただ盤上で将棋を指してゲームをする以外のことが占めているわけですよね。例えば、対局のお昼休憩で何を注文したかとか、デザートは何を食べたかとか、みんなそういうことに関心があって、それもまた棋士の仕事の一部になっている。

「仕事」というと、私たちは久保さんが言ったように、すぐに仕事の機能の部分だけを取り上げて、それが機械に置き換わるかどうかみたいな話をしてしまいがちだけれども、そもそも仕事を機能で捉えてしまうことがおかしいんじゃないか、という見方は面白いですね。プロ棋士の「能力」も、単に将棋の強さだけではない。解説がうまいとかしゃべりがうまいプロ棋士もいるように、その「能力」も、盤上での将棋を指すこと以外に広がっているんですよね。

久保　もちろん、将棋が強くなければ棋士にはなれません。でも、棋士を仕事として成り立たせているものは、将棋の強さだけではない。しかも、その「だけではない」ところに何が含まれるのかは、あらかじめ決まっていないんじゃないか、ということですね。

「人間=機械」の意味

松村　プロ棋士も引退まで常に勝ち続けていくわけじゃないですよね。どこかで衰えていくわけで。じゃあ負け始めたらすぐ引退になるかというとそうでもなく、あるキャラクターをもった存在としてみんなに親しまれるプロ棋士もいるわけです。そう考えると、私たちもいま色々なテクノロジーに囲まれて、例えばメールを打ちながら仕事をしていると思っていますが、その部分が本当に仕事なのか?仕事の能力ってなんなの?という問いが生ま

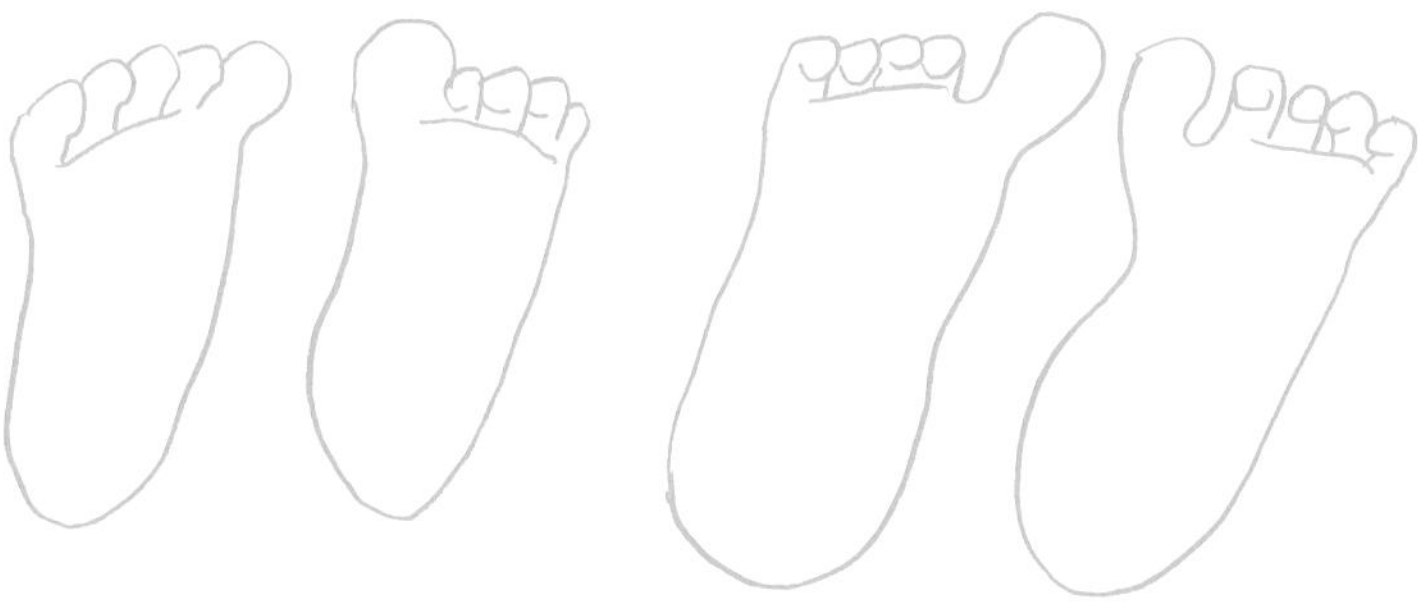

れそうですよね。

久保　それについてひとつヒントになると思っているのは、第二次ＡＩブームの花形だった「エキスパートシステム」です。１９５０〜６０年代がＡＩという概念が生まれた第一次ＡＩブームで、現在は第三次ＡＩブームですが、第二次ＡＩブームは１９８０年代前後で、このときに注目されたのが「エキスパートシステム」と呼ばれるアルゴリズムでした。医者や弁護士のような専門職の方々にヒアリングをして仕事の手続きを書き出して、それをアルゴリズム化するタイプのＡＩです。この当時も現在と同じくらい「ＡＩが人間の仕事を代替する」と騒がれながら莫大な予算が注がれたのですが、さほど広まることなく、その後ＡＩは冬の時代を迎えます。ですからＡＩ研究者の人たちは、今回の第三次ＡＩブームでも、またＡＩに過度な期待が寄せられるのではないかとすごく警戒しているところがあるようです。「ＡＩ」と言ってしまうと機械と人間の類比で語られるので、専門家の領分を超えて期待が拡大してしまいがちです。

話を戻しますと、結果から言えば「エキスパートシステム」は、医者や弁護士の仕事を完全に代替することはなかった。そうすると、医者の仕事にも、医者が自分の仕事だとは思っていないことも含んでいる可能性があることになりますよね。例えば、「権威のある雰囲気でにこやかに笑う」とか「世間話をしながら医者としての信頼感をアピールする」とか。

松村　大事ですよね。

久保　あるいは、「プラシーボ効果」ですね。プラシーボ（偽薬）に伴う効果は、当然ですが、偽ではない本物の薬にも伴っています。本物の薬のプラシーボ効果を使いこなすのは、かなり難しいことだと思うんです。

実際、本来なら薬を出さなくても良いような症状でも、患者さんが薬を欲しい場合にどうするかは「世代や個々人によって考え方がかなり違う」と医師の方から聞いたことがあります。でも、プラシーボ効果を考慮に入れながら薬を処方するという作業が、「エキスパートシステム」の開発時にリスト化されるとは考えにくいですね。どういう場合に薬を出すべきなのかは結局その状況に応じて、つまりその患者さんがどういう仕事をしていて、どれくらいの年齢で、その人がその薬を服用したらどういう効果がありそうか、とさまざまな関係性のなかで判断されているのではないかと思います。

それを厳格に形式化してフレームを決めて、そのなかで計算するとなると、そもそも診察のような場面で行われている患者さんとのやり取りの幅をかなり限定しなくてはならなくなる。もちろん、ある程度アルゴリズム化はできるだろうけれども、そこで捨象されるものがあるとしたら、機械的に処理できる計算のフレームの外にあるものを、どう扱うかという問題だと思います。

アルゴリズム化できる機能に囲い込むことができた仕事は代替され得ますが、そうなった場合でも、フレームの外にある仕事は、仕事全体の関係性のなかで再編されることになり、その結果、仕事や働くことのあり方がいままでとは変わってくることにもなる。僕自身は、そうやって「仕事」と「仕事と思われていない仕事」の関係性が、テクノロジーの変化によってどう変わっていくのか、を考えたいと思っています。

松村　お話を聞きながら人類学ならではの見方だなと思いました。何が「仕事」なのかという区切り方をちょっと変えてみるだけで、いままでとは違う景色がばーっと広がるお話だったと思うんです。若林さん、いかがですか。

若林　AIというと「専用AI」と「汎用AI」の区別とがあるように思うのですが、いまのお話は、そもそも専用AIですら、実はつくることが難しいというお話だったかと思うのですが、そうだとすると「汎用」なんて夢のまた夢という感じもしますが、いわゆる「汎用AI」について、どう考えたらいいんでしょう?

久保　人間との類比性において汎用というものが考えられる限りは、それは常に不完全なものにとどまりますよね。つまり、完全に人間と同じようにAIが動けるんだったら、別にAIではなくて人間をつくればいいんだという話になりますから。

でも、あくまで人間ではないものを人間に近づけることに意味があるわけで、人間に近いものをつくることは、人間になることを必ずしも意味しないとも思うんです。ヒューマノイドにしても汎用AIにしても、虚焦点、あるいは消失点のようなものとして「人間＝機械」になるような機械がイメージされていて、そこに近づけていくように見えて、実はそこに行くためではなく、むしろ、そこに行くことがどういうことかわからないから「人間＝機械」ということに意味があるという感じになっているんだと思うんです。人間と完全に同じAIができるなら、別に人間がいるから要らないじゃないですか。

若林　そうですよね（笑）。

久保　なので、人間とまったく同じ機械自体にではなく、そこに向かっていく運動にこそ意味がある。人間と機械が完全にイコールになるような状況に向かって人間と機械を結びつけていくことは、その過程において色々と副次的な効果をもたらすから、その限りにおいて意味があるのだと考えています。

若林　日本のロボット産業は、わりと機械に人間と同じことをさせることへのオブセッションが強いですよね。

久保　人間と同じことをする、と言うとき、「同じ」の内容をどう設定するかで、さまざまなバリエーションがありえますよね。最近はそのバリエーションの内実も変わってきていると思うんですが、僕が『ロボットの人類学』という本を書いたときには、日本における機械と人間の類比性は、「身体」においてイメージされることが多い、ということに注目しました。例えば、阿波踊りをロボットが踊るなんていうデモンストレーションは、欧米圏ではあまりないです。

若林　ないんですね（笑）。

久保　欧米圏で焦点が当たるのは、「身体」よりも「知性」ですね。『2001年宇宙の旅』の「HAL」のように、知性の働きにおいて人間と同等の能力をもつ機械に対する関心が非常に強い。ですから、例えば、欧米のAI研究者は「HAL」の誕生日を祝っていましたけど、日本ではなかなか想像しにくい。「HAL」はバグを起こして人間を殺そうとした機械ですから。でも、アーサー・C・クラークの小説版だと最後にみんなで仲良く宇宙空間を飛ぶんですよね。

若林　そうなんだ。

久保　小説版の4作目（『3001年終局への旅』、ハヤカワ文庫SF）で、蘇生したディスカバリー号の乗員と「HAL」が宇宙を飛びながら対話する、みたいな場面があったかと。純粋な知性と思考の飛翔が描かれるのですが、こ

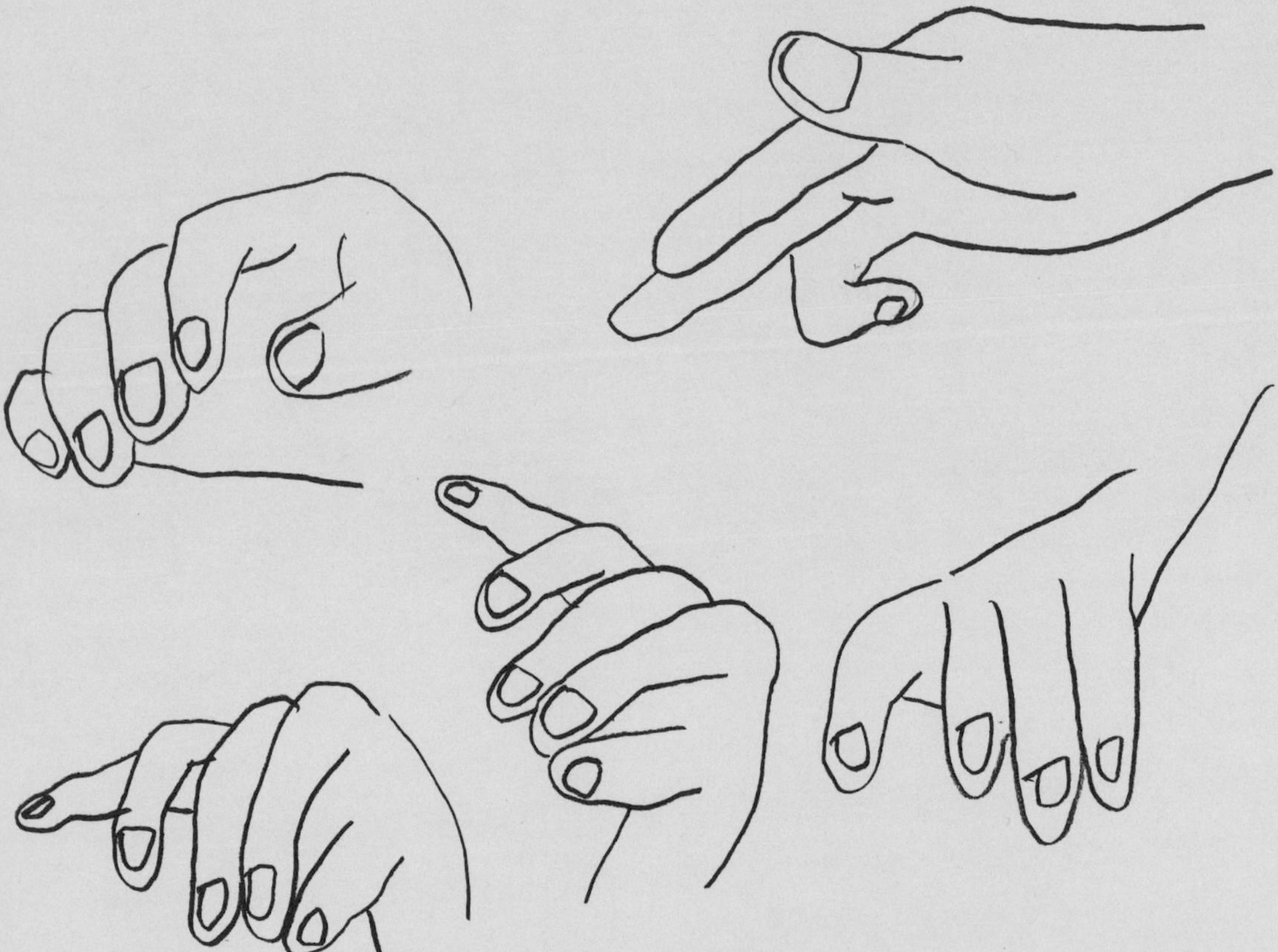

れは日本語圏では非常にわかりにくいニュアンスのように感じます。日本のマンガやアニメでＡＩというと、どちらかと言えばネガティブな、中央集権的な権力組織の自動化したようなものが出てきやすい。

もちろん、最近では日本語圏でも「自分の記憶を全部クラウドにアップロードしたい」といった語り方も多少出てはきているので、機械と人間の類比性の焦点も変わってきているとは思うのですが、いずれにせよ、人間と機械の何が「同じ」と言うかによって、方向性が全然違ってくる。そこには色々なバリエーションがあって、それによって人間も機械も捉え方が変わるのだと考えています。差異と類似が常に違う形で更新されていくというか、さまざまに分岐していく。その運動を生みだすために、「＝《イコール》」が必要なのであって、「＝人間」に近づけることによって、結果的に「＝人間」じゃないものを生み出しているのではないかと思います。

そしてすべてが「仕事」になる

松村　いま私たちは、仕事と仕事でないものとか、人間と人間でないものとか安易に前提をもって考えてしまいがちだけれど、実はそんなにきれいに切れるものではなくて連続していると感じました。そして、そのあたりから、働くことの意味も問い直せるのかもしれない。

つまり、私たちは単純に「仕事が機械に奪われる」イメージをもってしまいますが、そう思ってしまう前提には、そのときの「仕事」を「機械に置き換えられるもの」として定義しているという、すごく単純化した仕事像があることが見えてきましたよね。プロ棋士の話なんてまさにそうで、実はプロ棋士は将棋を指しているだけじゃない。言われてみるとそうなんだけど、目を開かされる感じがします。

仕事と仕事でないものはどう区別できるのか、人間とはどういうものか、私たちは深く考えないまま、ある決まったイメージで仕事や人間を捉えたり語ったりしている。そうした当たり前を違う角度から問うところが、まさに人類学的だなと思ったんですけど、特に「仕事」と「仕事でないもの」の区切りは、コロナの影響でテレワークが進んでいるなか、かなり難しくなってきていると思うんです。久保さんは、仕事と仕事でないものの関係をどのように捉えていますか。

久保　「仕事と余暇」とか、あるいは「仕事と生活」とか色々な言い方があると思うんですが、「仕事とは何か」というのは、「余暇とは何か」あるいは「暮らしとは何か」、「家庭とは何か」といった、仕事の対極に置かれるものとの関係によってある程度規定されているし、それに従って変化していると言えるように思います。ただ、仕事と余暇の区別の弱体化は、コロナ禍によって起きた変化ではなくて、それ以前から進んできたものではないでしょうか。

というのも20世紀末ぐらいから、仕事というものはもっとフレキシブルになされるべきであり、固定した組織ではなく関係性を変化させながら仕事をするネットワーク型の仕事のほうが望ましく価値があるとされるようになってきた。例えば「フリーター」が良いことばとして広告代理店を中心に喧伝されたとき、最初はそれまでの働き方に対する批判としてあったと思うんです。これは「余暇」についても同じことで、「レジャー」という概念も、それまでの働き方に対する批判として出てきた。しかし「レジャー」というものが次第に規範化していき、全国にドライブインができたり、マイカーで通勤したりするようになり、週休2日が一般化していく、そういったさまざまな状況の変化のなかで新たな働き方や働き方をめぐる規範が生まれてきたのではないか。つまり、「余暇」のあり方と「仕事」のあり方が互いに影響を与え合いながら変化してきたのではないかと思うんです。

仕事と余暇の区別が弱体化するのは良いことだとされてきた一方で、非常に困った状態も生み出していると思います。例えば、「仕事も遊びのようにやろう」となると、むしろ、遊びも仕事のようにやるようになってくる。

「ワーケーション」ということばは、「遊びながら仕事をする」みたいな感じでいいものに聞こえて「いまっぽい働き方ですね」とか言われそうですが、逆に言えば、旅行していようがキャンプしていようが、スマホを開けばそこで仕事ができてしまう、仕事から逃げられない、ということでもありますよね。

松村　そうですね。

久保　でも、そんなふうにはできない仕事もいっぱいありますよね。プレゼン資料をつくる仕事は、キャンプをしながらでもできますが、道路工事はキャンプしながらはできませんよね。なんにせよ、コロナとは無関係にそれ以前から、より自由によりフレキシブルに働くことが、ある種のカウンターとして良いことだとされるようになっていて、それによって経済的な利益を活性化させられる制度とか会社のあり方、働き方がある程度制度化されたからこそ、リモートワークもできるようになっている。

そこには、もちろんITやSNSのようなサービスの発展も関わっていますよね。例えば、Slackのような、24時間ずっとチャットでやり取りできるものが仕事に導入される。そうすると、1990年代には「便所の落書き」と言われていたインターネットや情報技術のイメージ、つまり自分たちの日常生活からは遠くにあった仮想の世界が、むしろ現実と連動するものになってくる。

そうやって仮想と現実の区別がなくなっていくと、現実自体が、より自分の行為の文脈を広げて拡張していくべきものとして規範化されることになる。インターネットは2000年代前半くらいまでは仕事と関係なく遊ぶ場所だったのに対して、現在では「仕事のように遊んだり、遊ぶように仕事をする」場になってきているのではないでしょうか。

そこで重要視されるのは、クリエイティビティですよね。僕はこのことばがすごく嫌いなので使いたくないですけど（笑）。「仕事のような遊び」とはどういうことかというと、そのやり方、具体的には使っているアプリが仕事でもプライベートでも大体一緒だということです。プライベートで動画をつくったり、投稿したり、YouTubeをするのも仕事と同じようにできちゃう。そうすると、仕事と遊びの区別がなくなって、すごく生産的になる部分がある一方、ものすごくしんどくなる部分がある。仕事じゃないものとして遊んでいたつもりが、仕事のようになっていく。そうやって仕事と余暇の区別が弱体化、あるいは消滅することが、私たちの生活に多くの自由と不自由とを同時にもたらしているのではないか、と考えています。

松村　仕事は余暇のように楽しむべきことで、自分の好きなことを仕事にするのが良いことで、だから自由に仕事を選ぶんだ、みたいな価値観を久保さんは「規範化」とおっしゃったんですけど、それが良きものにされた途端、すごく窮屈になる面も同時に生じているということですよね。

久保　従来の会社や職場が、仕事と余暇の分割を前提にしたものだったとして、そこに個人的なものを入れ込むことによって、会社側から見ると、労働力をすごく生産的に活用できるようになった。これは搾取だとも言えますが、労働者側から見ると自分の好きなことを好きなようにやれるようになっているという意味では良いことだとも言える。つまり、自由と不自由とが同時に生じている、ということかと。

松村　しかも自分の能力を高めるとかスキルアップするみたいなことが、プライベートの時間でやることがいまや前提とされていて、そこでどれだけ能力を高めたかが仕事の評価にもつながってくるとなると、どこにも仕事以外の時間がなくなってしまいますよね。「ワーケーション」みたいなことも考えたら、楽しんでいる余暇の時間のなかにも仕事が侵食して、極端に言うと、私たちの生活のほとんどの時間が「働く」に埋めつくされてしまう。

久保　20世紀初頭に「ロボット」ということばを生んだカレル・チャペックの戯曲『RUR』のなかで、ロボットを生産するロッスム・ユニバーサル・ロボット社の社長ドミンによる次のような有名なセリフがあります。

「何もかも生きた機械がやってくれます。人間は好きなことだけをするのです。自分を完成させるためだけに生きるのです」

ロボットが全世界に流通することで、嫌なことは全部ロボットがやってくれる。肉体仕事や泥臭い仕事は全部ロボットがやってくれるから、人間は人間にしかできないことに専念できるようになるというわけですが、いまの話で言えば、これはある意味でもう実現しちゃってるわけですね。ある範囲では機械がすべてをやってくれています。その結果どうなったかというと、「好きなこと」をすべて仕事としてやらされるようになった。YouTubeのキャッチコピーに使われている「好きなことで、生きていく」ですよね。やりたいことをやっているんだけど、それはすべて仕事みたいになっていて、会社を離れた余暇の過ごし方も、自分を成長させるものであると納得できるもの、他の人に評価されるものでないといけなくなる。簡単に言えば「いいね！」をもらえないといけない。でもたくさん「いいね！」をもらうために必要なことは、自分自身の労働力を含めて商品を売ることとさほど変わらないから、遊びも仕事とあまり変わらなくなる。そんなのは嫌だと言ってIターンして農業をやるという選択肢もあるけれども、そこでも日々の暮らしをTwitterでつぶやくことになる。

松村　で、「いいね！」をもらうと。

久保　ここから逃れられるのか、という話ですね。逃れたつもりでいてもTwitterやFacebookで自分のやっていることを誰からも評価されうるような形で流す、という意味では同じことをやっているのではないか。

松村　かつては、自分の余暇やプライベートな時間の過ごし方を誰か知らない人に評価されるなんて想像できなかったと思うんです。ところが、身近なツールとしてTwitterやInstagramのようなSNSがあることで、余暇の過ごし方やどんな豊かで充実した人生を送っているかも世間からの査定の対象になって、そうした仕事ではなかったはずの生活も仕事化させられてしまっている、と。

久保　大事なことは、こういうことは私たちが自ら進んでやってることだ、ということですね。

松村　そうなんですよね。働いているわけでもないのに、あたかも働くかのように互いの成績表をつけ業績を評定する世界に、自分から喜んで身をさらしてしまっているんですよね。

久保　自分の行為のリストをばらまいて評価を呼び込もうとするのは、趣味に関してはSNS以前にもそういうことはあったと思います。

松村　そうですね。マニアックな趣味とかですかね。

久保　ただ、現在では、趣味の集まりのなかで評価されると、そうした集まりを超えて同時にもっと広い範囲に伝わる可能性もありますよね。「蛸つぼ」みたいな表現に代わるようにして「クラスター」という表現が広まってきましたが、ある趣味のクラスターのなかでの振る舞いであっても、どこかで外側を気にしながらさらされていて、外とつながることは避けがたくなりつつある。

　そうなると、ネット上の仮想の世界と現実的な社会関係という区別が薄れてくるわけです。区別が弱くなることによって、現実の行為の文脈を広げていけるようになるし、広がってしまうようになる。自分の行為や発言の流通する範囲をどんどん広げていくことは良いことだとされるために、逆にその範囲を広げられないこと、例えばフォロワーが増えないとか、あんまり「いいね！」されないことが自分の潜在的な価値を損なっているように感覚されるようにもなります。そこで、「SNS疲れ」とか「SNS断捨離」みたいな表現も出てくる。ミニマリストのような発想というか、どんどん拡張していくことに対する反発みたいなこともかなり強くなっているようにも感じます。そのときに、行為の文脈を常に拡張していく運動の対極にある、自分が食べていける分だけ自分の手でつくる、農業のような仕事がそうしたミニマルな選択としてイメージされやすい、ということか

と思います。
けれども、ミニマルと言っても、何を基準に最低限必要なものとそうでないものを分けるのかが問題になりますよね。「ミニマルとはこういうものである」と定めたとき、これは本当にミニマルなのかということをめぐってまた他者からの評価が気になってくる。そうすると「ミニマルとは何か」が変化することになり、再び拡張に向かう運動が生じてしまう。そうなると、結局、それはミニマルとは言えないものになってしまいます。それをもう一度限定していくと、またそれがミニマルであるかのように見える、という往復運動のようなことが、起きているのではないかと思っています。

プログラム化されていく調理

松村　久保さんは、最近出された『「家庭料理」という戦場』という本のなかで、まさに家庭でご飯をつくって食べるという、仕事とは関係ないプライベートの領域を対象に、自分でレシピをつくったりしながら研究するという面白い本を出されているんですけど、それは家庭という現場も仕事とは切り離されてはいないということですよね。

久保　そうですね。例えば、1、2年くらい前にSNS上で「家事の見える化」という家事を可視化する試みが注目されたことがありました。僕が読んだブログ記事では、自分と夫がやっている家事を全部タスクごとに洗い出して表にしてみるんですね。そうやって可視化してみると、夫は家事をたくさんやっていると思っていたけど、実際は私のほうがはるかに多くやっていて、つくった表を夫に見せたら家事負担の違いがこれだけあるとわかってくれた、「見える化は素晴らしい！」みたいな記事でした。
でも、その記事に書かれている家事の項目は、ものすごくばらつきがありました。例えば夫がやっている家事は、「子どもの送り迎え」とか「風呂掃除」などで、始めと終わりがあってどこか会社の仕事っぽいものが多い。一方で妻がやっている家事は「哺乳瓶を洗いながら乾燥機にスイッチに入れながら子どものお風呂の準備をする」みたいに断片的に連なって、ひとつのタスクが機能として捉えられないようなリズムのなかでなされるものが多いように思われました。

家事を可視化するというのは、ある意味では先ほど松村さんがおっしゃったように、仕事と余暇の境界をなくす、仕事以外の時間も仕事のように考えることと近いと思うんです。「見える化」というのは家事のなかのタスクを細かく洗い出して可視化することで、「そうやってグラフ化して夫婦で負担を均等にすればいいんだ」と言われるとたしかにそういう気もするんですけど、でも、家事というものが、そこで言われている「タスク」という単位では捉えられないのではないかとも感じます。

これは家で料理をつくっているとよく感じることでして、例えば冷蔵庫のなかにはゴミなのかそうでないのかよくわからないものがありますよね。賞味期限が切れている納豆とか、しなびてるけどまだ食べられるかもしれないオクラとか。そういうのをなんとなく選別して料理をつくることは「タスク」なんですかね、と。むしろ、機械でいうとバグ取りに近い、機能からちょっと外れているものの腑分けですよね。食材の選択というのは、本来は料理をつくるための工程の一部ですけど、食材としての機能を失いかけているものを取っておくかどうするか、みたいな局面が家事にはたくさんあるわけです。だから家事も「仕事」として捉えることはできても、それだけでは捉え切れない部分があるのではないか、と。

家事代行サービスの市場価格を基に家事の値段を査定して、専業であれ兼業であれ、家事をやっている人の年収を算出するサービスがあるのですが、そのとき、家事代行サービスと同じように家事を査定したとして、それに納得できないという問題もあるかと思います。

家事という、いままで職業ではないとされてきたものを仕事として捉えると、始めと終わりがある仕事のように把握され、そのように捉えきれない作業はカウントされなくなってしまう。それまで仕事として捉えられていなかったものを仕事のように捉えることは、それによってなかったことにされてしまう領域もあるのではないか、ということですね。

松村　「仕事を見える化する」というのは企業の話でよく耳にすることばですが、仕事においてグラフを使って可視化して語るようなやり方が、家庭内の領域にもどんどん入ってきているということですね。まさに家事を仕事として扱うわけですよね。仕事のように人生を語るみたいなことから逃れられないぐらい、色々な領域に入り込んでいるんだと思いますが、こうした語り口は、最近生まれてきたものなんでしょうか。

久保　そうですね、「自分が本当にやりたいことをやるべきだ」とか「好きなことで、生きていく」といった言い方もそうですが、もともとは従来の働き方を批判する意味合いで用いられてきた表現がだんだんと規範化されてきた、ということではないかと思います。同時にそこには、行為やその文脈を形式化して自由に選択できるものに変えていく運動が伴っていて、こうした動きは家庭料理の場合だと、レシピが工程表みたいなものになっていく過程として現れています。

例えば１９６０〜７０年代頃に、料理研究家たちが書いていた本は、いまの感覚だとレシピには見えなくて、エッセイみたいな文章なんですよね。なぜかというと、例えば「味噌大さじ2」と書いても、地域によって味噌の味も全然違っているので、そうした記述が意味をもたないからなんです。あるいは、60年代にはガスコンロがまだ全国に普及していないので、炭火での調理が前提ですから「弱火で15分」と一概に言えないわけです。

松村　「弱火で」と言われても、炭火だからずっと弱火なんだけど、と。

久保　そうすると、レシピではなくてエッセイみたいになる。でも、ある時期から、規格化されたガスコンロや換気扇や大さじ小さじのような調理器具がだんだんと普及してきます。流通も整備されていき、全国のスーパーである程度同じ食材や調味料が手に入るようになる。それによって、家庭の調理を分単位で、始めと終わりがあるような作業として捉えられるようになるわけです。１９７０〜８０年代になると、例えば魚屋で1匹丸々の魚を買うことよりもスーパーで切り身の魚を買うことが増えていく。一番わかりやすいのはサーモンで、サーモンの切り身は骨も少ないし、３Dプリンターの素材みたいなもので、すごく扱いやすいですよね。そういう形で食材も調理も次第に形式化しやすくなっていくことで、レシピがだんだんと工程表のようになってきたのではないかと考えています。

そこから先は、レシピがデータベース化されて、クックパッドとかクラシルのように食材から検索して組み合わせられるようになる。これは要するに、暮らすということが、「アプリ」によって操作できるようなものに次第に置き換えられてきたということです。

つまり「暮らしはデザインできる」という発想ですね。生活をどんどん新しいものに変化させていく、アプリを操作するようにさまざまなオプションから選択することによって暮らしをデザインする。自分がいいと思う生活を実現し、Instagram や Twitter にきれいな写真をあげて、シェアすることが可能になる。日常生活をデジタルなもの、あるいは機械と結びつけることによって、その処理可能性を上げていく。組み合わせて選択できるものにする。けれども、それは一方で、膨大な選択肢のなかからすべてを自分で選び、すべてを自分でデザインしなければいけなくなり、生活のすべてが自分の価値を高めるための仕事のようなものへと変換される、ということだとも言えてしまうと思います。

生活のアプリ化とデザインできないもの

松村　私たちはレシピが変わったことなんて、ほとんど忘れて意識していませんし、その背景に電子レンジが各家庭にあるとか、規格化されたコンロが各家庭にあるといった設備の普及事情があったことも見落としがちです。ガスコンロのような装置が各家庭に行き渡ることで初めて、「サーモンを弱火で15分焼く」というレシピが成り立つわけで、私たちが家事や料理と考えているものの背景には、それとは一見関係ないような社会的変化が一緒になって動いているんですよね。

久保さんの本のなかには「デザインする」ということばが繰り返し出てきます。余暇のなかでも自分の能力をデザインし、高めることができる。あるいは仕事も自由に選択し、デザインすることができる。なんでもかんでもデザイン可能になって働き方も自由に選べる、って、いいように聞こえて、実は私たちはそのことに苦しめられてもいます。自由を獲得してきたかに見える過程が不自由を生んでいるという皮肉な話にも聞こえるのですが、この状態をどう捉えたらいいんでしょう。

久保　『「家庭料理」という戦場』を書いたときに、1960～70年代に主に活躍した江上トミさんという料理研究家の本を元にいくつかの料理をつくりました。そのなかに「小アジのムニエル」というレシピがありまして、これはまずジャガイモを茹でて裏ごししてからバターと混ぜてマッシュポテトをつくって四角く整える。それをおろした小アジで挟んで小麦粉をはたいてバターで炒める。さらにシェルマカロニを茹でて、トマトを切って、それをバターで炒めて添える、という大変おいしい料理なんですけど、見た目が地味な割にやたらと時間がかかるんですよね。おいしいんですけど。

彼女は戦前にフランスの有名料理学校に通っていた人で、ヨーロッパの料理を日本の家庭でつくれるようにすごく工夫されていて、当時としては非常に先進的だったと思うんですけど、いまの自分の生活のなかで、この料理って非常に据わりが悪いんですよね。食べたらおいしいんですが、その「おいしさ」というのが自分の暮らしとズレてしまっていて、素直においしいとは言いにくい。バターが豊富に使われているので少し重たいわりに見た目は地味だし、ご飯に合わせるのかパンなのかも難しいです。そうなると、当時この料理にあったはずの価値が自分にはもはや感じられないように思うわけですね。

本にも書いたんですが、「小アジのムニエル」を現代風にアレンジするなら、ポテトをレンジでチンしたものをサーモンで挟んでオリーブオイルで焼いて、マヨネーズとマスタードを混ぜたものとミニトマトにベビーリーフを散らす、みたいになると思います。これだと半分ぐらいの時間でつくれます。『オレンジページ』とかにありそうな「おいしくて時短」なレシピですよね。それはそれでもいいのですが、そこに、どうやっても拭い去れない不自由さを感じるところがあるわけです。ある意味で僕らは集合的に、結果的にそちらを選んできちゃったわけで、その結果、「小アジのムニエル」をオプションとして選択できなくなってしまっている。ただ、レパートリーにはしにくいんだけど、「小アジのムニエル」の味はなかなか忘れがたいもので、たまに思い出してつくることはあります。

新たな自由の獲得というのは不自由が不可視化されることだと考えています。あるものが自由とされると、そこに伴う不自由さが感受されなくなる。同時に、何かが不自由なものだとされると、そこに込められていた自由が感受できなくなってしまう。「時短でもアイデアがあっておいしければいいじゃないか、それは手抜きじゃないよね？」というのは新たな自由の獲得だったのだと思います。でも、それによって、小アジをおろしたり、家庭でジャガイモを裏ごししたり、バターでトマトとマカロニを炒めてつけあわせにするといったことはやりにくくなるわけです。でも、家庭料理で裏ごしができないとか、少しジャガイモを茹でるくらいならレンチンを選ぶべきというのは「不自由」だとはされないですよね。むしろ時短で自由になった、となるわけです。同時に、すべての具材をバターで炒めたリッチな味わいで何を主食に合わせたらいいかもわからない、というのは当時の家庭料理においては新たな自由の提案だったろうけれども、現在ではとりまわしの悪い不自由なレシピだと思われてしまうわけですね。

松村　なるほど。当時の小アジのムニエルは、そんな贅沢な料理を家庭でもつくれるようになった、自由で豊かな時代が到来したことの象徴でもあった、と。

久保　揚げ物とかも似ていると思います。近年、家庭料理から揚げ物がだんだん消えていっているように見えますが、それは、揚げ物がアプリ的な「デザイン」がしにくい調理法だからではないか、と。どうしても油でレンジ周りが汚れますし、エプロンとかしないと服も汚れやすいですからね。クックパッドのレシピだと「油大さじ1」とか、ほとんど油を使わない「揚げ焼き」が多いです。ここにもまだせめぎ合いがあって、どこに落ち着くかはよくわかりませんが。ただ、そんな簡単にすべてがデザインできるようになるわけではなく、デザインできるようにしようとすればするほど、デザインできないものもゾンビのように蘇って、幽霊みたいに漂うようになる、ということかと考えています。それをもう一度どのように関係づけるかが、学問的にも日常生活的にも問題になってくるんじゃないかと。

松村　すべての料理が電子レンジやパッケージ化された既製品になると、短時間で簡単に調理できて主婦の自由な時間が増えたのも事実。でも、今度はそうした時短料理みたいなものに対抗して、やっぱり丁寧に土鍋でご飯を炊きましょう、出汁からきちんと取りましょうみたいな流れも出てくるわけですよね。でもどちらの流れも、それまでの規範を相対化して、そこから自由になる試みとして出てきたわけで、この自由と不自由の往復運動からそう簡単に逃れられるわけではないということですかね。

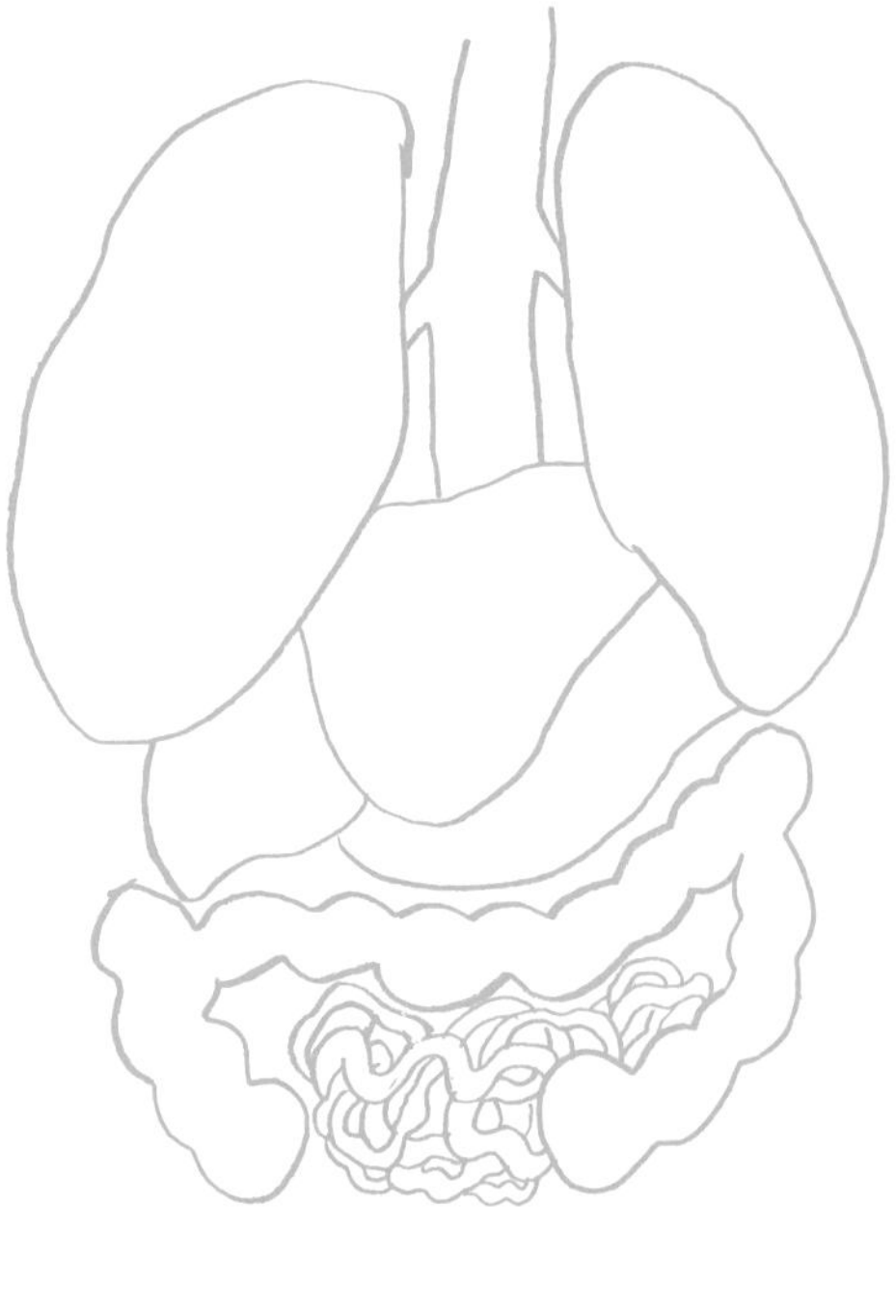

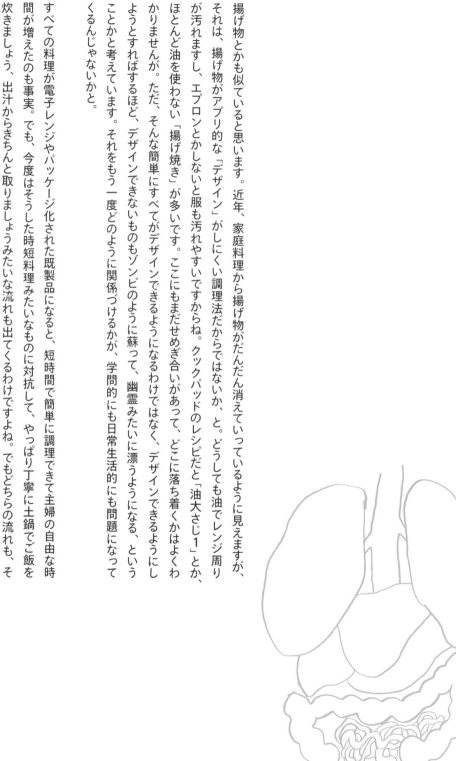

久保　先ほどのミニマリストの話もそうなんですが、あらゆるものがデザイン可能になるというイメージが広がると同時に、「デザインできないもの」とか「必要最低限のもの」、「本質的なもの」といったものが、まさにデザインのオプションとして提示されるようになる、ということかと。

例えば『「家庭料理」という戦場』の終盤では、土井善晴さんの『一汁一菜でよいという提案』（グラフィック社）を細かく検討しています。土井さんは、僕もいろんなレシピで日々お世話になっていますし、非常に優れた料理研究家だと思いますけど、いままで数多くのレシピを提案してきた人が、味噌汁とご飯と漬物だけでいいじゃないか、一汁一菜でよいのではないかと提案するのは、長期的な自作自演というかマッチポンプではないか？などと言えてしまうようにも思います。

ただ、多種多様なレシピが検索できる、膨大な選択肢が常にあることに疲れてくると、「最低限必要なことを丁寧にやろう」という提案が強い魅力をもつようになるのは、実感としてよくわかるところです。「SNS断捨離」みたいなものとも似たプロセスですよね。でも「一汁一菜」を実際に多くの人が実践できるかというと話はまた別で、この本のAmazonレビューでは、多くの人が一汁一菜を発想としては評価して褒めているんですが、90件くらいのレビューをすべて確認したところ、「実際にやってみている」というレビューは数件しかなかったです。ミニマルな生活というのも、選択肢のひとつとして提示されない限りは説教くさくなってしまうので、「提案」という形をとることになる。反デザイン的な発想からくる提案自体がまたデザインのひとつのオプションになるという仕方で、デザインできるものとデザインできないもののあいだで繰り返しグルグル回っていく状態になっているように見えますね。

松村　これまでの回でも、自由になるとか、仕事に使われるのではなく個々が自立して生きていくことを重視する社会がある、という話が度々あったんですけど、単純にこちらが自由でこちらが不自由な方向だとは言えないわけですよね。余暇に費やす時間が増えて単線的に仕事からの自由を獲得してきたわけでもなければ、余暇のなかに仕事が入り込んできて単線的に不自由になっているわけでもない。このせめぎ合いのなかに、いまの我々の働き方が置かれているんですよね。

若林　生活がアプリ化していくというか、アプリとか周りのシステムに適合的に自分たちの生活を断片化していくというのは、レシピにしてもそういうものだと思うんですけど、ここからはどうやったら逃げられるんですか。というか、久保さんは実際にどうしてます？　それに抗おうとするのは無駄なのか、あるいは、抗うためにこのぐらいはやっておこうぜ、みたいなことって何かありますか。

久保　僕は、それは基本的には自分たちが望んだことであって、自分たちがやってきた結果でしかないと思っています。働くことにしても暮らすことにしても、それらが固定されたものじゃなくてその前提から相対化できるものであり、相対化すべきものであり、新たに自分なりにデザインし直せるものではないか、という発想の広まりが、まさにこの「働くことの人類学」みたいな企画の背景にあると僕は考えています。自分の生き方を支える労働や生活といった土台から相対化しデザインしていくことが規範化されてきた結果、人類学的な相対化がそれに寄与しうるものとして再発見されたのではないかということですね。ですから「抗う」とか「逃れる」というのも何か違うような気はするんですよね。それよりも大事なのは、何がどのように不自由になっているのか、よくわからないこの不自由さとどう関わり続けるか、ということかと思っています。要するに「小アジのムニエル」みたいなものをつくり続けるということですけど、自分たちがやっていることのうちに自分たちが望んだこと以外のものが生じる余地をあけておく、それを感覚できる態勢を維持しておくという感じでしょうか。

若林　そうですか。

久保　いろんなことがアプリ化していくなかで、アプリ的じゃない要素が、そのアプリ化とどう関係しているのか。あるものが自由とされるときに、どういう不自由が見えない形で現れているのか。それと関わりながら、自由と不自由の関係がどう変わりうるのかを実際にやってみながら考えてみる、ということですかね。

若林　そうすると久保さんにとっての「小アジのムニエル」的なものを、常に見つけ出していくのが、まずは大事な作業になるということですよね。

久保　うーん。むしろみなさん少なからずどこかで「小アジのムニエル」的なものに遭遇しているんじゃないですかね。日常生活のなかでそういうものに遭遇することは、案外よくあることじゃないかと。で、そこで躓いたときに、躓いたところと自分のつなぎ直しを実際にやることができるし、考えることもできるんじゃないかとは思います。

若林　面白い。

久保　まぁ、自分たちが望んだ自由が不自由なものに思えてくるというのは、基本的には気持ちの悪い経験ですけどね。

みんないい限り、みんなちがっていい

久保　デザインの話については、「多様性の重視」というものが大きく関わってきていると思っています。「デザイン」の単位が個人化されているところが、いまのデザインということばの魅力ですよね。「みんなちがって、みんないい」という非常に有名になったことばがありますが、これはもともとは金子みすゞの詩の一節で、色々な受け取られ方があったとは思いますが、「サラリーマンになって、高い給料を稼いで、家を買って、車を買って、みんなそういう同じ生活がいいんだ」「みんな同じでみんないいんだ」という価値観に対する抵抗や批判として受け取ることもできますよね。

でも段々とこういう表現が一般的に良いものとして根づいていくと、じゃあ殺人犯やテロリストも「みんなちがって、みんないい」からそのままで肯定されるべきだ、とはならないですよね。そのような他人を害するような「違い」は暗黙のうちに「みんな」から排除され、抑制されることになる。そうすると論理が逆転してしまって「みんないい限り、みんなちがっていい」になります。それぞれがやっていることが何らかの形で認められる限りにおいて差異が肯定される、という話になる。

これは人類学の文脈においては、文化相対主義の問題と対応しています。つまり、世界中に色々な文化があり、そこに優劣はなくていずれも尊重すべきだと考えたときに、じゃあ人権侵害とされるような事例を異文化の慣習として認めていいのか、という話ですね。「みんなちがっていいかもしれないけど、そのなかにだめなものはあるでしょ？」という話になるわけです。これは、授業をしていると学生に必ず突っ込まれるところですね。

こういう問題に対して多くの人類学者は、何が良いか悪いかという基準があらかじめ確定できるという前提に立たずに、なぜいかにしてそういう慣習があるのかを調べ、記述し分析していくと思います。

「みんなちがう」ことのなかには、良いことだけじゃなくて悪いように見えることもいっぱいありますから、多様性を肯定するというのは非常に厄介なことですよね。その厄介さを早めに抑制しようとして「みんながいい

限り」という制約が暗黙のうちに展開される。それに対して、これがいいとか悪いという基準自体が常に交渉や問い直しというものに向けて開かれているということ、何がいいことで何が悪いことになりうるかはさまざまな関係性のなかで常に問い直されうるということが、まずは大事なんじゃないかと考えています。

松村　私たちは自分たちの暮らしをただ窮屈だ、みたいに捉えがちですが、そもそも自分たちが働いているのはどういうことなのか、自分たちがどういう前提のもとで仕事というものを考えているかを知らずに、いいとか悪いといった判断はできないですよね。もう少し丁寧に見ていくと、見えていなかった前提が浮かび上がってくる、それらを含めてどう考えるのかが大事なんだと。

　だからさっきの「小アジのムニエル」みたいな、忘れていた価値みたいなのをいま改めてどう引き受けて、もう一度自分の生活サイクルに組み入れていくのか、という別の問いに開かれていくようなイメージですよね。

久保　でも実際に「小アジのムニエル」みたいなものを僕らはいつも食べてもいる、ということなんだと思います。どこかから下りてくるんじゃなくて、主体的に探しだそうということでもなくて、僕たちは日常的にそういうものに遭遇しているんだと思うんです。遭遇しているんだから、こちらでできるのはそのつなぎ直しの作業を邪魔しないことかと。つまり、もう結論が出ているといって考えるのをやめたり、きれいに整理するようなことばにすっかり乗るのではなくて、それらのことばをむしろきれいじゃないもの、どうにも据わりの悪いものとどう結び直すのか、ということかと思います。

アフタートーク

好きかどうかわからないもの、遠いもの

「小アジのムニエル」が、まだちょっと理解しきれていない山下センター長と若林キャプテン。久保さんが、その「据わりの悪さ」をさらに解説してくださいました。

若林　今回は「デザイン」ということばが何度も出てきました。山下さん、デザインの大家じゃないですか。いかがでしたか。

山下　やめてください（笑）。本当に面白いお話でしたが、結局、人間は自分自身をAIのようにプログラムしているのかもしれないですね。世の中の予測不可能性をコントロールできるように、社会や働き方を計算しやすくプログラム化して、人間自身が合わせにいっている。そしてそれによって逆に苦しんでいるという不思議なことになっているんだなと。

若林さんが勧められているビアトリス・コロミーナの『我々は 人間 なのか？：デザインと人間をめぐる考古学的覚書き』（ビー・エヌ・エヌ新社）にもあるように、我々は本当にニュートラルに人間なんだろうか、むしろ自分たち自身で人間というものをデザインしているのではないか、という問いかけにも近いのかなと感じました。

若林　家事のお話があったじゃないですか。家庭ってみなさんどうお考えかわかりませんが、感情的な部分にあまりに重きを置いていくと面倒くさいことも多いように思うんです。ですから、家事にもマネジメントの観点を入れて、タスクを洗い出して、チケットを切って遂行していくようなやり方もありなのかなと思わなくもないところもあったりしたんです。私、バツイチで結婚が破綻したときに、これはちゃんと法人格としてちゃんと運営する仕組みになってないと難しいなと思ったりしたんですが、それってやっぱりダメですかね？（笑）。

久保　ダメというか、自分も含めて、そういう考え方が「良い」ものであり、新たな「自由」を生み出す発想であるように思える状況に良くも悪くも追い込まれている、ということだと思います。すごく形式的にまとめると、近代核家族というのは、働き・考え・運営する主体が、ケアする主体によって栄養と休息を与えられ、再び外に出て活動する場所として形成されてきたものであり、前者の範例が「サラリーマン」であり後者の範例が「専業主婦」である。とすると、もちろんこうした役割分担は現在では差別的であり、個々人が自分のやれることを担当したほうが「良い」と思われるようになっていますよね。でも、それは男女どちらも「運営する主体」になるということではなく、両方が同時に「ケアする主体」にもなるということです。運営する主体はどこでエネルギーを補充するのかというと自分たちでやるしかないわけですから。誰もが「働く主体」であると同時に「ケアする主体」でもなければならなくなり、そのバランスをうまく取れないと働くことも暮らすこともうまく回っていかないようになる。これが、私たちが獲得しつつある「新たな不自由」なんじゃないかなぁ、と考えています。

若林　あと今日のお話を聞いて思い出したのは、「新・雑貨論」というポッドキャストにゲストとしてご登場いただいた方のお話なんです。ある風変わりな雑貨店の店主さんのお話なんですが、その方はかつて飲食店をやっておられて、当時世界のストリートフードみたいなものをメニューとして出そうと思ったんだけれども、世界のストリートフードみたいなものは、レシピ化すると実はものすごく材料が多くて、それをレストランで出そうとすると相当割高になる、とおっしゃっていて、それがなぜかというと、ストリートフードって基本、残りものを使うからなんですね。それはたしかに面白いなと思ったんです。

さっき久保さんもおっしゃいましたけど、冷蔵庫のなかに残っている残り物なんかをあるやり方でまかないの料理にしたり、みんなで食べたりするから、そこに独特の複雑さが出る。だからそれをレシピとして実現しようと思うと、無駄にコストがかかったりするし、実際ほぼ実現できないという話をされていたのが、ちょっと関係のある話かなと思いました。結局僕らは、

そのコストのなかで収まるやり方で、あるプログラムをつくらなきゃいけなくて、だからさっきの魚の切り身みたいなところに、どんどん追い込まれていくんだろうなと思ったりして。

山下　外の目がなければ、家事においては解放されたやり方が許容されると思うんです。例えば私の亡くなった祖父は、天ぷらを食べるときにソースをかけていたんです。昔はみんな家ではソースをかけていたんだけど、テレビ番組で老舗を紹介したり、料理人が天つゆのレシピを紹介するから、疎まれるようになったんだと力説していて、案外そういうことなのかもしれないなと。

若林　へえ。

山下　お子さんがいる女性の同僚も、最近は幼稚園にキャラ弁をつくっていかなきゃいけないと言って悩んでいたりするんですよ。ストリートフードみたいに自分たちがちゃちゃっとつくって、中の人間だけで消費している世界だったら良かったものが、久保さんがおっしやったように一気に評価がすべて外に開かれてしまい、しかもその評価基準が高いレベルで定まっちゃったところがつらいんだよなと思いますね。

若林　そうだね、規格化していくということなのかな。山下さん、久保さんに聞いてみたいことはあります？

山下　「小アジのムニエル」のお話ですが、不自由なところを意識していまの文脈につなげていくというのは、自分だけが満足しているようなものを探すことに意味としては近いんでしょうか。外部の何者にも依存しないで、自分はこれが好きなんだと認めていくことが、ある種、不完全なことを受け入れていくことだったりもするのかなと思ったんです。

久保　どうなんでしょうねえ。「自分はこれを好きなんだ」ということを、まったく他者を想定せずに言えるか？ということですよね。それが他者にとってもなんらかの価値があることを抜きにして、これが好きだと言えるのか。YouTubeの「好きなことで、生きていく」もそうですけど、「自分はこれが好きだ」と言うときには、すでに潜在的にはそれを肯定してくれるであろうどこかの誰かに向かって言っているんじゃないでしょうか。まったく他者に依存しないというのはなかなかないように思いますが。

　僕が「小アジのムニエル」の話をしたのは、自分がそれを好きかどうかもよくわからないからですね。おいしいかどうかもよくわからない。おいしい気もするんですが、それはいまのレシピをベースに組み立ててつくっていた自分の料理のなかでは、おいしいとは言い切れないし、自分が好きなものかどうかもよくわからない。でもたまに食べたくなる、という感じです。

若林　そう言われると、ちょっと食べたくなります（笑）。

久保　「小アジのムニエル」って、よくある材料を使ってはいるけど、決定的に自分から遠いように感じます。最近で言うとスパイスカレーのような凝ったレシピも「小アジのムニエル」ほど遠くはなくて、ちゃんといまの生活にアジャストされている。自分の感覚としては、あの料理を食べておいしいと思う時点でその「おいしさ」が分裂しているんです。その分裂していることを、どう組み直していけるかが重要かと。

　自分の好きなものを「これが自分の好きなものです」という形で言うと、それをどんどん人に説明せざるを得なくなる。「これが好きだ」をこまめに他者と共有する、「シェア」というのはまさに「みんなちがって、みんないい」の規範化の手段になっていると思います。みんなが「自分はこれが好き」を開示することでお互いに調整ができるようになり秩序が維持される、だから「働き方や暮らし方を自分なりにデザインしていこう」という語り口は、人びとの群れを人びと自身がコントロールしていく（ミシェル・フーコーの言う生政治学的な統治の）新たな拠点になっていると思います。

みんなが「デザインする主体」になる、つまり能動的な存在になるためには、その前提としてみんなが受動的な状態になっているところがポイントだと思っています。運営する主体、デザインする主体となるために引き受けざるを得ないさまざまな受動性がある。家事とか暮らしっていうのは、基本的にすごく受動的なもので、それを能動に切り替えようとするときに、自分がコントロールしているようでいて、自分自身が変わっていってしまうというところがポイントなのかなと思います。

若林　「小アジのムニエル」の話を、自分もいまひとつ捉えきれていないような気がするんですが、例えばある時期まで「80年代のヘビメタなんてマジだせえ」みたいなことになっていたんですが、それが一巡か二巡して、いまは「いや実はイケてる」みたいなことになっていたりするんですが、そうしたコンテクスト化が整備される前の、「もう、ちょっと、どうにも理解の手がかりがない」といった状態が、久保さんのおっしゃる「小アジのムニエル」なのかな、と思ったりしたのですが、ずれてますか？

久保　うーん。良いようで良いとは言い切れない、良い悪いが分裂しているものですかね。だからむしろ常に分裂した状態に寄せていく感じですかねえ。好きかどうかわからない、好きでも嫌いでもないとか、好きかどうかいまいちピンとこないみたいな分裂した状態、ブレている状態をどう生きていくかということでしょうか。なので、特にポジティブなことではないし、基本的に据わりが悪くて気持ち悪いことだと思いますけど、自分たちが自由だと思ってしまうことのなかに不自由の気配を、自分たちが不自由だと思ってしまうことのなかに自由の気配を嗅ぎつける、みたいなことだと思います。

松村　今日のお話はずっと一貫していますよね。すべての世界がデジタル化して、「いい」か「悪い」かという価値観のなかに置かれて、生活のなかでも仕事でもすごくわかりやすい形で色分けされているわけですよね。そのなかで、そこから抜ける方向に出るには、差異と出会うというか、「いい」「悪い」に単純に乗らないような、よくわからないものをよくわからないものとして受け止めることが必要なのかもしれない。

デジタルの世界では、よくわからないものはリスクとかノイズとして排除されて、私たちを不安にさせるものになりがちなんだけど、もしいまある評価軸が息苦しい状態にあるとしたら、一見私を脅かしているように見えるものの横に、もしかしたら新たな方向に抜ける出口があるかもしれない。自分が悪いとか、自分がしんどいと思っていたのと違う軸で考えられるかもしれない。別の可能性に開かれるかもしれない。

私もエチオピアにフィールドワークに行くようになって、最初は酸っぱくて辛いという、訳のわからなかった現地のインジェラ料理が、いまでは写真を見るとよだれが出るみたいになるとは思わなかったんですよね。自分の味覚の変化は全然想像していなかった。自分の生活のなかから忘れ去られた価値とか、差異との出会いによって、私自身の体だとか価値観、味覚が変化していくと、違う風景が見えるかもしれない。そういう広い意味での「他者」を求めて人類学者は研究をしていると思うんです。久保さんは日常的な家庭料理のなかでも、そうしたわかりやすくない「他者」とちゃんと出会おうとしているんですね。

文化人類学白熱教室! 4時間セッションを再現!

深田淳太郎 × 丸山淳子 × 小川さやか × 中川理

働くこと・生きること

2020年11月「働くことの人類学」の特別編として開催された
「働くことの人類学：タウンホールミーティング」。
オンラインで4名の人類学者をつなぎ、参加者との質問を交えながら
「働くこと」の深層へと迫った白熱のトークセッション。
デザインシンキングからベーシックインカムまで
いま話題のトピック満載のユニークな「働き方談義」を採録。

ホスト＝松村圭一郎
進行＝山下正太郎・若林恵

- 「主観」を壊しにいく
- デザイン思考と人類学
- フィールドリサーチの役立ち方
- 地域通貨の新しい挑戦
- ちょっとずつルールを破ろう
- 「何のために働くか」を小学生に答える
- 嫌になったらやめられる
- ベーシックインカムの落とし穴
- 個人主義の非西洋起源

若林　こんにちは。今日はどれぐらいの数の視聴者の方が入っているんですかね。100名ぐらいですか。3連休の初日の土曜日の昼下がりの貴重な時間に100名も見ていただいてるなんて、ありがたい話です。このトークが始まる前に、チラッと松村さんにお話をお伺いしましたら、「ポッドキャスト、聴かれているという手応えがいまひとつないんですよね」っておっしゃっていたんですが、コクヨ野外学習センターのセンター長の山下さん、どうですか？　個人的にはものすごい手応えを感じてるんですが（笑）、私だけ？

山下　ふたりだけになったときに、ぼそっと「聴いていますよ」と、恥ずかしそうに感想を伝えてくる方はいらっしゃいますね。

若林　何で恥ずかしいんですか（笑）。せっかくですので、番組を聴いていただいているリスナーのみなさんに、感想などをこの際書き込んでいただけると嬉しいのですが……お、来ました来ました。「とても面白いですよ。聴いてるだけで世界旅行してるみたいです」。いいですね。

松村　「聴いてますよ」っていう人が、身の回りにはあまりいないんですよね。

若林　いないですか？　おかしいですね。この番組はコクヨさんの提供ですが、山下さん、会社からの反応はいかがですか？

山下　会社からも特に反応はないです。

若林　えー。

山下　でも、文化人類学というものが、いまビジネスの文脈で注目されているということもありますし、こうした番組をもつことで外から見たコクヨの見え方が変わりますから、自分のなかですごく良い取り組みだという手応えはあります。

松村　とはいえ、これ、結構大変なんですよね。

若林　そうなんですよね。って人ごとみたいに言ってますが、毎回の番組の企画を詰めていく作業を実は、松村さんにほぼ丸投げという形で進めておりまして……本当に申し訳ありません。

松村　7月末に収録が始まって10月の頭までで、6話分を録り終えたのですが、このポッドキャストのために論文1本書けるぐらいの時間を費やしたなという感じはあります。

若林　申し訳ありません。

松村　収録自体は完全に一発録りで2時間ほどで終わるのですが、毎回事前にゲストの方と1時間ほど打ち合わせをして「どういう話を聞いたらいいかな」と私のほうで考えて、収録後も編集の段階でここは切ったほうがいいといった作業もあって、素材を何回も聞くことになるので、結構な時間がかかるんですね。

若林　大変申し訳ありません。私は「適当で大丈夫ですから」「なんとかなりますから」って感じで押し通しちゃう芸風でして、編集者の風上にも置けない感じで深く反省もしているのですが、逆に言いますと、松村さんが、編集者的な仕事をテキパキと素早く片付けてくださって、そのことに舌を巻きました。松村さんは『文化人類学の思考法』という本でも、13人いる執筆者のテキストを企画して、編集してという作業をされたと聞いていますが、そういった編集のお仕事はお得意なんですか？　というのも、このシリーズもゲストの順番なども松村さんが決めてくださって、そういう意味では企画の構成自体が松村さんということになるわけですし。

松村　どうなんでしょうね。でも、そうした作業も含めて楽しかったですね。ゲストとしてお呼びした6人はみんな昔からの知り合いで、研究会なども一緒にやってきた方々なので、それぞれのお話が面白いことはわかっていたんです。でも、その面白さをどう取り上げたらわかってもらいやすいか、どう関連づけていけるのか、といったあたりはだいぶ考えました。

音声だけなので、難しい言葉が出てきても伝わりませんし、具体的なわかりやすいエピソードをお伺いしながら、でも、ただの面白話ではなく聴いている方が自分に引きつけて考えられるようにするにはどうしたらいいのかを考える作業は、あたらしい発見も多かったですね。

人類学の理論的枠組みや地域の壁みたいなのをとっぱらって「この話が日本で生活している人にとって、どういう意味をもつのか？」って想像するのは、人類学者としても非常にチャレンジングで、実は人類学ではこういうことをあまりやってこなかったのかも、と思いました。

若林　ポッドキャストという音声だけの表現媒体では、仮にテキストとして記述されたものと同じことが語られていたとしても、違う何かが伝わっていくのではないかと思いますし、およそのあらすじはあらかじめあったとしても、その通りにはならないこともありますよね。そうやって、文字として記述された計画からはみ出していく部分が多いのがポッドキャストの面白さなんじゃないかと思っていまして、そういうところがもしかしたら人類学という学問と相性がいいのではないか、と勝手に思ったりしているのですが、そんなこともないですか？

松村　私たちがいつも学会や研究会で発表する際も、質疑応答はありますが、基本的には一方的に話すことが多いんですね。大学の授業もそうですし。でも今回は全体が対話形式なので、「え？　それ、どういう意味？」とかその場で聞けたり、あるいは若林さんや山下さんに違う視点から質問していただいて別のトピックと結びつけたり掘り下げたりと、想定通りにはいかない感じが面白かったです。学問を対話形式で紐解いていくのは、本を読むのとはまた違う体験なんだろうなとは思います。

若林　山下さんはいかがですか？　ポッドキャストというものについて。

山下　音声って文字みたいに読み流すことができなくて、ある一定の時間、コンテンツに身を委ねなくてはいけないですし、それが没入感にもつながりますよね。他にも、文字ですと加筆修正が容易なので、話し手の本当のキャラクターが伝わりづらいことがありますが、音声はその人の雰囲気が感じ取りやすい。同じことばをひとつ取っても、言い方次第で意味がまったく変わってきますよね。この人は心底感動しているんだなっていう、そういう機微みたいなものが見えてくるのは面白いですね。あとは人類学者の方は、お話しするのがつくづくうまいんだなと。それには本当にびっくりしちゃいました。

松村　個性的ですよね。それぞれの話し方も違っていて。それも面白かったです。丸山淳子さんの淡々と語りながらも、じんわり面白い感じとか、小川さやかさんがワーッと笑いながらしゃべる感じとか、「みなさんこういう感じでフィールドワークをしてるんだな」みたいな情景が思い浮かびます。

若林　遠いどこかの場所でフィールドワークをされているときの先生方の姿が想像できることで、聴いている自分たちも、その世界に身を置くことができるという感じですよね。

「主観」を壊しにいく

若林　そもそも、文化人類学者のみなさんって、例えば、ある部族なり、ある対象が暮らしている空間に学問するお立場で入っていくときって、ちょっと難しいポジションに置かれることになるのではないか、と思うんです。

松村　あ、いま「部族」という言葉は使わないんですよ。

若林　あれ。すみません。なんて言うんですか？

松村　「民族」ですね。

若林　大変失礼しました。そういう自分とは異なる民族の方々が暮らしている空間に、文化人類学者は、ある意味異物として入っていくことになると思うのですが、そうだとすると、当然、学者がそこに入ってくることによって、その人がいないときの状態は改変されてしまうわけですよね。要は、「研究する対象をそもそも客観的に記述することができるのか」、あるいは「ある民族なり文化なりを客観的に見ることがそもそもあり得るのか」といったことが常に問題としてはあったと思うんですが、その辺って、どう考えたらいいですか？

松村　ちょうど今週の大学のゼミで、そのことが話題になったところでした。フィールドワークが、客観的なのか主観的なのかというポイントは、実際に多くの方が気にされますよね。

それが問題になるときの前提には、おそらく客観と主観が対立したもので、主観的であると客観的ではないし、客観的であるときには主観が排除されていると考えているわけですね。それで、多くの人は「客観的なほうが主観的よりも正しくて、よりよい」という前提を置いています。

若林　たしかに。

松村　「客観的」と言ってイメージするものって、数字ですよね。数値で把握されたものや数えられて比較可能なときに、そこに客観性があるとみなさん思うわけです。でも、数字って実際はめちゃくちゃ現実からかけ離れている可能性もあります。数字では必ずしもその現場のリアリティを捉えきれないんです。人類学者は、そのリアリティにどうにかして迫りたいと考えているわけですが、それを目指すときに、客観的な数字や指標という「こちら側」の枠組みをもち込むと、そこにある相手の現実を自分たちに都合のいい枠に押し込めてしまうんですね。それってある意味、すごく「主観的」です。だから、客観的であろうとすればするほど、実際はその現実から離れてしまう。

そもそも、世界には「客観的に生きている人」なんてひとりもいないですよね。みんながそれぞれ主観をもった人間として生きています。文化人類学者は、そうやって主観的に生きている人たちのなかに、ある主観をもったひとりの人間として入っていくんです。そこで、その主観と主観のあいだに生じることを通して、私たちにとってなじみのある枠組みが通用しない相手にとってのリアリティに迫ろうとしているんだと思います。みんな違う現実を生きているときに、こちら側が用意した指標で単純に比較可能になるわけがないですよね。あくまで相手の文脈に沿って何が起きているのかを探ろうとする。そういう姿勢は、文化人類学者には一貫しているように思います。

丸山さんの回のエピソードで、丸山さんが日本に帰国するときに、見送りに来てくれるのかと思ったらみんないなくなる、というお話がありましたよね。それって計画してその場面に遭遇したわけではなく、偶然の出来事ですけど、そこにブッシュマンの人びとがどのように人間関係を築き、生きているかが、よく表れていると思います。そこで見えた「ズレ」は丸山さんがその場にいたからこそ感じとることができたわけです。肉体をもったひとりの存在としてフィールドに立って、はじめて相手が異なる現実を生きていると身をもって知ることになる。その主観と主観とのズレから、こっちが想定もしなかった別のリアリティを探り当てていく。そういう作業なんですね。

若林　そうやってフィールドに身を置く際に、何か気をつけていらっしゃることってありますか？　現地に入っていくときに「できるだけありのままの自分でいよう」とか、そういう心構えみたいなことでもいいのですが。

松村　いま「主観をもった存在として」と言ったんですが、フィールドワークを何のためにするのかと言うと、自分がもっているその「主観」を崩しにいくんですね。

さっきの丸山さんの例で言うと、「日本に帰る」と言ったときにみんなが見送ってくれない場面に遭遇したら、日本で暮らす人の主観で見れば、ブッシュマンは「冷たい」とか「無礼だ」ってなるかもしれません。そんなとき、自分の当たり前や主観にこだわっていたら、実際に彼らがどういう思いでそんな行動をとったのか、実際に何が起きていたのかを理解できなくなってしまいます。

つまり、フィールドワークをする人は、主観をもった存在としてフィールドに行くんですが、その主観を脇に置いて、別の見方を獲得しようとする。その意味で「主観的な見方」にとどまってはいられないわけです。別のものの見方の可能性に触れるために相手の生活の文脈に入っていき、複数の主観のあいだを行ったり来たりする。それって、ある意味で「客観的」ですよね。自分の体を媒介にしてというか、自分が異質な存在として入ることで起きる出来事を介して、相手の行動の背後にあるものを理解しようとするんです。

なので、現地の人に事前に準備しておいた質問をして、アンケートを取れば、それで何かがわかるとは思っていないんです。だいたい日常的な行動って、当たり前すぎてその理由を説明できないことも多いですよね。例えば、「去っていく人をなぜ見送らないのか？」と聞いても、「そういうものだ」としか答えてくれないかもしれない。そもそも、その質問自体、そうした出来事が起こらない限り思いつかないわけで。フィールドに行く前に想定できる質問項目や指標で事足りるなら、現地に行く意味はほとんどないわけです。

現地に入る前に用意した自分の枠組みとか客観的指標を押し通そうとすると、かえってそこにある本当に面白いことを取りこぼしてしまう。だから特定の主観をもつ自分の体を実験台にして、そこで起きるズレや違和感をちゃんと捉えることが大事なんです。

若林　面白いですね。

松村　もちろん最初は異質な存在としてフィールドに入っていくんですが、とはいえ、だんだんなじんでいくものです。逆になじめる居場所がないと、すごくしんどい。フィールドワークがしんどいときって、自分がどういうポジションに収まればいいのかが定まらないときなんです。

若林　しんどいことありました？

松村　私の場合は、エチオピアの農村のおじいさんから「居候してもいいよ」と言われて「え、いいんですか!?」みたいな感じで収まる場所を見つけることができました。そうなると、私は「そのおじいさんのところにいる変なやつ」みたいな存在として周りの人も認識するので、村人にとっても違和感が減るし、私も楽になるんです。そうやって、あるポジションを得ることが大事なので、異質な存在のままフィールドワークを続行するのは難しいですね。

若林　日本でも外国人の方がコミュニティに入っていくときの収まり方ってあると思うんですね。コミュニティのなかで、ここは外国人が収まっていいことになっている場所みたいなのがあって、そこに収まるみたいな。

松村　でも、ふつうの外国人が収まる場所に収まってしまうのも、ダメなんですよね。

若林　あ、ダメなんだ。

松村　そうなっちゃうと、観光客のようになっちゃうんです。観光客だと、「ここまでは入ってもいいけど、そこからは入るな」という線引きがあると思うんですが、そういう「外国人枠」ではなく、「変なやつだけど内側にいてもいい」という感じにならないと、なかなか難しいですね。

いまの日本で暮らしていると、そんなことがどう可能なのかと疑問に思われるかもしれませんが、アフリカだと、よそ者が来てしばらく居候するってわりと普通にあるんです。日本でも、かつては、そういうことは多々あったと思うんです。知り合いの知り合いが訪ねて来て、困っているから仕事が見つかるまで、しばらく泊めてあげたり、ご飯を出してあげるとか。

エチオピアの村でも、他の場所でもそうだと思うんですが、よそ者が来るって、そんなに変なことではなくて、むしろちゃんと歓待しなければいけないという考え方があることが多いです。

若林　でも、そこには、よそ者を受け入れるときの暗黙のルールみたいのがあるようにも思うんですが、それをうまく探り当てないと内側には入れてもらえないといった感じなんですか？

松村　そこがわからないんですよ。自分が彼らにどう受け止められるのかって、こちらで操作することができないので、なんとなくなるようになるという感じなんですよね。

若林　一応戦略のようなものは考えるんですか？　まずは長老のところに行って、とりあえずこれをしたらうまくいくのかなとか。

松村　私の場合、おじいさんのところで住まわせてもらう前は、村のなかに部屋を借りて、家賃を払って生活していたんです。そのときは、めちゃしんどかったんです。大通り沿いの部屋で、長屋みたいなところの一室だったんですが、大通りは村人がいっぱい行き来しているので「あそこに外国人が暮らし始めたぞ」って、みんな見にくるんです。私が座っているとみんなが来て「これはなんだ？」「どんな意味があるんだ？」とか「給料いくらもらってるんだ？」「宗教はなんだ？」と、あれこれ聞かれて。「人間はどうやって創造されたか知ってるか？」とか（笑）。

若林　いきなりディープなこと聞きますね（笑）。

松村　つまり、その時点では、私が研究対象になっちゃうわけです。そうやって部屋を借りているうちは、私は誰ともつながっていない「ただの変な外国人」なんです。それが農家のおじいさんの家に居候として入って、人びとの関係の網の目のなかに収まった途端、そうやって興味本位で訪ねて来る人がパタッといなくなったんです。

若林　パタッと。

松村　それはもう劇的でしたね。間借りしていた最初の2カ月くらいはことばもうまくしゃべれず、調査らしいこともできず、孤独でしんどかったのですが、そこから抜け出せたのも、たまたまそのおじいさんと出会ったというだけの話で、戦略的に振る舞うみたいなことは難しいですよね。

若林　できないですか。

松村　できないですね。行き当たりばったりの出会いに身を委ねながら入っていく。収まるところに収まる。

若林　松村さんのキャラクターとかも作用しますよね。

松村　そういうことも込みですよね。

若林　あるいは、そのおじいさんとの相性とか。そう考えると、その収まり方は、松村さん固有の収まり方ですよね。

松村　完全に人それぞれですね。どこがいいポジションなのかって、人によって全然違うんです。男性なのか、女性なのか、若いのかそうでないのか、役職があるのかないのか、といったことでまったく変わってきます。いま大学生にフィールドワークの指導をしていますが、大学生ってやっぱりうまく収まるんです。「何々を勉強している学生さん」っていう感じだと受け入れてもらいやすい。

逆に大学の先生の肩書なんかをもっていると相手も扱いに困っちゃうんです。「居候させてください」「ボランティアさせてください」と言っても、「いや、そんな大学の先生に……」ってなります。そうなるとどんなにフィールドワークの経験を積んでいても、うまく収まらない。その人の固有性を引っ下げてフィールドワークすることの意味は、その辺にも出てくるんですね。透明人間として調査するわけではないということです。

デザイン思考と人類学

若林　いま、大学の先生というお話が出ましたが、大学に勤めないフリーランスの人類学者って、あり得るんですか。

松村　最近、独立研究者としてやっていらっしゃる方も出てきました。

若林　へえ。

松村　いま文化人類学に限らず、さまざまな分野で大学に所属しないで研究をする独立研究者が出てきていますね。それこそオンラインの講座や、各地での講演、出版活動などで身を立てていくスタイルが生まれつつあります。それは大学が、そこまで自由に学問をできる場所ではなくなってきたこともひとつの要因だと思いますが、学生だけでなく、もっと幅広い人に学問の面白さを届けたいという思いをもって、そうした道を選ぶ方もいますね。

若林　松村さんは大学に関するご本も出されていますが、学者が働く場所としての大学っていま大きく揺れていますよね。「文化人類学者の働き方」という観点で、いまお感じになっていることなどありますか？

松村　そうですね。大学は昔ほど自由に研究できたり、研究にたくさんの時間を使える場所ではなくなっていますよね。ペーパーワークや会議など、やるべき業務がたくさんあって、「年度末までにオンライン・セキュリティ研修を受けないとメールアカウントを停止します」とか言われるんですよ（笑）。

若林　大変ですね。

松村　いざその研修を受けてみると間違い探しクイズみたいなものだったりするんですが、でも、社会的責任とか、コンプライアンスみたいなことで、そういう仕事が増えているんですね。あと、新しい変化としては、新型コロナウイルス対策で授業がオンラインになったことで、自分が所属している大学の学生だけに授業をするって、ほとんど意味がなくなっていますよね。

若林　オンラインだったら誰が受講してもいいじゃないか、ということですよね。

松村　はい。今後ますますそういう流れになってくると思います。「文化人類学者が10人ぐらいいたら全国の大学の授業を賄えてしまうのでは？」となりかねませんよね。10種類ぐらいの授業を、ビデオで録ってオンラインで全国に配信すればいいわけですから。そうすると、大学の研究者という職は減っていくんだろうなと感じます。そうした未来が具体的に視野に入ってしまったというか。ですから、大学で文化人類学者が働く時代は、もう終わりかけているかもしれないという予感はすごくありますね。

若林　今後どうされるんですか。

松村　私がどうできるかわからないのですが、大学院で人類学を学んだ人たちがベンチャー企業を立ち上げたり、文化人類学の手法を使って、ビジネス課題を発見して企業向けに提案するような会社をつくったりすることが、若い研究者のなかでは起きています。日本でも「エスノグラフィ・チーム」という、文化人類学のフィールドワークの手法を使って問題を探し当てて解決に導いていくみたいなグループをつくる企業も出てきているようです。

すでに人類学を学んだ人たちが社会のいろんな分野で活躍しているので、文化人類学の知見を社会で生かせる可能性はすごくあるんだと思います。私自身は、文化人類学がどう「役に立つ」のかあまりわからないですが、そうした動きは始まっていますよね。

若林　その辺は、山下さんご専門じゃないですか（笑）。

山下　適当な振り方して（笑）。

若林　デザインファームが文化人類学を学んだ人たちを採用しているなんていう話はよく聞くじゃないですか。

山下　まさに、文化人類学のマスターやPh・Dをもった人が企業のなかにどんどん入っているという話は、アメリカなどでは20年以上前から始まっています。「デザインシンキング」が話題になってきた頃から、IDEOなどのデザイン系のコンサルティングファームで文化人類学の経歴をもった人たちが働き出すようになったり、他にもメーカーなどで、マーケティングの調査の一環として文化人類学の手法を取り入れてきました。日本については、ここ10年ぐらいで動いてきたのかなという印象です。

若林　文化人類学を学んだ人たちの何をビジネスセクターは求めているんですかね。

山下　これはよく誤解されるところなのですが、文化人類学の知見を使って正しく市場調査をしたいっていう依頼がなされるパターンが多いんですね。
　文化人類学の可能性は市場規模を正しく調査するより、むしろ「機会発見」のところにあると思います。つまり、市場の見方や先入観そのものをリフレームして、まだ可視化されていない新しいマーケットを見いだせる力として文化人類学の手法を使おうということだと思います。

若林　あるプロダクトをどう売るかというより、むしろ新規事業開発の文脈で、新しいマーケットの鉱脈がどこにあるのかを探るということですよね。さっき松村さんのお話にあったように、アンケートを取ったところで「当たり前すぎて答えが出てこない問い」を扱うことなのかなと。

山下　そうですね。特に大企業がそうした視点を求めているように思います。プロダクト／サービスをつくる人と、それを利用する人との距離が遠くなっていることが問題なんですね。そのせいで、実際に市場のなかで何が起きているのか、作り手がまったくわからなくなっています。であれば、みんなでフィールドに出ていって社会のなかで人が何をどう「センスメイキング」しているのかを、いま一度理解したいという必要を感じているわけです。
　加えて、企業内部の問題もあります。市場やユーザーに近い現場の人は、世の中の動きを実感としてわかっていたとしても、R＆Dや企画サイドの人たちに、それがまったく届いていない状態になっていたりしますから、部門を横断してみんなでフィールドに入ることで合意形成に役立てようというニーズもあります。

若林　松村さんには以前から「文化人類学、引く手あまたですよ」って言っているんですが、ずっと懐疑的ですよね。

松村　大学のなかにいると、その外側でどう人類学が活用されているのか情報も入ってきませんし、実感としてわからないんです。以前、霞が関からメールが来て「いま海外で人類学者を雇うべきみたいな話があるみたいですけど、どういうことですか？」って聞かれたんですが、私も全然、どういう動きなのか知らないんですよ。今日も「デザインシンキングと人類学の共通性はどこにあるのか？」という質問が来ていますが、山下さん、それってどの辺だと思います？

山下　先ほど松村さんがおっしゃった通り、自分たちがもっている既存のフレームを疑ったり、壊していくところがポイントなのかなと思います。いままでもっていた既存のフレームをバラバラにするために調査に行き、ある可能性を見つけたら、プロトタイプを制作して、それをアップデートしたり壊したりを繰り返しながら、プロダクトやサービスをつくり上げていく。こうしたデザインシンキングのプロセスとセットになることが多いですね。周到な計画を立ててつくるのではなく、先を見通せない前提のなかで、手探りで何かをつくっていこうという際に、文化人類学に注目が集まっているのではないでしょうか。

松村　そうなんですね。

若林　ピンときてない（笑）。

松村　大学という場が文化人類学者の生きる場ではなくなったら、私もそういうところで就活しないといけなくなりますよね。

若林　「松村総研」を立ち上げて「ビジネス・エスノグラフィやります」となったらバンバン仕事きちゃうと思いますよ。

松村　うーん、あまり楽しそうじゃないんですよね。

山下　それがやっぱり合目的だからですか？

松村　結局、やっぱりものを売らなければいけないみたいな枠組みのなかで考えざるを得ないじゃないですか。行政にしても、こういう課題があるとか、こういう問題が見過ごされているとか、よりきめ細かに探りださなければいけないのは、その通りだと思いますし、それが必要であることもわかるんですが、でも、私なんかもそうですけど、本当に考えたいと思っているのは「そもそも国って必要？」とか、「企業って何なの？」みたいなことだったりするんですよね。

若林　なるほど。

松村　でも、いまの企業や行政のフレームのなかで考えるとなったら、「そんなこと言われても」ってなりますよね。私たちは、「そこまで疑ったら仕事なんて成立しませんよ」っていうぐらいのところから考えたいと思っているので、どう折り合いがつくのか、あまりイメージが湧かないんです。

若林　たしかに。でもすでに一方で、企業の人間ですら「会社って必要？」って思い始めているところもあったりしますよね。

山下　そうかもしれないですね。コロナ以降は、特にそういう考えが強まっています。

若林　行政なんかも、「うちらもう何もしないから」の体で「公助」を投げ捨てて、「あとは自助でお願いします」みたいな感じになってきているところもありますから、それこそデヴィッド・グレーバーの書かれているものや、松村さんがこれまで提示してきたような根源的な問いが、実はめちゃくちゃリアリティをもつようになっている気もします。

松村　たぶん、あるフレームの内側にだけにいたら根本的に考えるためのアイディアって生まれないと思うんです。なんでわざわざエチオピアに行くかと言えば、ここにあるものとは全然違うフレームを求めているからですよね。それは遠くに行けばいいというわけじゃなくて、日本のなかでもあるわけですが、私たちが前提としていることを前提としない立ち位置に立って考えることで根底からの問いかけができるわけです。アカデミックな世界を擁護するつもりはないのですが、大学という場は、そういう意味では、社会一般の流れとは違うフレームや時間軸で物事を考えてもいい場所であって、やはり外部にいるからこそ意味があると思うんです。そういう意味で、本当に人類学者に面白いことを求めるなら、放っておいて自由にさせておくほうがいいかと（笑）。

フィールドリサーチの役立ち方

若林　すっかり長い前振りになってしまいました。ここから本日のゲストである4人の先生にオンラインで参加いただこうと思うのですが、いま話にありました「文化人類学という仕事」について、まずはお伺いしていこうかと思います。深田淳太郎さん、いかがですか？

深田　私は、地方国立大学に勤めていまして、いまはほとんどがオンライン授業になってしまっているのですが、先ほど松村さんがおっしゃったように、特に地方の国立大学は、オンライン授業で全部がOKということになってしまったら、ほぼ存在価値がなくなってしまうのではないかとは感じています。

東京の大手の私立大学の授業を自由に受けられるようになってしまったら、「大学が地元にある」ことの意義がなくなってしまうように思いますので、別の形でオンライン授業ではできないことが提供できるようにならないと死活問題だなと感じるところはあります。

文化人類学でいえば、フィールドワークは体がないとできないことですから、その教育をしていくことは、ひとつの生き残り方かと思います。ただ、コロナ下で起きているように、そもそも人と接すること自体が困難だということになっていくと、そこも変わっていかざるを得ないところもありますよね。いま文化人類学者のなかでもオンラインでどうやって調査をするかといったことを考えている人たちはたくさんいますが、そういったことも含めて考えておかないと、いま言った「フィールドワークは体があればできる。だから生き残れる可能性がある」という考え方自体がオワコンになってしまう、ということもありますよね。

若林　小川さん、いかがですか。

小川　起業に関しては、若いポスドクの人たちを見て、かつてとは状況が変化してもいると感じます。非常勤講師として生計を維持し、かつ研究をして成果を挙げるのは大変ですし、立場の弱さや不安定さから搾取されている側面も多々あります。そのようななかで、学術に関わる別の仕事をしようという動きが起きているように思います。

ウェブサイトをつくって、そこでレクチャーをしたり、講演などを販売したりするような人は、すでに周りにいますし、知り合いのYouTube動画を多言語に翻訳して提供することで収益を得ることを模索しようとする人もいます。個人的には、それをずっと続けるか、就職までのつなぎとするかは別として、そうした活動もひとつの道だなと思います。

私は色々な人たちと色々なことを一緒にやりたいというタイプなので、大学の仕事は大学でやって、それとは別のこともやっていきたいんですね。

いま深田さんが、オンライン調査のお話をされましたが、最近、私も「デジタルエスノグラフィ」や「ハイパーメディアエスノグラフィ」に関する文献などを読んで勉強しているところです。

若林　ハイパーメディアエスノグラフィ？　山下さん知ってます？

山下　わからないです。

小川　紙媒体のエスノグラフィとは異なり、デジタルで公開するエスノグラフィでは、ハイパーリンクの機能が使用できます。そのため文字での説明に動画や音声などを合体させ、ひとつのメディアで完結しないエスノグラフィも作成できます。マルチモーダルなエスノグラフィの可能性をいま研究しています。民族誌映像や民族誌漫画などはすでにありますが、民族誌ゲームがあってもいいと思いますし、紙媒体のエスノグラフィでは実現しにくい五感を使ったさまざまな刺激のあるエスノグラフィの方法を多様に構想していけたらと思います。

山下　面白いですね。いま、「あつまれ どうぶつの森」のエスノグラフィにチャレンジしている人とかもいるそうで、オンラインの世界がもはやリアルの世界と一体化しちゃっているようなところもあるわけですしね。

若林　フィールドワークを教えてくれといった声は、企業や行政府からもあるんですか？

小川　よくあると思います。

若林　そうですか。

小川　はい。よくありますし、幅広い方から依頼は来ます。最近は、アートプロジェクトをされている方から問い合わせがありましたし、建築家の方からも事前調査としてフィールドワークをしたいという話も来ますし、ジャーナリストの方からの問い合わせもありますね。

若林　へえ。そうした問い合わせを受けて、実際にどんなことをされるんですか？

小川　人類学的なフィールドワークの方法論を講義するのが多いです。それから私、先週末に愛知県の足助町にフィールドワークに行ったんです。

若林　それはまた何のために？

小川　足助町でいまコミュニティ発電をやっていまして、電力を買うのではなく、自分たちで電力をつくって販売し、その収益をコミュニティに還元し、さまざまな課題を解決するというものですが、そこに信頼資本財団というところが関わっています。信頼資本財団の研究会では、新しい地域通貨となるようなものを暗号通貨でつくれないかと模索しています。それをどんなふうにやったら面白いかを考えるためのフィールドワークをするために足助町に行きました。他にも別の場所で、暗号通貨を実際に使ってみた場合、どういう問題が起きうるのかといったことを検討してほしいと言われたりもしています。いま、すでに使われている地域通貨が、どんなものかをリサーチするなどですね。

若林　ベーシックなリサーチをやられるということですよね。

小川　そうです。足助町は、ただ見学に行っただけなんですが、これからさまざまな地域で実際に地域通貨を使っているところに行って、どんな使われ方をしているのか、使っている人たちにどんな問題があるのかを調べることになります。

若林　足助では、もう使われているんですか？

小川　足助ではまだ使われておらず、構想段階です。

若林　実際の使用事例としては、どこに調査に行かれるんですか？

小川　信頼資本財団が「yuu」っていう通貨をつくっていますので、まずはそれを使っているところに調査に行こうと考えています。

若林　なるほど。すごいですね。足助って、一度行ったことありますけど、面白い本屋さんなんかがあって、めちゃいいところですよね。

小川　いいところですね。

若林　楽しみです。フィールドワークや文化人類学の手法が、こんなところで求められたというお話ですが、ほかにどなたかございます？

丸山　私の場合ですと、文化人類学というよりは、研究対象にしている地域の情報を求められることが多いですね。国際開発や国際協力といった分野からの問い合わせで、アフリカの事情について情報提供を依頼されることがあります。

　大学内では、文化人類学がものの見方を変えることを得意としている学問だからか、他の科目を担当されている先生が、共通科目や一般教養科目として文化人類学を履修することを学生に勧めてくださることもあります。文化人類学を履修した学生は、他の問題を考えるときに、ちょっと違う視点からものが考えられるようになっているので良い、といった話を聞いたこともあります。特に「日本の普通」を身につけることを頑張ってきた新入生に対して「こんな世界もあるよ」と、これまでの固定観念をちょっと打ち壊すようなことを伝える役割が期待されているのかなと感じています。

若林　いいですね。それこそ『文化人類学の思考法』なんか、高校の教科書にしてほしいくらいです。

松村　あれは、高校生がそのまま読んでも、たぶんよくわからないと思うんです。重要なのは、あれを使って授業をすることなんですよね。読んですぐにわかるような本は、実は教科書としては使えないので。

若林　そうなんですか。

松村　読んでわかるものは、読んでおしまいじゃないですか。あの本は説明しないとわからないようにしているところもあって、引っかかりがあるようなことばを、説明せずにそのままにしていたりするんです。あくまでも素材なんですね。
　そういう意味でも、現時点で私たちが文化人類学の意義を見いだしているのは、やはり教育の現場ですよね。いま丸山さんがおっしゃったように、若い学生たちが社会に出ていく前に「こういうふうにものを見たら面白いんじゃないか」とか「これが当たり前だと思っているかもしれないけど、世の中ってそれだけじゃないんだよ」って伝えることは、社会のなかで誰かがやったほうがいい役割だと思います。今回のポッドキャストは大学の外に向けたものですが、いま多くの人類学者が、次の世代を担う人たちの考え方を柔らかくして世の中に送り出してあげる、というところに、かなり力を注いでいるのではないかと思います。

地域通貨の新しい挑戦

若林　地域通貨のお話が出てきたところで、深田さんに質問が来ています。「金融市場で取引されず、貯蓄できない地域通貨に関心があります。地域通貨の可能性について、ご意見が聞きたいです」っていう。ちょっと広い質問ですが、深田さん、いかがでしょうか。

深田　地域通貨は、ご存じかもしれませんが、1990年代からゼロ年代にかけてブームがあったんです。それこそ世界各地でつくられ、日本でもものすごい数の通貨がつくられたのですが、ゼロ年代の中頃ぐらいには、完全に火が消えた感じになってしまいました。私は、Googleアラートで「地域通貨」というキーワードを登録していて、一週間に一度くらいまとめて「地域通貨」関連のニュースが送られてくるのですが、2005年から10年間くらいはほんとにぜんぜんニュースが入ってこなかったんですね。それがここ数年でまた増えてきています。
　一度目のブームの当時は、文化人類学者も結構関わっていまして、地域通貨を研究対象とする人もいたのですが、いま当時の論文を読むと、地域通貨が広まらなかったのは、どこまで行っても「ごっこ遊び」の域を出なかったからだと指摘されています。コインをつくってみたり通帳をつくってみたり、さまざまな工夫があったのですが、どうしても「ごっこ」から抜け出せなかったんです。
　それが、ブロックチェーンのような新しい技術が出てきて、まったく新しいやり方でオンラインでお金を扱えるようになったことと、スマートフォンを使った決済が一般化し利用者の側のお金の触れ方が変わってきたことで、改めて大きくリアリティを獲得しているのだと思います。

若林　小川さん、どうですか？

小川　私は少し前から東アフリカのケニアで始まった「BitPesa」について調べています。ケニアの人たちが海外に送金したいときにこのプラットフォームを活用すると、ケニアシリングが自動的にビットコインに変換され、ビットコインで海外に送金できるという仕組みです。国際決済に使われるだけでなく、最近では新しい経済圏の創出のような試みが模索されていると聞いて、関心をもっていますが、新型コロナ禍でフィールドワークができないため、まだよくわからないです。

日本のように、すでに法定通貨でうまく回っているところに地域通貨を入れても、なんとなく不発に終わってしまうことはあると思うのですが、アフリカで一般化している「M-Pesa」という電子通貨も、私たちが考えるものとはまったく違う発想で使われていたりしますので、おそらく「BitPesa」も今後、予期せぬ使われ方がされていくんじゃないかと思って調査を計画しています。

若林　「BitPesa」は「M-Pesa」と連動しているみたいな感じなんですか？

小川　「BitPesa」にはまったく別のプラットフォームがあるんです。

若林　広がってます？

小川　HPでは広がっていると書かれています。最初はケニアだけだったのですが、ガーナやタンザニアなど、それ以外の国にも広がっているみたいです。今後さらに広がっていくんじゃないかと思います。

若林　すごいな。

松村　中川理さんも、モンの研究をされる前は、フランスで地域通貨の調査をされていたんですよね。

若林　そうなんですか？

中川　はい。私が調査していたのは、1990年代の終わりから2000年代初頭です。まさに深田さんがおっしゃった地域通貨の第一次ブームの頃ですね。その頃、特にヨーロッパの地域通貨には、お金を道徳化するみたいな色合いが強くあったんです。

若林　道徳化？

中川　法定通貨として使用されているユーロや円の取引というのは非常に非人格的なもので、自己の利益に即した交換に使われています。それに対してその頃のヨーロッパの地域通貨では、お金をそういうものではなく、いわば「助け合い」のために使おうという機運が強くありました。地域通貨を使うことで、より多くの人を助け合いのネットワークのなかに巻き込んでいきましょうという試みだったんです。

私が調査した地域通貨はそういうものでしたし、ヨーロッパでは全般的にそういう傾向が強くあったように思います。ただ、そうであるがゆえに通貨としては非常に不安定でした。しかし安定させようとすると、目的に反して普通の通貨のように何かを獲得するための道具として使われるようになってしまう。そこに地域通貨のジレンマがありました。つまり、一方で「これはあくまでも助け合いの手段であって仮想のものなんだ」「本物の通貨じゃないんだ」と言わなくてはいけなくて、でも、それを言いすぎると、深田さんがおっしゃったみたいに単なる「ごっこ」になってしまう。その間ですごく揺れていたというのが、私が観察していた頃の地域通貨の在り方だったと思います。

そうした「道徳的なお金」としての地域通貨の限界がある程度見えたことで、地域通貨の第一波が終わっていったんじゃないかと思うのですが、だとすれば、いまの興味の焦点は、法定通貨でも「道徳的なお金」でもない地域通貨というものがありうるとしたら、それは一体どういうものなのか、というところなんじゃないかと思います。その辺の捉え方は、個人的にも非常に興味あるところです。

若林　これはポッドキャストのなかで深田さんがお話しされていたことでもありますが、法定通貨というのは無色透明ですが、深田さんが研究されている貝の通貨「タブ」は、もうちょっと保有している人を反映するものになっているようなところがありました。

松村　ある人が集めた貝殻の貨幣が、その人の豊かさとか権威みたいなものを象徴する物質化されたものとして提示されるんですよね。それはいま話に出ていた地域通貨とも違うものですが、その人が亡くなると貯めこまれた貝殻貨幣に交換して貯め込み、その人が亡くなると貯めこまれた貝殻貨幣がすべてみんなに還流される仕組みって、実は、法定通貨側の流動性を高めることにも寄与しているんじゃないかと思ったんですね。日本ではみんながお金を貯めこんでしまって、お金が流動しないことが長年問題になっていますが、そんな問題を考える上でも、タブの話は面白いですよね。

深田　貝殻のお金は、それを束ねたでっかい輪っかをもっている人は、すごく尊敬される仕組みになっていますので、みんな貝殻のお金を貯めたいんです。すごく貯めたい。めちゃくちゃ貯めたい。ポッドキャストのなかで、貯めすぎた老人が孫に襲われ殴られたというお話をしましたが、なぜ殴られたかというと、貯めるばかりで使わないからです。ですから人びとの間には、必ず「貯めたい」と「使わなきゃいけない」という両方の思考が働いています。実際「使え、使え」という圧が非常に強く働いていますので、お金を回転させ続けないといけない仕組みになっています。その最たるものが、松村さんがいまおっしゃった、死んだら全部配らないといけないという仕組みです。

地域通貨との関係で言いますと、この貝殻のお金を第2の法定通貨にするという話がありまして、そのための調査がちょうど2001〜02年頃に実施されたんです。これはまさに地域通貨の第一次ブームの頃の話で、この調査も世界中で地域通貨プロジェクトに関わっていたコンサルタント会社によって行われました。けれども、調査が行われたまま、その話は立ち消えになってしまいました。

当時の日本でもたくさん立ち上げられた地域通貨と「タブ」が決定的に違うのは、「タブ」は「ごっこ」では済まない、リアリティそのものであるというところだと思います。

これをもっていることにみんな誇りをもっていますし、それをめぐって殴ったり殴られたりといったことが起きる。でも、なぜこれにそこまでのリアリティがあるのかを説明するのは難しい。なぜみんながそこまでこれを欲しがるのかは、説明できないけれども、だけれども疑いようもなく価値がある。そう考えると、いま改めて企画されている地域通貨やインターネット技術を使った新しいお金が、こうしたリアリティをどうやって獲得しうるのかは難しいチャレンジだと思います。

若林　それこそ時限付きの貨幣や、価値が減衰する貨幣など、みんながそれを使うことでお金の流通を促すようなアイディアはこれまでにも色々とあったように思いますが、そうした「インセンティブ設計」をうまくやれば、深田さんがおっしゃったようなリアリティが獲得できるのか、あるいはそこはやはり使う人たちのマインドセットが変わらないとうまくいかないのか、どうなんでしょうね。

深田　それはまさにいま小川さんが一緒に調査されているプログラマーの方が頑張って考えているところですよね。

小川　そうですね。でも、必ずしもそこにお金がなくてもいいと思うところもあるんです。というのも、地域通貨の目的は、地域通貨を流通させることに目的があるわけではありませんから、結局は「何を目的にするか」という問題なんです。

その地域の資源を「シェア」することが目的であるなら、無理にお金を介在させなくともシェアがうまく進展するならそれでいいわけです。そのほうがおそらく永続的に使われるものになると思いますし、「ごっこ」にもならずに済むんじゃないかと。完璧な地域通貨を考案することを目指すというよりは、目的に応じてその弾みとしてとりあえず地域通貨を入れて、徐々に仕組みをつくっていくみたいなこともありなんだと思います。贈与交換や助け合いだけではなく、法定通貨じゃない形でお金を使うとある目的が達成される。そのために便宜的に通貨をつくればいいという考え方なので、私たちがいまやっているのは、通貨そのものを永続させるというよりは、具体的な仕組みをつくるための一通過点として通貨を使えればいいという感じなんです。

ちょっとずつルールを破ろう

松村　ちょうどいま視聴者から、「小川さんのポッドキャストのなかにあった、誰も信用するなと言いながら関係性がうまく回っていく感じがよくわからない」というコメントが来ています。

小川さんの話を、これはタンザニア商人の話だと思って聞いてしまうと「そんなこと日本人にはできないじゃん」ってなってしまうんですが、中川さんの回では、それを「市場のモラリティ」の問題として説明されていて、そう言われると、自分たちにも思い当たるフシが出てくると思うんです。つまり、小川さんの話を日本で生活している文脈に落とし込むときに、タンザニア人の話として、ではなく、私たちの生活のなかにもありうるロジックとして語ることは、もっとできる気はするんですよね。

小川　私のなかでは「タンザニアならではのやり方」という理解よりも、「ある特定の状況のなかではそれが望ましいやり方になる」という理解の仕方なんです。

例えば日本のように、顔が見えていて、そこで生じる関係性も非常に固定的で、明日も明後日も、その人はずっとそこにいるだろうと予測がつくような関係性のなかで「誰も信頼しない」というやり方で取引をしたり、商売をするのって、ただシニカルなだけだと思うんです。

でも相手が明日にはそこにいないかもしれない、あるいは、ものすごく不安定な市場のなかで今日は羽振りが良くても明日になったら一文無しになるかもしれないといった状況においては、誰も信頼しないことを前提に置いたほうが良いこともあります。失敗したり裏切ったりする人間を排除していき、みんな必ず信頼できるという安定的な関係をつくるよりも、失敗や裏切りがあることを前提として、それでもどのようにしたらビジネスや社会が回っていくかに力点を置いて関係をつくっていったほうが合理的だと思うんです。

現状の日本ですと、明日にはこの人はいないかもしれないとか、明日になったらこの人の状況が180度変わるかもしれないっていう状況は想像しがたいかもしれませんが、でも、そうした不安定性や不確実性、流動性や多様性が、日本にまったくないかというと、そんなこともない気はします。

松村　中川さんが調査されているフランスの農産物マーケットも、ある意味、騙し合いの世界ですよね。嘘を言ってみたり、極端に値切ってみたり。そうした丁々発止のやり取りがなされる場だと思うのですが、そこでのやり取りと、小川さんが語るタンザニア商人の不確実性のなかでの生き方って、どこかつながる部分ってあったりしますか。

中川　それを考えながらお話を聞いていたんですが、似ているようでいて似ていないのかなと思います。私が見ているフランスの農産物マーケットには、イタリア系、スペイン系、モロッコ系、あるいはモンの人たちなど、多様な出自の農民がいて、その人たちが商人、仲買業者たちと毎日丁々発止の駆け引きを繰り広げています。

彼らは、基本的に毎日、そこで会うわけです。明日も会う。明後日も会う。その次の日も会う。そういう関係性なんですが、心配になってしまうような悪口を言いますし、平気で騙しもします。農民同士であっても、自分がいくらで売ったかみたいなことをブラフをかまして言い合ったりするんです。で、彼らは、それを基本、良いことだと思っているんですね。

彼らのなかには、タンザニアの商人のような「明日になったら誰かがいなくなる」みたいな不安はないのですが、それでもなお、騙し合ったりすることを非常に肯定的に捉えているんです。それは一種の演技みたいなもので、それを通して関係性が成り立っているんですね。

松村　ポッドキャストのなかでは、「市場の劇場性」という言い方をされていました。

中川　現実的には商人のほうがずっと大きな資本をもっていますが、市場という空間においては勝つかもしれないし、負けるかもしれない。儲けるかもしれないし、損をするかもしれない。そういう意味で彼らも農民もみんな平等な関係であって、みんな同じなんだ、自由なんだというのが、市場のなかでの共通の認識なんです。ですから農民の側も、「お前に何も強制されることはないし、自分が売りたい相手に売るんだ」って常に思っています。騙したり罵倒したりするのは、「おれはお前に負けていないよ」っていう気概であり、彼らが考える自由や平等の表現なんです。

モンの人たちも最初の頃は、そういったブラフをかましたり、口汚く罵ったりすることにためらいがあったんですが、徐々になじんできてフランス人の農民にも「負けてないぞ」っていうところを見せるようになっていくわけです。なので、これは、どこかの民族に固有のものではなく、「市場の文化」であって、そこでの自由と平等の表現なんですね。それが、多種多様な出自の人たちに共有されたものとして存在しているということなんだと思うんです。

小川　いま中川さんがおっしゃった「市場のモラリティ」と言いますか、市場という場所での、ある種のルールや暗黙のパフォーマンスみたいなものは、タンザニアの商人ともすごく共通しているように思います。中川さんはよく「市場のほうが自由や平等を達成する何かがある」っておっしゃっていますが、その感じはすごくよくわかりますし、そうしたことは、私のなかでは、丸山さんが話されていた狩猟採集民の人たちの話ともつながっていると勝手に思っているんです。

丸山　タンザニアの商人のやっていることと、ブッシュマンたちのやっていることって、一見、都市の若者とカラハリ砂漠の狩猟採集民ということで、だいぶ違うセッティングに生きているように見えるかもしれませんが、色々似ているところがあると思います。それは、不確実な状況というのが、必ずしも自然に強く依存しているからあるわけではなく、都市にでも、どこにでもあるからかもしれません。

そういう意味では、松村さんが指摘されたように、それぞれのお話を「特定の民族だから、あるいは、特定の地域だから、そうなっているんだ」っていうふうには、私もあまり思わないんですね。ただ、じゃあ、どうやって行動や考え方に似ているところや違うところができるのかは、気になるところではあります。直感的には、ブッシュマンと日本の私たちの考え方より、ブッシュマンとタンザニアの都市商人たちの考え方のほうが近い気がしますが、それがどうしてなのかは、まだうまく説明できないなと思っています。

若林　丸山さんがフィールドから帰ってきて、ブッシュマンと日本人の遠さを感じるようなことって、やっぱりありますか？　改めて日本に帰ってきてギョッとすることとか。

丸山　私も普通に日本に暮らす人なので、そこまで驚くことはないのですが、それでも帰って来たときにギョッとするのは、すべてがちゃんとしている感じですかね。

小川　それ、わかります（笑）。

丸山　うやむやにする力とか、なし崩し的にどうにかしちゃうとか、結果的にうまくいくとか、そういうのがないから、すごく緊張するんですよね。この電車を逃したとしても、誰も「代わりに連れてってあげるよ」とか言ってくれないんだろうな、みたいな感じとか。「ちょっと待って」とか言ってても「もう時間なので待てません」って言われるんだろうな、とか。話したらルールを曲げてもらえそうとか、とりあえず「いいよ」って言ってもらえそう、みたいなのがないので。

若林　たしかに……。

丸山　ですから、日本に帰って来るときには、その辺の人に助けてもらおうとか考えちゃダメだから、ちゃんと時間を見てちゃんと切符も買わないと、という緊張感があるんですよね。それはいつも思います。そういう意味では向こうにいたときのほうが安全というか、安心というか、ほっとするというか、そういうのはありますね。

松村　丸山さんのお話に出てくるブッシュマンの人たちって、ルールを決めてみんなで守りましょうっていうのとは違うやり方で秩序をつくっていく感じがありますよね。逆に私たちは、物事をうまくやるにはみんなでルールを決めて、それをみんなで守れば物事はうまくいくっていう、そういう秩序のモデルしか選択肢がなくなっている感じがします。丸山さんの話を聞くと、それって結構しんどい物事の進め方なんだなと思わされますね。

　ルールを決めるから、ルールを守れないのは悪だ、逸脱だ、だめなヤツだ、という話が出てくるわけで、ルールを決めなかったら、いいこと悪いことの区別もないわけですよね。小学校からずっとルール通りに物事を進めるやり方しか知らずに育つのって、窮屈さのひとつの原因かなと思ったりします。

丸山　もちろんブッシュマンのところにも、正しいことと正しくないことの区別やいいことと悪いことっていう区別はあります。あるんですけど、その間の余白や余地みたいなものが広いのかなという気がするんです。たぶん、ルールを守っている人は、いったんルールを守り始めちゃうと、きっとみんなにも守ってほしくなっちゃうんですよね。「私はちゃんとやっているのに、なんであの人は」っていうふうに、どんどんなっていくんだと思うんです。

　これはあまりいい解決策とは言えませんが、みんなでちょっとずつやめればいいと思うんです、ルールを守ることを（笑）。大きい制度やシステムを変えるという話ではないところで、私たち一人ひとりがやれることといえば、ちょっとずつ逸脱していったり、ちょっとずつ無効化していったりすることで、それが結果として、ルールを守らない他の人を許す社会をつくっていくことになるのかもしれないという気がします。

小川　タンザニアの人たちもルールは一応つくるんです。今日は参加されていない佐川徹さんがポッドキャストのなかで「胃が違う」という話をされていましたが、タンザニアの人たちは、ルールはつくるものの、基本的に、ルールに限らず何かによって他人をコントロールすることは無理だって思っているところがあるように思います。また自分自身もそこまで他人にコントロールされたくないと思っている。そういう意味では、すごく自律的なんです。

でも、だからと言って、シェアがないとか、助け合いがないというわけではなく、みんなそれぞれに好き勝手なことをするものだっていう前提のもと、それでも最悪みんなが生きていけるようにはしよう、そういう感じなんじゃないかと思っています。

若林　日本も、ある時期までは、もうちょっと適当だったんじゃないかって気もしなくもないんですが、どこでそれを手放しちゃったんですかね。

松村　そうなんですよ。日本にはそうした感覚がないと強調しすぎると、日本は昔からずっとこうだったように思えてきますが、本当はそうじゃなかったはずですよね。企業であっても戦後の混乱期には、ルールなんか守っていられなかった状況があったわけですし。

そういう意味では、先ほど小川さんがおっしゃったように、ある特定の状況において、いま私たちはなんらかの理由でこういう身のこなし方になってしまっていますが、それも状況が変わると変わっていくのかなと思うんです。

いま私たちが、それこそタンザニアの商人や狩猟採集民の人たちのやり方に興味をもつのは、逆に言えば、いままでとは違う状況がどんどん進行していると私たちがどこかで察知しているからかもしれません。いまのところ確実性を一応信じてやっていますが、確実性への信頼を基盤とするこれまでのやり方が変われば、いかに私たち自身の別の可能性に目を向けられるかが問われると思います。

「何のために働くか」を小学生に答える

山下　ここまでのお話は、みなさんがフィールドにされている国々の不確実性のある社会と安定的な日本の社会の違い、あるいは、そこにある社会的な規範とかルールみたいな話が中心だったと思うんですが、そこから、今度はもう少し個人寄りの話、ワーカー一個人の心のもちようや、働き方についてお話を聞けたらと思います。

若林　いいですね。

山下　いまの日本の文脈を少しだけお話しすると、ここ数年、働き方改革があって、企業の働き方を変えていこうという動きと同時に、一人ひとりの働き方や生き方も見直しが迫られています。

例えば、働き方改革によって、「残業はなしです」「5時には会社から帰ってください」「帰って好きなことをやってください」とほっぽり出されてしまったときに、多くの人がやることが何もないということがあります。

つまり「働くこと」と「生きること」とがほぼ重なっていた人たちが、急に「生きること」だけを強制的に分離されて「何のために生きてるんだっけ？」という問いに直面しているんですね。働くことの意味とかやりがいといったところで、先生方が見てこられた人びとと日本人とでどういうところに違いがあるのかというあたりを伺いたいと思いました。

若林　おそらく関連する質問だと思うのですが、小学校の先生をしている方から、「子どもに、何のために働くの？と聞かれたら、登壇者のみなさんは何とお答えになりますか」という質問が来ています。これ、子どもたちに聞かれるんでしょうね。つらいですね、小学校の先生って。だってこれ答えられないですもんね。丸山さんだったら、どうお答えになります？

丸山　一番に当てられるのって嫌ですね（笑）。

若林　ですよね（笑）。

丸山　学生の気持ちがよくわかりました。授業だったら下向いて気づかれないようにするところですが（笑）。私個人としてどう答えるかということでいいですか？

若林　例えば、同じ質問を、フィールドを行かれたときにされたりすることって、あったりしますか？

丸山　「何のために働くの？」ですよね。どうでしょうね。ブッシュマンに聞いたら「食べるため」と答えるんじゃないかなという気がします。あとは「楽しいから」ですかね。あるいは「やりたいから」「それをやってみたいから」かな。

　でも、本当は「何かのために」働かなくても別にいいんですけどね。働きたくなかったら働かなくてもいいんじゃないかなって。そんなことは、あまり小学生に言っちゃいけないのかもしれないですけど。

若林　あはは。丸山さん、さっきから結構反社会的なことを（笑）。

丸山　すいません（笑）。

若林　でも、そう言われると、「何のために働くの？」という質問の背後には、「何かのために働くもんだ」という前提があるわけですね。その質問自体が変なのかもしれないですよね。中川さん、いかがですか。

中川　正確に思い出せないんですが、丸山さんのブッシュマンのお話のなかに生活保護をもらっていたら別に働かなくてもいいという話があったと思うんです。生活保護や社会保障で生きていけるのなら、別に恥ずかしい選択肢でもなんでもないというお話でしたよね、たしか。

丸山　全然恥ずかしくはないです。むしろラッキーって感じです。

中川　ラッキー。

丸山　うん。ラッキー。

中川　まったく同じことをイヌイットの研究をされている大村敬一さんが以前おっしゃっていたんです。イヌイットの場合はたまたま国家による保障でしたが、保障してくれる相手が誰であっても、それによって生活が保障されるのであれば、それはそれで別に構わないと思っているそうなんです。

　私が調査対象としているモンの人たちの話をすると、基本いまいる場所に難民としてやってきて、どうにかして生きていかないといけないから働くわけです。本当に選択肢がないですから。特に大人になってからフランスにやってきた人たちは、政府による形だけの再教育を受けて、ごく初歩的なフランス語とフランス社会のことを学んだら、ほとんどが工場労働に送り込まれました。大企業の大きな工場で、一日中ひたすら流れ作業に従事することになったんです。

　ところが、そこで面白いのは、生きていくためであればなんでもせざるを得ない状況であったにもかかわらず、やっぱりモンの人たちには、それがとてもイヤだったんですね。多くの人が、それは奴隷をすることだと認識したわけです。というのは、フランスに来る前、中国から東南アジアにかけて移動しながら生きていたときも、彼らは人の言うことを聞くのを極端に嫌う人びとだったと言われていたんです。平地に暮らして政府や企業の言うことを聞かされるくらいだったら山へ逃げていって独立して自由に生きたいと、そういうモチベーションで移動してきたと言われています。

　ですからフランスに来ても、ひとまずは大企業の単純労働者として働くことになって、ある意味安定した暮らしを得ることはできたのですが、それでもやっぱり嫌だったんです。そういう人たちが南へと移動していって農民になったんです。

　なぜ彼らがそっちを選んだのかというと、やはり、南部の農民はさっきも説明したように一人ひとりが独立して農業を行えて、市場においても独立した存在でいられるからです。誰の言うことも聞かなくてよくて自分自身の主人でいられる。彼らが選んだのは、そういう農業だったんです。彼らにとってズッキーニ農家は、格好の生存のためのニッチだったわけです。自分たちが望んでいることと与えられた機会がラッキーなことに一致したんですね。

　そうやって観察していくと、少なくともモンの人びとが「何のために働くのか」という問いに、一定の理由があることが見えてきます。つまり、とにかくお金が稼げればいい、安定が得られればいいっていうことではなくて、独立できるならば少々しんどくたって構わないということです。

　フランス南部の農業というのは非常に自己搾取的な厳しい農業ですけれども、そうであったとしても彼らは独立して働けることに大きな意味を見いだしています。なので、私が見るところ、「何のために働くか」というと、「独立を得るため、自由を得るため」っていう部分が非常に大きい。それを求めてモンの人たちは移動を続けているんですね。そこに、私なんかは面白みを感じるんですね。

若林　自由を得るために働く。

中川　日本との違いみたいなことを考えると、私から見ると、そういう彼らはものすごく格好良く見えるんです。すごいな、とやっぱり思いますし、自分もそうなりたいと思ったりもします。

若林　憧れますね。

中川　でも、同時に、彼ら自身、そういう生き方が１００％いいとは必ずしも思っていないところもあるんです。モンの人たちは、日本について、「みんながみんなのために頑張ってすごいじゃないか」というようなことをよく言うんです。「会社でみんながひとつに力を合わせて会社のために頑張ってすごいじゃないか」って。逆に自分たちはいつも自分が良ければそれでいいという考えで、自分の自由ばかりを主張して全然まとまろうとしない。だから世界中どこに行っても少数民族なんだ、みたいなことも言います。

　私から見ると、彼らにとっての働く意味はものすごく格好いいし、そういうふうに自分もなれるんじゃないかみたいな思いをかき立ててくれるものではあるんですが、彼ら自身にとっては、そういう自分たちが必ずしも常に満足のいくものではないのは面白いところです。

若林　中川さんはモンの方に「日本、いいじゃないか」って言われたら、どう答えるんですか？　「思うほど良くないぞ」とか言うんですか？

中川　そうですね。実際には言うほど良くないぞとも思うのですが、でも彼らにそう言われると「確かにそういう部分もあるかもしれないな」とも思いますよね。なので、私たちもモンの人たちも、お互いにいま自分が生きている生き方と、ありえたかもしれない別の生き方みたいものを並行して生きているんですよね。みんな、そうだと思うんです。日本でも。ありえたかもしれない生き方と現実のいまの生き方との間、バーチャルなものとリアルなものの間を行ったり来たりしながら生きていて、それはお互いさまなんじゃないかと。

若林　深田さんは、いかがですか。トーライ社会における、働くことの意義について。

深田　中川さんのお話のなかのモンの人たちと比べると、私のフィールドの人たちは割合豊かな環境に生きているんですよね。バナナがニョキニョキ生えているような、食べ物はすごく豊かなところですから。とはいえ最低限食うためには働くことが必要で、子どもを学校に行かせたり服を買ったりするためには、当然お金を稼がなくてはなりません。その意味では、生きるために働かなくてはいけないということは、ある程度あります。でも、たぶんそれだけではないんです。

　ポッドキャストのなかでもお話ししましたが、やはり貝殻の貨幣「タブ」を束ねた丸い輪っかを大きくして一人前になることが、彼らにとっては「生きる」ということなんですね。だから輪っかを貯めて、でかくしていく。「何のために?」と言われても、そうすることが豊かに生きることに他ならないからなんです。タブをたくさん貯めて、たくさん使う。食べていくだけだったら、こんなゲームに参加しなくても生きていけます。ただ、それだと「いい人生だった」っていうふうには思われないんです。ただ村にいて、ただ農作業をして、なんとなく生きて貝殻のお金も十分にもたずに死んだ人のことを、彼らは「シンプルマン」って言うんですよ。

若林　シンプルマン。

深田　はい。「単純な人」という意味ですが、そこにある種の侮蔑が加わったことばなんです。「シンプルマン」に対置されるのが「ビッグマン」や「ビジネスマン」なのですが、トーライ社会では、ビジネスマン的な人はものすごくもてはやされます。お金も含めて何かを動かす人がすごく尊敬されるんです。とすれば、「シンプルマン」は、要は何も動かしていない人ということになります。ただそこにいて、食べて、貝殻のお金も普通の現金も生まず、動かさず、エントロピーゼロみたいな感じの人が、シンプルマンなんです。立派な人間として生きるということは、貝殻のお金にしても現金にしてもグルグルグル動かして、みんなに影響力を与えたり、何かをつくったりすることなんですよね。

若林　嫌ですね、シンプルマンって言われるの。寂しい感じなんですよね、きっと。

深田　つまらない人生だったんだな、みたいな。

若林　言われたくねえなあ。シンプルマン。

深田　言われたくないですよね（笑）。

若林　小川さんは、いかがですか?「何のために働くんですか」って小学生に聞かれたら、何とお答えになります?

小川　タンザニアの人たちはたぶん、「働かないと関係が広がらないから」みたいなことを言うんじゃないかと思います。

　中川さんの話を聞いて、私がいつも「そうそう」って思うのは、ある種の独立心なのかなと思うんです。私が調査しているタンザニアの人たちは商売人なので、基本的に誰かに雇われたくないという思いがすごく強くあるんです。雇用されるのは、商売のための資金を貯めるためか、いま商売ができないから仕方なく雇われるときだけといった言葉をよく聞きます。誰にも指示されず、好きなときに休み、好きなときに働くことができるほうが楽しいと彼ら自身よく言うんです。

　また「人生は旅だ」ともよく語ります。お金は稼ぐんですが、それをほとんど貯金せず、どんどん違う商売に投資していってしまうんですね。「どうして?」「ちょっとくらい残しておいたほうがいいんじゃない?」って私なんかは心配してしまうのですが、彼らは思い切って投資してしまう。でも彼らの感覚からすると、お金を自分のために残しておいても何にもならないけど、新しい商売をすれば、新しい人間関係ができる。人に投資すれば、そこに新しい人との関係性が生まれる。そうすると、将来、多くの人に囲まれ、あの人にもこの人にも頼ることができていく。そういう意味で、彼らにとっての「働く」は、短期的には稼ぐためなんですが、長期的には社会関係を広げるためなんじゃないかなと思います。

嫌になったらやめられる

若林　先ほど山下さんが、日本人は「働くこと」と「生きること」が重なりすぎちゃって「何のために働くか？」を問うことが、「何のために生きているか？」という問いになってしまうというお話をされましたが、でも「何のために生きてる？」って質問って、それを問うことに意味があるのかって思ってしまうところもあるんです。「何のために生きてる？」というような問いを、みなさんフィールドでされたことあります？　聞いたとしたらどういう答えが返ってくるんでしょうか。

丸山　私は、そういうことはあまり聞いたことないんですけど、でも、いまお三方の話を聞いていて思ったのは、例えばモンの人たちは「独立」だとか、タンザニアの商人であれば「社会関係を広げる」とか、それぞれのグループのなかで、みんなが共有している「良いこと」や「価値のあるもの」みたいなものがあるのだな、ということなんです。

　ところが、私が付き合っているブッシュマンについては「こういうことが、この人たちに共通して目指すところなんですよ」みたいなことをまとめて言いにくいんです。これは、単に私がまだそれを見つけられていないからかもしれないのですが、それでも一概に「こうなんです」と言いづらいところがあるんですね。

若林　なるほど。

丸山　というのも「〇〇のために働く」っていうときの「〇〇」の部分を埋めるものが思いつかないなって思ったんです。つまり、彼ら自身にも、そこは始まる前には具体的には見えないんだと思うんです。でも「何かいいことがあるかもしれない」という感覚はある。例えば「キリンを捕るために狩りに行く」っていうことじゃなくて、「狩りに行ったら何かいいものに会えるかもしれない」みたいな感じなんです。「何かいいことがあるかもしれない」っていう感じが人をそわそわさせるというか。仕事の募集があってそれに応募するときも、それによってお金がもらえるか、人脈が広がるか、何があるかよくわからないけど、何かいいことがあるかもしれないっていう感じが原動力になっているような気がします。いい感じの匂いがするほうに行きたいみたいな。そういう感じなんです。

　あまりうまく説明できないんですけど、そこの「何かいいこと」の部分を「〇〇」って具体的なものを当てはめた瞬間に、実際に起きていることとはちょっと違った感じのことを言っちゃうような気が私はしています。そこはおそらく本人たちも具体的に「お金です」とか「名誉です」とかっていうふうには思ってないんじゃないかなと思うからですかね。

小川　丸山さんのお話、すごくよくわかります。「何のために働くのか」「どうして働くのか」っていう質問って単線的な時間観に基づいていますよね。未来の目標を立て、計画を立て、それに向かって頑張って実現する、みたいな感じなんですが、それは私が調査をしている人たちには、あまりない考えなんです。色々やっていたほうが、きっといいことがあるとは言いますが、どうなるかわからないという意味では、そもそも未来に向けて明確に緻密に計画を立てることはしていないと思います。

松村　これは難しい問いですよね。深田さんの貝殻の事例は、明確な目標が設定されていますよね。みんなが共有する「いいこと＝価値」が物語としても物質的にも共有されていて、いい人生を送った人とそうでない人とが明確に数として提示される。それは見ようによっては世知辛い社会であるかもしれないけれど、それがあることで何のために生きるかがすごく明確になる社会ですよね。

　一方、モンの人たちは、歴史に翻弄されてきた人びとですよね。戦争が起きて国内にいられなくなる状況のなかでは、達成すべき確実な未来はやっぱり思い描けないと思うんですね。となると「何のために？」っていう問いの立て方自体が、不確実な状況では成り立ちにくい。

「何のために働く？」という質問の前提には、「働く」って結局は何かに到達するための手段で、「将来〇〇があるから、その目的のための手段だから我慢しなさいね」みたいなニュアンスがありますよね。モンの人たちについて、先ほど中川さんがおっしゃった独立している状況というのは、実は、そういった先にある目標ではないと思うんです。むしろ「いま、私がどうありたいから、こういうふうに働く」みたいなことで、それは遠いところにある達成目標ではなく「いま私がどういう人でありたいか」なんですよね。

　そう考えると、さっきの丸山さんのお話にもつながってくるところはありそうで、「いい感じの匂い」のほうへと向かっていくのも、「いまの自分にとってそれが心地いいか」ということですよね。つまり、不確実性の高い社会にあっては、目標を立ててそれに向かって頑張っても、それが達成できるとは限らないので、むしろ「いまの私がどうありたいか」と関連付けて考えざるを得ないのかなとも思ったんですが、どうでしょうか？

中川　松村さんのお話にひとつ付け加えると、小川さんとか丸山さんがおっしゃった話に非常に近いところはフランスのモンにもあるんです。彼らはズッキーニをつくっていますが、ズッキーニのシーズンって3月頃に始まって11月には終わるんです。彼らはそのシーズンの間、春から秋までは1日も休まずにものすごく働くのですが、冬になったら儲けを全部使っちゃうんですよ。アメリカや東南アジアにいる親族を訪ねて、そこで散財したり、あるいは、車を買って見せびらかしたり。

　結果次の年は、また一から始めないといけない。その年に成功したから、それを資本にして次に投資して蓄積しておこうみたいな考えがあまりないんです。それは彼らが置かれた社会的状況にも関係していますが、それでも根本のところで「いつどうなるかわからない」っていう、その感覚があるんです。「いつまでここにいられるのかわからないのに、蓄積しても意味ないじゃん」っていう感覚はあります。

　彼らはいまやすごく優れたズッキーニ農家で、非常に優れた技術をもっていますが、その技術を突き詰めていった先に目標を求めることもないんです。彼らはよく「いま私たちはこういうことをしているけれど、来年お前が来たら違うことをしているかもしれない」と言うんです。いまここでやっていることが最終的にすごくいい目標にたどり着くというものの見方はあまりしなくて、それよりも、いま松村さんが言ってくれたように、「いまが不満でないか」ということのほうが大事なポイントのように感じます。

若林　松村さんは、働くことが「道具」だと考えられているとおっしゃいましたが、そうした考えがたしかに仕事というものから意義や価値を奪っているような気がしてきます。自分はできるだけ「仕事はそれ自体が目的だ」と思うようにしながら仕事をしてきたところがあるんですが、それって変な考えなんですかね？

丸山　「やっていること自体に意味がある」っていう感覚は、私自身も自分の仕事に対してはそういうふうに思ってやっていますね。結局やっていることそれ自体に何か魅力があったから仕事としてやってきたと思うんです。

であればこそ、そこで大事なのは、やっぱり、嫌になったときにそれをやめられるかどうかだと思うんです。それがやめてはいけないとなると、さっきから話に出ている「〇〇のために」が必要になると思うんです。「お金のために」とか「家族のために」とか。

若林　たしかに。

丸山　ブッシュマンの人たちって、仕事も、嫌になったらパッとやめちゃうんです。次のアテなんかなくても平気でやめちゃう。「やめてどうするの?」って思うんですが、どうもしないんです。それでも、なんとかなるんですよね。誰かが助けてくれたりして、しばらくはなんとかなる。その「なんとかなる」がないと、やっぱりやめられないって状況が生まれて、「〇〇のために働く」が出てくるのかな、という気がしました。

　さっき松村さんが、不確実だと物事が積み重なっていかないとお話しされていましたけど、でも、ブッシュマンの人たちのようにパッとやめるといったことも、先が見えないことも、全然ネガティブなことじゃないと思うんです。むしろ、ずっと先までわかったらつまらないというか、楽しくないというか。不確実っていうと、確実が良いもので、それがなくて困った状況という感じがしますけれど、そういうことじゃなくて、何かいまとは違う、何か違うことが起きるかもしれないからやってみようみたいな、博打とまでは言いませんけど、ちょっとそういう楽しさがあると、「先の〇〇のためにいまを決める」という考えとは全然違う道にいけるんじゃないかなと、私はブッシュマンのところに行って思うようになりました。

小川　中川さんと私が知り合ったのは、たしか「アカウンタビリティ」をテーマにした研究会だったと思うんですが、タンザニアの人たちもあまり未来が不確定なことをネガティブだとは思っていないんです。もちろん、不安がまったくないわけではないのですが、必ずしもネガティブではない。

　一方の日本の社会を見ると「なんであなたはそういうことをしたんですか」「あなたは何者なんですか」「あなたがやっていることは何なんですか」をすごく問われますよね。つまり、確実性が大事な社会においては、万が一失敗したときに、それを説明しないといけないわけです。その結果、みんなでみんなの説明を評価しあうことになってしまう。つまり「アカウンタビリティ」(=説明責任)が重要な社会になっているということだと思うのですが、タンザニアの商人たちの場合、そんなにアカウンタビリティを常に果たさないといけないみたいな感じがないんですよね。

若林　私っていうものの「一貫性」がオブセッションになっているということですよね。言ってることとやってることの一貫性とか、昔言ったことといま言っていることの一貫性とか。そんなの無理に決まってるじゃないですかね。

小川　そんなふうに一貫しちゃってたら、トーライ社会では、むしろ「シンプルマン」って言われちゃいそうです。

深田　いま日本では、自分がやっていることとその動機とをちゃんとセットにしないといけないという強迫観念がすごく強いんだと思います。だから「なんでそれをやるのか」をちゃんと考えなければいけない。たぶん、かつては何かをやっている動機はもっと自明だったと思うんですね。だから「何のために働くのか」という問いは、ロールモデルみたいなものが割とはっきりとしているなかで、あえて聞いてみるような、それほど切実ではない問いだったようにも思うんです。

　ところが、いま学生を見ていても思いますが、日本ではそうしたモデルがほとんどリアリティを失っていて、かつてであれば半ばゲームであったような「何のため」という問いが、いまは極めて切実なものになっていて、その説明責任を極めて重大なこととして感じるようになっているんだろうと思います。

　メラネシアではヨーロッパ人と接触した19世紀後半以降、各地でカーゴ・カルトという宗教、社会運動が繰り返し起こりました。色々なものがあるのですが、ざっくり共通する要素を言うと、これから祖先が帰ってくるなどして自分たちに豊かな富がもたらされるという予言があって、それを迎え入れる準備のために飼っている豚を全部食べちゃったり、働くのをやめちゃったり、祖先が乗って来る飛行機を迎え入れるための滑走路をつくったりと、なにか普通はやらないようなことをするんです。ヨーロッパ人はこれを見て、来るはずもない「積み荷（カーゴ）」を待つ「カルト」だと言ったわけですが、私たちが見てもメラネシア人の振る舞いは非合理的だと思いますよね。では、なんで「非合理的」なんでしょうか。それは、ここでコツコツと積み重ねて努力をして投資し続けることによって何かが得られるという、努力と正比例して将来の成果が得られるという世界像を私たちがもっているからですよね。

　その考え方からすると、もっているものを全部いまここで捨てることで将来幸せになれると思うのは、極めて非合理的に見えるんですが、ところがそうでもないんです。メラネシア人の世界観、時間感覚では、努力を積み重ねればそれが蓄積されて結実するというわけではなくて、破滅的な事態も素晴らしい出来事も必ずしも日常の営為とは関係なく突然生じるものなんですね。ですから、日常的な仕事を地道に積み重ねるのではなく、ある種のエキセントリックな、場合によってはカルト的に見えるような特別な行為で祖先がもたらす莫大な富を招来するということも決して非合理的であるとは言えないわけです。

若林　なんか感覚的にわかるところもありますね。

深田　だいぶ脱線してしまいましたが、最近よく学生に話すのはこういうことなんです。それこそコロナ禍で大変な今年、就職活動をしている学生が仮に就職できなかったとしても、それは彼らが努力をしなかったからというわけじゃないですよね。つまり、努力したから首尾よく就職できるなんていう因果関係は実はそれほど明らかではないはずです。でも私たちは努力と成果が正比例的に結びつくと信じている。そういうモデルを当たり前のものだと信じているだけなんですよね。そのときにカーゴ・カルトのような、時間や未来に対するモデルが違う人たちの世界を知ることは、そうやって漠然と信じている時間や未来を相対化する上で役に立つんですね。

松村　いま、すごく重要な点を指摘していただいたと思うんです。先ほど若林さんがおっしゃった「一貫性」について、一度失敗したらもう二度と信用されないみたいな話がなぜ出てくるのかと言えば、努力を通じて現在が直線的に未来に向かって伸びるモデルによって、過去の自分といまの自分を直線で結びつけちゃうからですよね。

　思いつきやそのときの気分にしたがってあちこち行ったり来たりしていたら、過去の私といまの私の間に、何らかの一貫性を求める必要も、説明する必要も、因果関係を見いだす必要もない。逆に、人生を「一貫した努力が積み上がっていく右肩上がりの直線」として想像してしまうと、将来にわたる一貫性も、現在と過去との一貫性も求められてしまう。

　そう考えると、さっき丸山さんがおっしゃった「やめられる」というのは重要ですよね。一貫してないといけないと考えてしまうと、「過去の自分がここまで努力してきたんだからいまさらやめられない」となるでしょうし、その過去との連続性のなかでしか自分の未来を想像できないことにもなってしまう。

若林　「これまで色々犠牲にして頑張ってきたのに」って。

松村　過去と未来をつないでいる直線からはみ出してしまうことが、すごくネガティブに捉えられてしまっているんですね。いままでのお話を聞いていて、大事だなと思うのは、「なんとか食っていける」という点ですよね。エチオピアの村でもそうですが、仕事をしていなくても、しばらくはなんとか食っていける状況が、周りとの関係のなかにあるんですよね。であればこそ、イヤだなと思ったときにやめられる。セーフティネットというほどしっかりしたものではないにしても、「食っていくだけだったらなんとかなる」っていう状況が備わっているほうが、世界ではむしろ一般的な気がします。逆に一貫した自分であり続けなければ生きていけない、そこから脱落したら本当に死んでしまうような状況は、むしろ非常に過酷で、日本にはそういう過酷さがあると改めて痛感します。

若林　そうですね。「何のために働くのか」という問いへの長い答えでしたが、いまので小学生は納得してくれますかね。

山下　そこはですね、そもそも「働く」っていうことの意味そのものもどうなのかっていうのを、ちょっと言わないといけないかもしれません。

若林　何をもって働くとするか、ということですか？

山下　そうです、そうです。働くというと、暗黙のうちにみんな賃金労働をイメージしちゃうじゃないですか。ポッドキャストのなかでも、どちらかと言うと働くということに関して「公」と「私」をめぐる考え方が、私たちのそれとはひっくり返っているといった話が何度かありましたよね。いわゆる共同体を守るパブリックな仕事こそが「働く」ことで、賃金労働はむしろ私的な活動とされているといったこともあるわけですよね。そういう意味も含めて、幅をもった「働くって何なのか」は、ちゃんと問うたほうがいいんじゃないかと思いますね。そうした観点から見れば、別に子どもだから働けないわけじゃないということもあるわけです。

若林　本当ですね。

山下　そこには、おそらく子どもなりの社会の役割みたいなものもあるわけですよね。その辺がちょっと気になるところですね。セーフティネットとしての共同体があるからこそ、割と無理できるみたいなこともあるのかなって気がしますので、共同体のあるなしというのは、結構重要なポイントなのかなと。

松村　タンザニア商人にしてもモンの人たちも、世界中に散らばっていて、必ずしもかっちりとしたコミュニティや共同体があるわけではないですよね。バラバラにフランスに難民として渡っていった人たちの間で、何かの形でつながりをつくっていったんだと思うんです。

小川さんの例ですと、ＳＮＳを使って友だちの友だちの友だちみたいな感じでコミュニティのようなものがつくられていくんだと思うんですが、そう考えるとコミュニティやセーフティネットは、最初からそこにあったわけではなくて、人がつながり合いながらできていくものだと思うんです。これは大事なところかなと思います。

若林　みなさんのポッドキャストを聞いていて強く感じたのは、不確実性という話において一番不確実なのって、結局人間なんじゃないかということです。人ってめちゃくちゃ適当じゃないですか。今日やる気満々でも、明日はやる気がなかったりするじゃないですか。お話を聞いていると、人間は機械ではないから明日も同じようにいるわけではないっていうことが、人と人との関係性やコミュニティのあり方のなかに織り込まれている感じがして、そのことにある種の感動を覚えるんですね。

丸山さんの回に、子どもの話が出てくるじゃないですか。「この子が学校に行かないって言っているんだからしょうがないじゃん」って親が言うのとか、ものすごくいいなと思うんです。人間って、そんな確固たるものじゃないっていうことが、あらゆることの基盤に置かれている感じがして。だからこそ何かの拍子で誰かが食えなくなっても、それが許容される。それがいまの私たちの生活には相当欠けているなと感じますね。

山下　明日は我が身みたいな想像って、まずないですよね。私がいまだめになったときに親族に頼れるかっていうと、本当に助けてくれるのかなって不安になりますよね。会社で同じように働いている人たちも、同じような想像力が働いているかっていうと、たぶん、そんなこともないだろうなっていう感じがしますし。

若林　深田先生のトーライ人のことばで言えば、自分たちが、どれだけ「シンプル」になっちゃっているかを思い知らされます。

ベーシックインカムの落とし穴

若林　ところで、デヴィッド・グレーバーの『ブルシット・ジョブ』という本の最後のほうにベーシックインカムの話が出てきますよね。そのなかでグレーバーは、ベーシックインカムに対するよくある反論は、そんなことをしたら人間は働かなくなるだろうというものだが、その反論はとっとと切り捨てて良いと言っています。つまり、なかにはたしかに、お金だけもらって働かないフリーライダーもいるだろうけれど、他の人は自分の好きな仕事をやるようになるだろう、と断言しているのは、とても好きなところなんです。

　人間っていうものは、生活の安全が保障されたら、働くことをやめてしまう生き物なのか、それともそれとは関係なく働くものなのか。唐突な質問ですが、小川さん、どう思われます？

小川　どうしようって感じなんですけど（笑）。まず、広義の労働はなくならないとは思います。タンザニアの人たちは「ごはん食べるの飽きた」ってよく言うんですね。別に飽食だというわけではなくて、毎日ご飯を食べることを「労働」のように言うと、そうなる。「ごはん食べるの大変」って言ったりしますから。そういう意味での日常的な事柄、あるいは遊びと区別がつかないような労働までを広く含めると絶対に何かしらのことはするんじゃないかと思いますね。

　とはいえ、私は個人的には、ベーシックインカムのコンセプトは好きなんですけど、どこか違和感もあります。それは、いまおっしゃった理由とは違って、人間同士の贈与や分配のほうが細やかな気がするからだと思います。私は、人間どうしで融通を利かせて社会がうまく回って、人びとが勝手に社会っていいものだなと思えたほうがいい社会じゃないかという勝手な理想をもっているので。これはほとんど妄想なんですけど。

　例えば、学費がただになったら税金を払った人たちは学生がちょっと遊びに行ったり、ぼーっとしていたりしたら絶対文句を言うと思うんですよ。それと同じで、みんなの税金という形でセーフティネットを構築すると、かえってみんなが他者に対して厳しくなったりしないかな、っていう懸念が若干あるんです。みんなが社会保障されるのはすごくいいことだと思う一方で、それが相互監視みたいになっていったらすごく嫌だなとか。

若林　深田さん、いかがですか。

深田　私自身はあまりベーシックインカムについて考えたことがないんですが、勝手なイメージとしてこうだったらいいなって思うのは、お日様みたいに勝手に光が注いで色々なものが育つみたいなベーシックインカムだったらなんて素晴らしいんだろうと思うんですが、基本的にお金っていうのは回っていくものですし、ゼロサムの世界で生きているんだとしたらたぶん、そうはならないですよね。

松村　これは丸山さんにお伺いしたいのですが、ブッシュマンの人たちって、次の仕事が決まっていなくても仕事をやめたりするわけじゃないですか。そのとき、仕事を一時的に失ってぶらぶらしているときに、狩りとかに行かないと食べていけないかというと、必ずしもそうではないと思うんです。みんな働かなくても最低限は食べていける。でも、ずっと働かないわけではないですよね？

丸山　ブッシュマンが住んでいる南部アフリカって、あまり知られていないかもしれないですが、ずっとベーシックインカムの導入の是非が議論されているくらい福祉国家的なところがありまして、現時点でベーシックインカムは実現していないものの、色々な社会保障制度がとても充実してるんです。高齢者年金も決まった年齢になりさえすればもらえますし、収入がない人には手当や食料が支給されたりします。でも、それでみんなが働かないかというと、全然そんなことはないんですね。

もちろんその手当だけでは生活するのに十分ではないというのが、大きな理由のひとつとしてはあるのですが、それだけでもなくて。というのも、ブッシュマンはよく「座っていると疲れる」って言うんです。彼らは、いろんなことですぐ疲れるってことばを使うんですが（笑）。で、「座って待ってるだけは疲れる」ってよく言うんですが、これは、さっきお話しした「何かいいことあるかも」っていうことと、おそらく関係していると思うんですね。「ちょっとブッシュに行って、何かあるか見てくるわ」とか、「ちょっと町に行って、何かあるか見てくるわ」「ちょっと道ばたに立っていて、何か来るか待ってるわ」って出かけていくんです。そうやって、ちょっと何かしてみたら何かいいことがあるかもしれない、だから何かをやってみようという気持ちは、社会保障制度があって、手当をもらっていたとしても、あるんだと思うんですよね。たぶん、私自身だってそうだと思うんです。

あと、もらい続けることに、やっぱり疲れるんですよね。政府からにせよ、隣人からにせよ、友だちからにせよ、一時的にはいいんですが、それがずっと続いていることに関する居心地の悪さを解消したくなるっていうことはある気がします。ですから、やっぱり、ただ座り続けていることに、人はならないんじゃないかなって気がします。

若林　中川さんはいかがですか。

中川　私たちは普段、自由に生きているような気がして、何も頼りにせず生きているようなつもりでいますが、常に色々なもののおかげで生きているわけですよね。「誰に育ててもらったんや」「空気や水はどこから来ているんや」っていうことですね。それは、もう本当に数えきれない色々なものの支えがあって、それがあることによって生きている。先ほど深田さんが言ったように、太陽が燦々と輝いているおかげで私たちは生きているわけですが、それをいちいち負債のようには考えないわけですね。

ですから、もしそういうものとしてベーシックインカムがありうるならば、それによって人はより自由になるでしょうし、そのおかげで必要に駆られて何かをしなくてはならなくなるということもなくなっていく。そういう風にグレーバーは捉えていると思うんです。彼はアナーキストですから、政府から何かしてもらうことを良しとするという話ではないんだと思うんです。

ベーシックインカムというものが、人がより自由に生きていく上でのひとつの手助けになればいいと私も思います。理念上はそれでいいと思うんですが、その一方で、小川さんがおっしゃったように、それがそういうものとして認識されるとは限らないというところが難しいんじゃないかなと思います。つまり、ある種の負債や負い目として、そのせいで何かしなければならないとか、小川さんが言ったように、「こういうふうにしてあげているんだから、こうしなければいけない」みたいなものになり得るということですね。

若林　ありがとうございます。そろそろお時間なので、いただいている質問をばばっとお投げしようと思います。最初の質問。「企業の持続的な成長って、何だと考えますか」。丸山さん、いかがですか。

丸山　なんでこういうのを私に一番に振る（笑）。

若林　すみません（笑）。いかがですか？

丸山　企業の持続的な成長？　何でしょうね？　持続なんてしないで、しょっちゅうやめたりするのがいいんじゃないですかね。

若林　ああ、いいですね。

松村　結局、企業自身も自分を擬人化していて、人生で右肩上がりに成長していくみたいなイメージになっているということですよね。

若林　そうか。さっきの「一貫性」の話と同じですね。

松村　それと、そのなかで生きている人の話を抜きにして、いきなり「企業」って主語で語られるのも、なんだろうなって思っちゃいますね。

若林　では次の質問。「情報弱者がギグワークで生き延びるには何が必要でしょうか」。これ、小川さんいかがですか？

小川　情報弱者ですか……。私の対象としているインフォーマルセクターっていう非正規の自営業者たちはどんどんインターネットを自分たちのビジネスに取り入れているんですよね。じゃあ、その人たちがものすごく情報に詳しいかといえばそんなことはなくて、本当にそれがチャンスだったり、必要だったり、わくわくすると思えばすごく熱心に調べたりするという感じなので、情報に取り残されるとか、何かに追いついていかなければいけないとか、最先端を追わなければいけないっていう感覚は希薄ではないでしょうか。どちらかというといまやってみたいことに必要なもので、一番いいものを取り入れるだけなんです。最先端じゃなくても、自分にとって使いやすいものであれば、3歩くらい手前のものでも全然いいですし、それを使っているうちに、最先端のものに手を出したくなるかもしれないし、っていう感じですかね。

若林　次の質問は中川さんにお伺いしたいのですが、「承認欲求の面から働くことを考えることを、どのようにお考えですか」。つまり、人に認められたいという思いから働くことについて、どうお考えですか、という質問だと思うのですが。

中川　手堅くモンの話をするならば、彼らにもやっぱり承認欲求はありますよね。一人前だと思われたいっていうのは、すごく大きいです。それも、どれだけ稼いでいるではなくて、どれだけ独立しているかが大事で、そうじゃない人に対しては、「なんであんなことをしているんだ」と手厳しい評価が下されます。そういう意味では、自分が値打ちのある生き方をしているかどうかを、お互いに評価し合っていますし、お互い競っている部分はあると思います。ただ、評価の尺度は私たちが思っているよりもさまざまだ、ということが大事かもしれません。

松村　深田さんの貝殻貨幣って、承認欲求の塊みたいなものじゃないかなと思うんですけど。

深田　そうですね。貝殻貨幣は、まさに承認欲求の塊みたいなものですが、面白いのは、それが表に出てくるのはお葬式のときだけだという点です。普段はしまい込んであって表に出さないんですね。なので、誰がどれくらいもっているのかは、お葬式にならないとわからないんです。
　トーライ社会では、お葬式はだいたい乾季にやるので、ずっと晴れていますが、もしお葬式で雨が降ってきたら、みんな大慌てで貝殻を束ねた輪っかを外しにいくんです。

若林　なんでですか？

深田　濡れると困るからです。腐らせるなんていうのはもってのほかなんですね。ですから、貝殻の輪っかは人に見せたいものでありながら、でも見せるよりも、ただもっているだけのほうが大切みたいなところがあるんです。これを「やりたいこと」と言い換えるのであれば、やりたいことをやりたいという気持ちが、ただもっているだけの内側のものなのか、外に見せたいものなのかという違いはありますよね。と言っても、これは裏腹になっているものなのですが、欲望というものには二面性があって、見せびらかしたいという気持ちと、貯めておきたいという気持ちとが表裏一体になっているといったことは、こうしたお金の話にはよく表れているように思います。

若林　どなたが亡くなったときに初めてそれが公にされて、「おお、こいつ、すげえもってた！」みたいなことになるっていうことですか？

深田　必ずしもそうとは言えなくて、死んだ人を追悼する際に表に出されたりすることもあるので、ときどき人に見せるチャンスはありますが、基本的には出さないものなんです。見せたいけど、しまっておきたいみたいな感じです。

若林　もうひとつだけいいですか。「会社での人材開発の進め方についてヒントはありますか」。丸山さん、いかがですか。

松村　困ったときのブッシュマン（笑）。

丸山　「人材」とか思わないで、好きなようにやらせてみるっていうのは、どうですか？　「将来役に立つ人材にしよう」と思うと疲れちゃうので、とりあえず野放しにしてみる、みたいな。コントロールができないものと思ってやらせてみるとかいう感じで、解き放ってみてはいがでしょうか。

若林　めちゃくちゃいいお答えじゃないですか。最後に、中川さん。何かヒントがあれば。

中川　さっきお話をしたとおり、モンの人たちは、垂直型の組織をつくることがとても苦手なんです。つくろうとすると、常に解体する。そんな感じでも結構うまくいく部分もあるわけです。なので、丸山さんがおっしゃったみたいに、うまく管理して、全体として回していこうっていうやり方ではないほうが、かえってうまくいくところもあるかもしれないなとは思います。具体的にそれが現代の会社においてどう機能するのかはわかりませんが。

松村　やっぱり人材開発のイメージは「こうなったらこう役に立つ」というすごく固定した状況が想定されているわけですよね。いまは役に立たないかもしれない人が、状況が変わると役に立つかもしれない不確実な状況では、むしろ野放しにして、それぞれ好きなようにしておくほうが、いろんな状況の変化への対応力が上がるかもしれません。
　あるひとつの状況に向けて「役立つ人材像」のようなものを定めた途端、そうでない未来が来たときには全員が役に立たなくなってしまいますよね。これからますます不確実な状況が強まるのだとすれば、何が未来において役に立つのかがわからないわけですから、そうなると、何をもって開発したことになるのか、何をもって成長したことになるのかも、よくわからないですよね。

若林　そうですね。結局、今日はずっとその話をしてきたような気もしますね。

個人主義の非西洋起源

山下　今日のお話や、ポッドキャストの音源を聞き直してみてもそうなんですけど、体が軽くなるというか、肩の荷が下りるような感覚がありますよね。それって自分たちが知らない間に、働き方や働く意味を規範化していて、縛られていたことに気づかせてくれるからだと思うんです。

あと、お話のなかに出てくる人たちが、自分の意思でオーナーシップをもって仕事や生き方を選択されているところが、やっぱり大事だと感じました。

私たちは大学を卒業したら就職しなければいけないとか、入社したら企業の文脈にしたがって自分を殺して仕事をしなきゃいけないといったように、社会のルールに合わせることに精一杯で、自分のオーナーシップを殺すことが少なくない。オーナーシップをどうやってもう一度取り戻せるかっていうところが、これからの働き方のひとつのテーマなんだという点は強く実感しました。

松村　いまオーナーシップということばが出ましたが、私がこのポッドキャストをやってみて、改めて発見したのは、狩猟採集民にしても牧畜民にしても、ものすごく個人の尊厳や自立性といったものを大切にしていることです。

タンザニア商人でも、人のことをコントロールできるとは思わずに、一人ひとりが自立した存在として生きているという。それは、モンの人たちもそうですよね。

一般的には「個人主義」って、近代化によって共同体に縛られていた個人が解放されて生まれたと語られてきたんですが、こうして自然に近い生業をしている人から都市の商人まで、色々とお話を聞いてみると、お互いに依存し合いながらも、同時に一人ひとりが自分の意思で誰からも命令されずに自立して生きることに価値を置いている。それは「個人主義」という概念を捉え直す新たな発見だったように思います。ここには、もっと考えなきゃいけない問いがありそうですね。さっき名前の挙がったデヴィッド・グレーバーが『民主主義の非西洋起源について』という邦題の本を出していますが、それに倣うなら、「個人主義の非西洋起源」を考えてみたくなりました。

若林　それぜひ書いていただきたいです。

松村　そうですね。これは異なる地域の事例を結びつけながら話を伺ったからこその発見でした。そういう意味で、このポッドキャスト企画は、単に「働くこと」を考えるだけではなく、人間とは何か、生きるってどういうことかを考える人類学的な探究にもなっていたと思います。

戦後日本の「働く」をつくった25のバズワード

「社用族」「モーレツ」から「日本死ね」まで

「奇跡」とまで呼ばれた戦後日本経済史は
日本のワーカーたちの「働き方」の歴史でもある。
政策やメディア、あるいは広告を通して
「日本人の働き方」は時代ごとに名前やことばを与えられ
そしてそれらの名前やことばを通して
日本のワーカーの自己イメージはつくられていった。
経済の低迷が続くなか「働くこと」の意味や目的が
希薄化していくばかりの日本社会は
いかにして「いまここ」にたどり着いたのか。

編集・執筆：山下正太郎（Y）、原田圭（H）、若林恵（W）
写真：毎日新聞社

1

社用族

1951（昭和26）年

「企業は斜陽」だったはずが……

社用族は、太宰治の小説『斜陽』に由来する戦後没落しつつある旧華族、地主、資本家のことを意味する「斜陽族」をもじった言葉で、1951年の「天声人語」で知られる荒垣秀雄による造語とされる。官庁勤めの役人については、「公用族」と呼ぶ場合もある。戦後、GHQによる構造改革（経済の民主化）の大きな柱である財閥解体・農地改革・労働組合結成は、日本経済の形を大きく変えた。終戦直後の経済的な低迷期に、弱体化した経営者に代わって幅を利かせる会社員は「社用」という名目で、個人では手の届かない高級店での飲食や遊興などを社費で落とし、会合と称した宴会を主催して大盤振る舞いをするなど、会社という傘の下で恩恵にあずかっていた。彼らに対する一般市民の感情を表すこのことばには、企業は斜陽であるという揶揄とともに、物不足のなかでの浪費行為に対する羨望も混じっていた。

この頃、流行した源氏鶏太の小説『三等重役』は、戦争協力者の公職追放によっていなくなった経営者に代わって、急に社長になった会社員が活躍する小説である。それまで、隔絶されていた経営者と社員の関係からサラリーマンが突然経営者となる設定に市民は沸き、森繁久彌主演の映画も大ヒットし、いわゆる「社長シリーズ」に昇華する。社長室には革張りのイスに豪華な調度品が並び、仕立てたスーツになでつけた髪と身なりも立派。しかし肝心の仕事は、社内の小さな人間関係の調整のように平社員時代と変わらないというアンビバレントなものだった。

斜陽と思われていた社用族は

1954年1月のサン写真新聞が伝えた「社用族のいる風景」。「大いにもてるアルバイトホステス　ビール持つ手が思わずふるえるうぶさを客が喜ぶ」とのタイトル、いまなら完全にアウトだろう。

衰えるどころか、60年代以降の高度経済成長期、80年代のバブル期と生きながらえ、バブル崩壊まで日本の経済活動の中心的存在となっていく。国税庁の調査によると日本企業の交際費は、バブル崩壊まで上昇し続け92年にピークに至り、2011年まで下降を続けた後、コンプライアンス強化の波をくぐりぬけ、現在、ピーク時の7割程度まで回復しているという。太宰が描いた「斜陽」という朽ち果てる美学は会社にはまだ浸透していないようである。(Y)

2 交通戦争 1959(昭和34)年

「自動車中心」が産み落とした影

戦後の日本では、経済復興のために輸送のインフラとなる自動車道路の整備が急速に進められたが、1966年に日産の「サニー」とトヨタの「カローラ」が発売されると、一般大衆にも自動車が一気に普及し、全国で「自動車中心」の都市開発が進められた。

一方で「自動車中心」の開発は、交通事故による死亡者を急増させ、59年には死亡者数が年間1万人を超え、70年には過去最悪の1万6765人を数え、日清戦争での戦死者を上回った。こうした状況を戦争状態に喩えたことから「交通戦争」と呼ばれるようになった。

その後、死亡者数は減少したものの、交通戦争に対して取られた施策は歩道橋や地下道の設置など、あくまで人間を脇におく「自動車中心」のものが多かった。(H)

3 家付き、カー付き、ババ抜き 1960(昭和35)年

核家族化の進行と理想の結婚相手

1960年代の若い女性がもつ理想の結婚相手を表現したことば。読んで字のごとく、家とクルマをもち、家に姑がいない男性を指す。60年代には、核家族化が急激に進み、郊外住宅や団地が大量供給された。以降、75年まで世帯構造に占める核家族率は上昇し、その後は約60%で推移しており、近代的な家族像が確立した時代ともいえる。また50年代から60年代にかけては日本の産業構造が変化し、勤め人が多くなるにつれ、家庭を守る専業主婦が増えた時期でもある。家同士のつながりを重視したお見合い結婚に代わって恋愛結婚が一般化したことで、姑の存在はますます疎ましいものとなっていた。その後、理想の結婚条件が更新されるのは、バブル末期の「三高」まで待たねばならない。(Y)

4 OL 1963(昭和38)年

五輪を機に生まれた和製英語の含意

「Office Lady」の頭文字を取った略称で、会社の一般職の若い女性ワーカーを指す和製英語だが、一般的には「会社で働く女性」全般に対して用いられる。戦後の高度経済成長のなか、丸の内に代表されるビジネス街でも女性ワーカーが多く働くようになり、新しい時代を体現する女性ワーカーを指す呼称として「BG」(Business Girl)ということばが一部で用いられた。この語は一般化することはなかったものの、東京オリンピックを翌年に控えた1963年に「BG」

の語が「欧米では売春婦・娼婦」を表すという噂が広まり、NHKが同年放送問題用語として使用を禁じたとされる。それを受けて、女性誌の「女性自身」が、「BG」に代わる代替語を誌上で一般公募し、結果採用されたのが「OL」ということばだった。誌面で公表された1～5位までの投票結果は「①オフィス・レディー」「②オフィス・ガール」「③サラリー・ガール」「④キャリア・ガール」「⑤ビジネス・レディー」だった。のちに明かされた情報によれば、実際に最多得票を得たのは「Office Girl」（OG）で、「OL」は7位だったそうで、当時の『女性自身』編集長が「ガール」の語に抵抗を示したことが「OG」の語が不採用とされた理由だったという。

公募の3位に「サラリー・ガール」の語があることからも察せられる通り、「OL」の語は当時すでに一般化していた「サラリーマン」との対応が意識されていたが、男女という性差の対比の背後には、暗黙裡に「一般職／総合職」が織り込まれてもいた。社会をアップデートせんと五輪を契機に生まれたことばは、無意識のうちに雇用をめぐる当時の構造的問題を孕んでいたわけだが、それから58年後に再び夏季五輪を迎えようとしている日本は、果たしてそれを乗り越えたと言えるだろうか。不透明な公募の選考プロセスも含め、考えさせられてしまう。（W）

5 エコノミック・アニマル 1965（昭和40）年

本来は悪口ではなかった?

国際社会における日本人の行動を「経済利益ばかりを追求する動物」と侮蔑的に揶揄したことばとされ、1965年に第2回アジア・アフリカ会議の延期を

1963年、都内オフィスで「OL」さんたちが一心不乱に働く。写真に付けられた見出しは「OLの花形・キーパンチャー。電子計算機に欠かせない作業」。

「GNP2位の先兵エコノミックアニマルたち」の見出しの1967年の写真。「GNPがアメリカに次ぎ自由世界で2位になる。その先兵となったのがモーレツ社員と呼ばれたサラリーマンたちであった」と伝える。

明らかにする記者会見でパキスタンのブット外相が語ったのが最初とされる。当時の新聞はブット外相が「日本人などは金に飢えた動物で、政治のわかる動物ではない」と言ったと伝えるが、元外交官の多賀敏行はチャーチル元英国首相が「ポリティカル・アニマル」と呼ばれていたことと対比し、その語に侮蔑的な意図や含みがないことを著書『「エコノミック・アニマル」は褒め言葉だった：誤解と誤訳の近現代史』で指摘している。それを侮蔑と受け取ることで日本人は、国際社会における自信のなさを逆説的に自ら認めてしまったというわけだ。（W）

6

モーレツ

1969（昭和44）年

「日本株式会社」のロールモデル

出世や会社への忠誠心のために、家庭を顧みず、プライベートを犠牲にし、粉骨砕身働くサラリーマンのことを指す。語源となったのは、1969年に流行した丸善石油（現コスモ石油）のCMである。猛スピードで走りぬけるクルマが起こす風で、モデルの小川ローザのミニスカートがめくれ上がり、彼女は一言「オー！モーレツ」と発する。約10％の経済成長率を維持し、東京オリンピックや所得倍増計画で沸いた、60年代の高度経済成長期の日本のピークを示すことばとして社会現象となった。

当時のモーレツ社員の職場には、「売上倍増」「大躍進」などと書かれた紙が貼られ、退社は24時を過ぎてからというのも珍しくなかった。モーレツは職場だけではない。50年代以降の持ち家政策は、郊外型の職住分離モデルを確立し、朝晩の苛烈な満員電車もモーレツ社員たちの日常となった。戦後に集団就職し

「大平首相が自ら省エネ・ルックをPR」。1979年、首相官邸にて。「官製ファッションの人気は今一歩。東京・日本橋三越で600着のうち売れ残り200着」と記事。400着売れたことに、むしろ驚く。

た青年が管理職となり団塊世代が入社時期を迎え、のちに「日本株式会社」と呼ばれる日本を支える企業戦士のロールモデルが整ったのもこの時期だった。しかし時代は変化の兆しを見せ始める。

70年に始まった富士ゼロックスが始めたCMキャンペーン「モーレツからビューティフルへ」は、ヒッピースタイルの加藤和彦が「BEAUTIFUL」と書かれた紙と花をもって街をさまようだけという内容で、消費主義をあおるモーレツ的価値観に対する強烈なアンチテーゼとなった。公害問題や環境問題が顕在化し、学生運動が盛り上がるなど、モーレツ社員の働く裏側では、既存の価値観に対する異議申し立てが進んでいた。

70年代の2度のオイルショックによる低迷の後、バブル経済真っ只中の89年にはCM「24時間戦えますか。」のような新たなモーレツ社員が生まれる。90年代のバブル経済崩壊後には、構造改革によってリストラされたかつてのモーレツ社員の姿があった。平均総労働時間は60年以降一貫して減少しながら、やりがい搾取や過労死問題など、モーレツ社員は新たな局面を迎えている。(Y)

7　1979（昭和54）年

省エネルック

オイルショックは「我慢」で乗り切る

第二次オイルショックを受けて、主に職場で働くホワイトワーカーに夏場の冷房の使用を控え、「省エネルギー」で働いてもらうために提唱された、スーツとワイシャツの袖を半分に切った夏用の紳士服を指す。

当時の大平正芳首相をはじめ政治家が「省エネルック」を纏い、頻繁にメディアに出演するなど積極的なPRを行ったが、ホワイトワーカーの服装として定着することはなかった。オイルショックによる経済的な打撃を個々のワーカーに引き受けさせ真夏の冷房を我慢させて乗り切ろうという施策（?）は、まるで戦時体制への逆戻りかのようにも感じられるが、2020〜21年のコロナ対策をめぐる状況を見る限り、根本の発想はいまも変わっていないようにも見える。（H）

8 おいしい生活。

1982（昭和57）年

「一億総中流」の完成と消費社会からの脱却

1982〜83年の西武百貨店の広告キャンペーンで使われたコピー。コピーライター糸井重里が手掛けた同百貨店のコピー「じぶん、新発見。」（80年）、「不思議、大好き。」（81年）に次いで3作目にあたる。物質的欲求が満たされつつあったバブル景気の前夜、80年代の「コピーライターブーム」を起こし、新たな消費スタイルを決定づけた戦後日本の名コピーのひとつとして語り継がれる。

豊かな消費文化をもったニューヨーク暮らしのイメージを想起させる映画監督ウディ・アレンを起用し、アートディレクションを担当した浅葉克己の手本を頼りに、着流し一枚で「おいしい生活」と一筆したためる姿は鮮烈な印象を与えた。

田中康夫『なんとなく、クリスタル』が大ヒットした80年代初頭は、高度経済成長期とオイルショックの低迷期を経て、消費行動は物質消費から新たな記号消費の時代へと進む機運が高まっていた。評論家の大塚英志は『「おたく」の精神史：一九八〇年代論』で、糸井がこのコピーによって、消費行動を通じた社会階層の解体を目論んでいたと指摘し、国民が感じていたモノに染みついた社会階層を取り払い、これにより1億総中流意識が達成されたとした。

80年代以降、「生活総合産業」を標榜した西武百貨店は、無印良品、ファミリーマート、パルコ、ロフトなどいわゆるセゾン文化と呼ばれる新しい消費ムーブメントを牽引する存在になっていく。87年には新聞に、同じく糸井のコピーで「サラリーマンという仕事はありません。」「『会社』説明会ではない、『仕事』説明会を行います」という採用広告を打つ。消費行動の新たな展開は、企業活動の本質をモノからコト、「付加価値」に主眼を置くことへと変化させ、そこで働く社員たちの仕事も、与えられた職務をこなすことではなく、自らが社会に価値を提案することだと書き換えられた。

糸井は88年に「ほしいものが、ほしいわ。」というコピーを書き、自らが生んだ消費社会に終止符を打つ。（Y）

9 ヤッピー

1983-4（昭和58-59）年

消費社会に生きる若者たちの虚しさ

「Young Urban Professional」の頭文字をとった略語で、1980年代のアメリカで若くして成功を収めた高学歴・高収入の若者を指す。ブランド服を身につけ、都市部の高級マンションに暮らす彼らは、映画『アメリカン・サイコ』などで、高度消費社会に生きる、物質主義・拝金主義に支配された決して満たされることのない知識労働者の若者として描かれ、日本でもバブル期に制作された「トレンディドラマ」などで、その煌びやかなライフスタイルが注目を集めた。「レーガノミクス」をはじめとする、80年代の新自由主義的な経済政策の恩恵のなか優雅な生活をおくるヤッピーの影には、格差の

バブルの狂乱を象徴する風景。「平成３年に開店したジュリアナ東京が平成６年８月31日の閉店を前に無料開放、押し掛けた若者達で大にぎわいとなった。お立ち台の上で歓声を上げる女性たち」

拡大やジェントリフィケーションといった現在につながる多くの社会問題も潜んでいたのだが、ドラマで描かれるのは、もっぱらその希薄な人間関係だった。（H）

10 新人類

1986（昭和61）年

「おたく」の原型は、無気力・冷笑的・わがまま

1986年の新語・流行語大賞に選出されたが初出は79年頃とされる。「新人類」として当時語られた有名人は高度経済成長期の50年代半ばから60年代半ば生まれが多く、中森明夫、浅田彰、泉麻人、秋元康、石橋貴明、北尾光司、清原和博、戸川純、いとうせいこう等がその代表格とされた。仕事の現場では、高度経済成長期の熱気を知らず、仕事とプライベートを明確に割り切る冷めた若者への揶揄として用いられ、無気力、冷笑的、わがままが特徴とされた。中森明夫は83年に「おたく」の語を生み出し、アニメや漫画、アイドルといった日本の「サブカル」文化に形を与えた。また、新人類はパソコンを自在に操る最初の世代でもあった。（W）

11 『私をスキーに連れてって』

1987（昭和62）年

新人類の逃避先としてのゲレンデ

1987年公開のホイチョイ・プロダクション原作の映画。『彼女が水着にきがえたら』、『波の数だけ抱きしめて』と続く、いわゆる「ホイチョイ3部作」の1作目にあたる。三上博史演じる主人公は、当時人気のあった商社に勤めるサラリーマンで、彼がひと目惚れをしたOL役の原田知世とのゲレンデを舞台にした恋愛を描く。徹底して短いカットで、クルマや携帯電話などの小道具を映すことでトレンドを意識させ、この映画によって流行語となった「とりあえず」は、明日の心配などないネアカなバブルの空気をよく表している。当時、彼らのような、政治志向も弱く、さして何かに熱を上げるわけではない「新人類」の仕事からの逃避先がゲレンデだったのだ。（Y）

12 24時間戦えますか。

1989（平成元）年

「24時間家にいない」男たちの日常

バブル絶頂期の1989年に、栄養ドリンク・リゲインのCMで使用されたキャッチコピー。CMソングも爆発的なヒットを記録し、バブル期に生きる「モーレツ社員」たちの価値観を代弁する歌として、社内運動会のBGMや飲み会などで頻繁に歌われたが、当時の担当者は、コピーには「24時間働く」のではなく、「24時間遊びも含めて楽しめるか」という意味が込められていたと語っている。同時期の87年には、ライオンの栄養ドリンク・グロンサンが「5時から男」というキャッチコピーを使用して成功を収めているが、両者が共通して描くのは、17時以降も家に帰らず、遊びと仕事に明け暮れる当時の男性ワーカーの有様そのものであり、そこには家庭における、男性／父親の不在が暗示されてもいた。（H）

13 オヤジギャル

1989（平成元）年

「オヤジ化」で女性は自由になったのか

「バブルの女王」の異名を取った

漫画家・中尊寺ゆつこが1989年に雑誌「SPA!」で連載を開始した「スイートスポット」に登場したことばで、90年の新語・流行語大賞銅賞に選出された。ゴルフ、競馬、パチンコ、居酒屋など、「中年男性＝オヤジ」のものと思われていた領域に大手を振って女性たちが進出、そこで新たな自由を謳歌する女性ワーカーたちの姿に名を与えたのが、この「オヤジギャル」ということばだった。

　中尊寺ゆつこが描いたやたらとハイテンションな女性たちは、アッシー、メッシー、お立ち台、ワンレン、ボディコンといったことばが飛び交うバブルの狂騒を象徴する存在であったが、そうした若い女性たちが社会のなかで際立って勢いのある存在となり得たのは、一億総中流化が完成したバブル期にあって、男性たちは、自分たちが新たに進出したり、自らを新たに拡張する「伸び代」をすでに失っていたからでもあった、と評論家の吉本隆明はある講演で分析している。吉本はさらに、中尊寺ゆつこの世相を読み解く眼力の鋭さを賞賛する一方で、そこで描かれたキャラクターやその類型が決して斬新で個性的なものではなく、極めて凡庸な日常と凡庸な夢・理想に象られていたとも指摘している。

　退屈きわまりない現実と理想のギャップを消費行動を通じて埋めるだけでは飽き足らず、自らを自虐的に「オヤジ化」し、閉鎖的な「男性空間」に傍若無人に足を踏み入れていった身振りには、いま振り返ってみると、いわゆる「ガラスの天井」への苛立ちが隠されていたと見ることもできるのかもしれない。

　ちなみに中尊寺ゆつこは、高校・大学時代に音楽家ケイト・ブッシュの日本のファンクラブ会長を務め、86年にはケラ（現ケラリーノ・サンドロヴィッチ）主宰のインディレーベル「ナゴムレコード」

1990年2月23日、毎日新聞夕刊に掲載された1枚。「世界同時株安の流れが日本では円・債権・株のトリプル安と進み株価はさらに続落、不安心理が広がる東京証券取引所の立会いの表情がバブル崩壊の始まりを象徴している」

から「ロシアバレエ団」名義でシングルを発表するなど、バブル文化とは対極にあるインディな感性の持ち主だった。（W）

14　自己啓発／自己責任

1995（平成7）年

「強制された自発性」の発動

「自己啓発」の語は、1970年代にアメリカから輸入された「人間関係トレーニング」のプログラムが「自己啓発セミナー」の名で展開されたことで、80年代のバブル期から90年代の日本でも広く人口に膾炙した。こうしたプログラムは歴史的にネットワークビジネスの発展と深く関わっており、日本においても同様だった。91〜92年にこうしたセミナービジネスは最盛期を迎えて以後縮小したが、「自己啓発」の語は、構造改革が強く謳われる90年代後半に、経済界で大きく息を吹き返すこととなる。

社会学者・植村邦彦の『隠された奴隷制』が指摘するところによれば、この語は新自由主義的な経済政策提言のなかに繰り返し現れる。その最も端的な事例として植村は95年に日本経営者団体連盟（日経連）が発表した提言「新時代の『日本的経営』：挑戦すべき方向とその具体策」を挙げる。「能力開発は今後のわが国経済、各人の働きがいと密接に関連しており、生涯教育の考えに立って、企業も能力開発に努めるとともに、各人も自己啓発に励むことによって、わが国全体の能力レベルを高めていくことが大切である」。

この提言はすぐさま首相の諮問機関、経済審議会にインプットされ、「雇用・労働ワーキンググループ」と題された96年の報告書には「自己啓発」の語が15回も登場したという。

ここでの「自己啓発」の語の主旨は、経営合理化を余儀なくされ企業福祉や社員教育を支えきれなくなった企業の雇用の責任をワーカーの自助努力へとスライドさせる点にあり、同時期に経済団体から提出された新自由主義的提言には「自己責任原則」や「人的資源」のことばも頻出している。「自己啓発」と「自己責任」がセットとしてワーカーの「義務」となったのだ。植村はこれを「強制された自発性」と呼ぶ。以後、雇用をめぐる「構造改革」は漸次進行し、2019年には経団連会長をして「終身雇用を続けるのは難しい」と言わしめるに至る。（W）

15　自分で自分をほめたい

1996（平成8）年

自分しか頼れない時代のキラーフレーズ

1996年アトランタ五輪の女子マラソンで銅メダルに輝いた有森裕子が、レース後のインタビューで発したことば。バルセロナ五輪に続くメダル獲得に加え、チームや監督との確執、相次ぐケガからの復活が世間の感動を呼んだ。

もともとフォークシンガー高石ともやが書いた詩を参考にしたもので、この詩に感動した有森がいつか使う日を窺っていたとされる。

90年のバブル崩壊以降、企業が人件費削減のため、リストラや新規採用の抑制を始めるいわゆる就職氷河期の時期を迎えていた。この言葉が身に沁みた人は少なくないだろう。インターネットブーム、PHS普及など急速な個人化が進み、自分しか頼れない時代に入ったことを象徴していたのかもしれない。（Y）

バブル崩壊とグローバリズム／新自由主義の台頭を受けて、90年代半ばから、経済界を中心に「構造改革」の語とセットで「自己啓発」「自己責任」が盛んに語られるようになる。写真は大手町の「経団連会館」

16

援助交際

1996（平成8）年

女子高生とバブル後の男性ワーカー

元は「売春・買春」を意味する隠語だったが、1990年代に入って一般化し、96年には新語・流行語大賞にノミネートされるなど当時の日本を象徴することばとなった。「援助交際」が広まった背景には、ポケベルや携帯電話、ダイヤルQ2などの普及があるとされ、ただでさえ関係性が希薄化していた家庭内において、若者が家族や学校に知られることなく自由に社会とコミュニケーションを取ることができるようになったことが挙げられる。こうしたツールを用いて「テレクラ」や着用済みの下着の売買を行う「ブルセラショップ」などのビジネスが活性化し、そうした闇業者が組織売春などの容疑で摘発されたことから社会問題として認知されるようになった。

社会学者の宮台真司は94年に『制服少女たちの選択』で、援助交際に関わっていた女子高校生たちの生態を描き、注目を集めた。2018年のインタビューで宮台は、彼女たちが「軽やかで自由だった」と述懐し、当時あった「女の子たちの全能感や、それを可能にした都市の共同性＝微熱感」を共感を込めて振り返っているが、「援助交際」ということばをめぐる言説の多くは当時から女子高生を主人公としており、もう一方の当事者である「買い手」の男性側については多く語られない。

バブル経済が始まらんとする1986年に「亭主元気で留守がいい」というCMコピーが流行語となった時点ですでに家庭に居場所を失い、「24時間戦えますか。」の標語にあおられながらバブルに沸く街へと繰り出していった「5時から男」たちは、バブルが弾け飛んだあといったいどこへ向かったのか。

消費経済のなかで居場所を失い、家庭でも居場所を失い、不景気とグローバリゼーションによって家族経営や年功序列などのセーフティネットを会社でも失っていく男性ワーカーたちの精神的な荒廃を、「援助交際」ということばに透かし見るのは穿ちすぎだろうか。（W）

17 カリスマ店員　1999（平成11）年

消費の中心に「女子高生」が立つ

1990年代以降、日本でも女子高生がマーケティングの明確なターゲットとしてセグメントされるようになり、「SHIBUYA 109」は消費文化の中心を牽引する〝聖地〟となる。当時の「SHIBUYA 109」の広報は、95年に創刊された「egg」や「東京ストリートニュース」といった「ギャル系雑誌」と呼ばれる雑誌の編集者とタッグを組み、アイドルやモデル、デザイナーではない「SHIBUYA 109」の人気アパレルブランドで働く販売員を積極的に紹介し、彼らがブランドの顔として頻繁に雑誌に登場した。大きな注目を集めた「カリスマ店員」は、インスタグラマーのようなSNS時代におけるインフルエンサーの先駆け的存在とも言われるが、その活動のプラットフォームは、まだフィジカルの雑誌だった。（H）

18 ブラック企業　2001（平成13）年

ワーカーの足元を見る「見返りのない労働」

元は暴力団のフロント企業を意味する言葉だったが、近年では労働基準法や関連法令を無視する、あるいは従業員に対して長時間労働やサービス残業などを強いる企業のことを指す。

2001年にオンライン掲示板「2ちゃんねる」の就職活動に関するスレッドで生まれたことばで、ある大学の学内資料である「離職率が高く学生に勧められない企業」のブラックリストがリークされたことがきっかけとなり、ブラックリスト企業を略して「ブラック企業」と呼ばれるようになった。

モーレツ社員に代表される、従来型の日本の雇用慣行の特徴は、3つの無限定性（「職務内容」「勤務地」「労働時間」）とされてきた。仕事内容は企業から言われるままで選択の余地がなく、突然海外や地方への単身赴任を強いられ、サービス残業は当たり前であった。しかしその代償として終身雇用が保証され、年功賃金や福利厚生といった手厚い恩恵にあずかることができた。

一方、ブラック企業には見返りがないどころか、経営者や管理職による指揮命令はいっそう強化され、労使関係が喪失してしまっている。背景には、1991年のバブル崩壊以降の長引くデフレにより、過去の栄光にすがりガラパゴス化した企業の経営方針が、価値創出ではなくコストカット一辺倒に傾いたことがある。そして小泉政権による構造改革以降のホワイトカラー・ブルーカラー問わず増加した非正規社員など、不安定な雇用状況が労働者の足元を見る構造に拍車をかけたと思われる。

そして、ブラック企業は「やりがい搾取」とも密接な関係がある。教育社会学者の本田由紀がつくったこのことばは、雇用主が従業員に「やりがい」という言葉をちらつかせて、給与や労働時間以上の不当な条件で働かせることを指す。2012年以降、ブラック企業の背景や社会問題の認知を広げるための「ブラック企業大賞」には、広告代理店、

芸能事務所、アニメ制作会社など若者が憧れるクリエイティブで華やかな企業がノミネートされ続けている。（Y）

19 2003（平成15）年
世界に一つだけの花
「ひとりひとり違う」をめぐる論争

言わずとしれたSMAPの代表曲のひとつ。「ナンバーワンにならなくていい」「ひとりひとり違う」といったメッセージが、小泉政権による「聖域なき構造改革」が進行させた「弱者切り捨て」や「成果主義」に違和感を抱く人たちの心に響いたことで大ヒットとなったと言われる。一方で、歌詞に悪しき平等主義や「若者の向上心のなさや現実逃避」（評論家・岸本裕紀子）を読み取り、批判する向きもいたとされ、ゆとり教育の功罪と重ね合わせて語られることも少なからずあった。作者の槇原敬之は、2012年に朝日新聞に対して、この歌詞に込めたのは「競う相手は他人ではなく自分自身」というメッセージだったと語っている。（W）

20 2008（平成20）年
居酒屋タクシー
その酒は「規制緩和」の味がする

リピーター獲得を目的として、酒やツマミなどの飲食物を乗客に提供するタクシーのこと。2008年、財務省や金融庁など9つの省庁に勤める国家公務員が利用していたのを、マスコミや野党が批判した。最終的に33人の職員に懲戒処分、タクシー事業者にも道路運送法違反で行政処分が下された。この背景には、02年に政府が行った規制緩和によってタクシー会社の新規参入や増車が原則自由になり、競争が激化したことが挙げられる。皮肉なことに、万年残業体質でタクシー利用頻度の高い中央官庁の職員がターゲットにされたのだった。行政によるマーケットデザインの下手さ、一向に進まない働き方改革など、さまざまな闇が交差した事件。出された酒の味はどうだったのだろうか？（Y）

21 2010（平成22）年
無縁社会／無縁死
「孤立化する個人」の最期

少子高齢化、終身雇用制度の崩壊、結婚意識の変化、家族関係や地域コミュニティの希薄化、プライバシー保護の厳格化、SNSの興隆といった複合的な要因から、単身者の孤立化が進んだ日本社会の様相を映し出し、2010年の新語・流行語大賞のトップテンにノミネートされた。10年の1月末に放映された「NHKスペシャル 無縁社会：〝無縁死〟3万2千人の衝撃」をきっかけとして広まったものだが、類語の「孤独死」は、1995年の阪神・淡路大震災を契機に注目され、行政機関も使用している。このことばの一般化を機に、故人の身辺・遺品整理を行う特殊清掃業、共同墓地、話し相手サービス、保証人代行などの「無縁ビジネス」も多く生まれている。（W）

22 2012（平成23）年
ノマド
「遊動するワーカー」という見果てぬ夢

Wi-Fiの飛ぶカフェやコワーキングスペースで、ラップトップ、スマートフォンを使い、柔軟に働くワーカーのことを指し、そのような働き方を、「ノマドワーク」

という。働く場所に限らず、会社や組織に縛られない働き方、生き方そのものを示す場合もある。安藤美冬などが注目されたことから2012年に一般にも認知されるようになった。

日本のノマドブームはこの時が初めてではない。建築家の黒川紀章が1969年に出した『ホモ・モーベンス：都市と人間の未来』で、移動を主軸とした新しい働き方が提案され、その一端はカプセルホテルとして昇華した。

60年代から学生運動に熱を上げた世代が、経済成長一辺倒の社会に「シラケ」、71年には「脱サラ」の語がブームとなった。85年頃から訪れた「フリーター」ブームは、団塊ジュニアに対してリクルート社がアルバイト情報誌の売り文句として「フリーター」ということばをつくったことがきっかけだった。そして第3次ノマドブームである2000年代後半の大きな特徴は、SNSを使いセルフブランディングを行うことにあり、ノマドを夢見る人々に錬金術を与え、理想を現実のものに変えた。大資本に頼らず自らが発信の主体となり、その動きに共感する人たちから活動資金を得るという、自分らしいライフスタイルがビジネスと両立することを示したのだった。

ノマドの未来はどうなるのか。思想家ジャック・アタリは『21世紀の歴史』のなかで、ノマドの未来を3つのタイプに分類している。グローバルで活躍するエリートの「ハイパーノマド」、生き延びるために移動する「下層ノマド」、ハイパーノマドに憧れかつ下層ノマドになることを恐れ、仮想世界に逃げる「ヴァーチャルノマド」だ。さらにアタリは人だけでなく、企業や組織もノマドのように分散した存在になるとしている。AIやオートメーション、テレワークが進むなか、必要なホワイトカラーの数は減少していくことが予測されており、「ハイパーノマド」で活躍できる人材はひと握りかもしれない。ノマドの夢は遠のいてしまうのか。（Y）

23 結果にコミットする

2014（平成26）年

成果主義と「目標達成」の呪縛

バブル崩壊後、競争力低下の要因をそれまでの「日本型経営」に見いだした日本企業において、成果主義の導入によって経営危機に瀕する日産を立て直したカルロス・ゴーンの「コミットメント経営」は、合理化に向かう日本企業にインパクトを与え、「コミットメント」の語は一気に一般化した。その後20年間、さまよう日本企業が抱える合理化・成果主義へのオブセッションは、2020年春季労使交渉の企業向け指針で経団連が提言した「ジョブ型雇用」の導入にも見てとれる。「結果にコミットする」をキャッチコピーに、14年に大ヒットしたスポーツジム「ライザップ」のCMは、目標達成の呪縛から解放されることのない私たち日本人のあり様を映していたのだ。（H）

24 マイルドヤンキー

2014（平成26）年

半径5キロ以内に世界のすべてがある

マーケティングアナリスト原田曜平が提唱した概念で、これまでのヤンキーのように攻撃的でも法を犯すわけでもなく、外見だけはその名残がありながら、本物の不良になり切れないマイルドな若者のこと。主な特徴として、強い地元指向、内向性、低い上昇志向などが挙げられる。バブル崩壊後のデフレ下でゆとり教育を受け、ソーシャルメディアと共に育ったいわゆる「さとり世代」の派生形であり、流行に反応せず、すべてをフラットにみる穏やかな時代を象徴する存在と言えよう。彼らにとって、半径5キロ以内の世界がすべてであり、仲間や家族と過ごす時間が何よりも大切で、がつがつと自己実現のために働くことは耐え難いことなのだ。（Y）

25 保育園落ちた日本死ね

2016（平成28）年

政治への呪詛とSNSアクティビズム

2016年に投稿された、子どもを入れようとした保育園の審査に落ち、仕事を辞めざるを得なくなった母親とおぼしき人物のブログポスト。

「一億総活躍社会じゃねーのかよ。昨日見事に保育園落ちたわ。（中略）どうすんだよ会社やめなくちゃならねーだろ」と、政権に怒りをむき出しにした内容は、野党議員によって国会でも取りあげられ大きな注目を集めた。このポストに共感した、待機児童対策に対する抗議の声は、Twitter上にハッシュタグ「#保育園落ちたの私だ」「#保育士辞めたの私だ」としてミーム化し、「#保育園落ちたの私だ」のプラカードを掲げた当事者たちが、国会前でサイレントデモを敢行するなど、運動は活気を帯びた。

同時期に展開されたネット署名活動には、約2万8000人の賛同が寄せられ、安倍政権による保育所増設を後押ししたとされる。またこの投稿では「オリンピックで何百億円無駄に使ってんだよ」「有名なデザイナーに払う金あるなら保育園作れよ」といった、旧来の幻想の共同体としての国家事業を優先し国民生活をないがしろにする政府のズレた態度も批判されている。

待機児童問題は、複雑な要因が絡まるいわゆる「ウィキッドプロブレム」（厄介な問題）が放置され続けた結果であり、そのシワ寄せとして「ワンオペ育児」や「孤育て」という、自己責任論を押し付けられた当事者たちの切実な声がSNSを通じて多くの共感を得て、コレクティブをつくり社会を動かした歴史的な事象である。

こうした動きはこれ以降、職場で女性が足に負担を強いるハイヒールやパンプスの着用を義務づけられていることに抗議する19年の「#KuToo」（セクハラ撲滅を訴える海外の「#MeToo」をもじったもの）などの社会運動につながっていく。一方、SNSは新しい力になると同時に、新たな規範をつくり、親たちに別の苦しみを与えている。例えばキャラクターを模したお弁当「キャラ弁」の投稿は、お弁当づくりの要求レベルを飛躍的に上げることとなった。（Y）

働くことの図書目録

仕事と自由をもっと考えるためのブックガイド

本書掲載の８つの対話をより深く探求するために、
７人の文化人類学者とコクヨ野外学習センターが推薦図書をセレクト

『文化人類学の思考法』

松村圭一郎、中川理、石井美保・編／世界思想社

調査対象との「近さ」と比較対象の「遠さ」。この「距離」のなかで思考する文化人類学のエッセンスが詰まった1冊。ポッドキャストに出演したゲストも含め、13人の人類学者が執筆する入門書でもある。人類学者の話をどう受けとめて考えるべきか、その「聴き方」のよきガイドブックになる。

『メイキング文化人類学』

太田好信、浜本満・編／世界思想社

文化人類学は、どういう学問として誕生したのか？　人類学の草創期にこの学問をつくりあげてきた著名な人類学者たちをめぐる11の物語がドラマチックに描き出される。いまの人類学の根幹がいかに築かれたのか。一筋縄ではいかない人類学の来歴を知るための好著。

『仕事の人類学：労働中心主義の向こうへ』

中谷文美、宇田川妙子・編／世界思想社

ポッドキャストに出演した丸山淳子さんと小川さやかさんも寄稿する「仕事」を考える文化人類学の本格的な論文集。「働くこと」は「稼ぐこと」なのか？　仕事とジェンダー役割の関係とは？　世界各地の事例をひもときながら、「仕事」＝「労働」という見方をずらしていく。

『シャドウ・ワーク：生活のあり方を問う』

I. イリイチ／玉野井芳郎、栗原彬・訳／岩波現代文庫

産業社会は「働き方」を、人間の生活を、いかに変えたのか。土地の暮らしに根ざし、人びとの自立と自存（サブシステンス）を支えてきたヴァナキュラーな価値が否定され、普遍的で標準的なことばで管理され始めた時代の労働を鋭く批判する。賃金が支払われない家事などの「シャドウ・ワーク」は賃労働を補完するものとして誕生した。家事領域と公的領域が対立するようになった過程をあぶりだし、大きな論争を巻き起こした1冊でもある。

『百年と一日』

柴崎友香／筑摩書房

世界の片隅には、それぞれの時間が流れていて、そこで生きる人の思いが交錯する。その遠くの時間と場所はいまここにある自分の生と地続きで、百年の歴史は今日という一日の連なりなのだと気づかされる。そんな壮大で小さな人間の営みが短い物語にぎゅっと凝縮されている。小説家の驚くほど豊かな想像力が人類学者の仕事とも通じていることがわかる短編集。

松村さんのお仕事を読む

『はみだしの人類学：ともに生きる方法』松村圭一郎／NHK出版
『うしろめたさの人類学』松村圭一郎／ミシマ社
『基本の30冊　文化人類学』松村圭一郎／人文書院
『所有と分配の人類学：エチオピア農村社会の土地と富をめぐる力学』松村圭一郎／世界思想社
『これからの大学』松村圭一郎／春秋社

『石器時代の経済学』

マーシャル・サーリンズ／山内昶・訳／法政大学出版局

石器時代の狩猟採集民を、食うや食わずの生活を送る「原始人」などではなく、現代の農耕民よりも余裕をもって暮らしていた人びととして捉え直した。この本を読めば、近年よく目にする「Society 5.0」のようなビジョンが古くから繰り返されてきた雑な発展段階論だということがよくわかるはずだ。

『モラルとマーケット：生命保険と死の文化』

V. R. A. ゼライザー／田村祐一郎・訳／千倉書房

本書では、アメリカにおいて当初「家族の死に金を賭けるようなもの」と忌避された生命保険が、どのように人びとに受け入れられ、道徳的に正しいものとされていったのかが描き出される。人間の生死とお金と市場の道徳的関係は、いまも変わり続けているのだろう。この本の翻訳者の田村祐一郎が書いた『いのちの経済学』（千倉書房）も面白い。

『溺レる』

川上弘美／文藝春秋

文化人類学者で川上弘美さんの文章が好きな人は多い（はず）。読んでいると自分と他人、自分と世界のあいだが曖昧になっていくような感覚に陥っていくこの短編集のなかでも、特に「七面鳥が」という作品のなかの「合意って言葉の響き、なんか恐ろしいな」という一言にはドキッとさせられる。

『消滅世界』

村田沙耶香／河出書房新社

私たちが生きている世界と並行に少しだけ（でも決定的に）違う世界が走っていて、でも案外その世界でも私たちはきっと同じように生きていくだろうという想像力は人類学的だ。「私たちの世界」も、公と私がひっくり返った世界も、この小説の世界も同じくらいわかるし、わからない。

深田さんのお仕事を読む

『経済からの脱出』
織田竜也、深田淳太郎・編／春風社

『人＝間（じんかん）の人類学：内的な関心の発展と誤読』
中野麻衣子、深田淳太郎・編／はる書房

『経済人類学：人間の経済に向けて』
クリス・ハン、キース・ハート／深田淳太郎、上村淳志・訳／水声社

『石器時代の経済学』
マーシャル・サーリンズ／山内昶・訳／法政大学出版局

狩猟採集を営む「石器時代」の人びとは、食物を得るために働き続けなければならなかった――この考え方を覆し、世界各地の研究事例に基づいて、狩猟採集民の暮らしが、最小限の労働で十分な食料を得られる「豊かな社会」であることを説得的に論じた。「働くことの人類学」における基礎文献。

『ブッシュマン：生態人類学的研究』
田中二郎／思索社

ブッシュマン研究における古典的必読書で、英訳もされた名著。著者は、日本で初めてカラハリ砂漠で狩猟採集生活を営むブッシュマンのもとに長期にわたって住み込み、丁寧な調査によって、狩猟採集活動や移動生活の実態を詳らかにした。

『ブッシュマンとして生きる：原野で考えることばと身体』
菅原和孝／中公新書

コミュニケーションに着目してブッシュマン研究を続ける著者が、その研究成果をわかりやすく書いた良書。出来事を記念する名付け、婚外の性関係、複数人が同時に発話する会話など、興味深い事象を丹念に追いながら「ブッシュマン・センス」を描き出す。

『森の目が世界を問う：アフリカ熱帯雨林の保全と先住民』
市川光雄／京都大学学術出版会

アフリカ熱帯雨林に暮らす「ピグミー」の名で知られる狩猟採集民は、外部主導の「自然保護」に立ち向かい、また翻弄されながら、いかに「狩猟採集民の生き方」を実践しようとしているのか。長年にわたってピグミー研究を主導してきた著者が、最新の研究成果に基づき、今日の狩猟採集民が直面する課題に切りこんでいる。

『「本当の豊かさ」はブッシュマンが知っている』
ジェイムス・スーズマン／佐々木知子・訳／NHK出版

ナミビアでブッシュマン研究を続けてきた著者が、狩猟採集社会に関する専門的な研究を紐解き、自身の研究成果も織り交ぜながら、現代社会において「人間が労働によって定義される」ことの問題を鋭く突き、「本当の豊かさ」を論じる。同時代を生きるブッシュマンの生きざまにも焦点が当てられている点も面白い。

丸山さんのお仕事を読む

『先住民からみる現代世界：わたしたちの〈あたりまえ〉に挑む』
深山直子、丸山淳子、木村真希子・編／昭和堂

『変化を生きぬくブッシュマン：開発政策と先住民運動のはざまで』
丸山淳子／世界思想社

佐川徹さんの選書

Selection & Text by Toru Sagawa

『人類史のなかの定住革命』

西田正規／講談社学術文庫

近代以降に世界を覆った定住民中心主義は、遊動的な生活を時代遅れの不安定な暮らしとして否定的に評価してきた。本書は、遊動民（ノマド）の視点に立って、移動することがもつ多くの積極的な役割を明らかにしている。

『遊牧の思想：人類学がみる激動のアフリカ』

太田至、曽我亨・編／昭和堂

日本にはユニークな牧畜社会研究の伝統がある。本書には東アフリカ牧畜社会を対象とした15の論考が収められている。近代化にともない、牧畜民が観光業やホテル経営など牧畜以外の仕事に従事している姿も描かれている。

『牧畜世界の共生論理：カリモジョンとドドスの民族誌』

波佐間逸博／京都大学学術出版会

「もし人間の家族が家畜たちを熱心に養うなら、今度は家畜の家族が人間たちを養うことに努める」という東アフリカ牧畜民のことばを基点に、人間と家畜の濃密な共生関係を明らかにした著作。特に、「家畜の歌」をめぐる記述と分析は圧巻である。

『交渉に生を賭ける：東アフリカ牧畜民の生活世界』

太田至／京都大学学術出版会

ダサネッチに隣接するケニア北部の牧畜民トゥルカナは、物事を決めるときに対面的な交渉に徹底的にこだわる。「自分たちのことは自分たちで決める」とはいかなる事態を指すのか。その原理的なあり方がこの本には書かれている。

『民主主義の非西洋起源について：「あいだ」の空間の民主主義』

デヴィッド・グレーバー／片岡大右・訳／以文社

東アフリカ牧畜社会は、「平等主義的」で「民主主義的」な「国家のない社会」として特徴づけられてきた。私たちが知る国家社会での「平等」や「民主主義」とは何が違うのか。牧畜社会は登場しないが、比較のための出発点となるのがこの本である。

佐川さんのお仕事を読む

『暴力と歓待の民族誌：東アフリカ牧畜社会の戦争と平和』

佐川徹／昭和堂

『アフリカで学ぶ文化人類学：民族誌がひらく世界』

松本尚之、佐川徹、石田慎一郎、大石高典、橋本栄莉・編／昭和堂

小川さやかさんの選書

Selection & Text by Sayaka Ogawa

『チョンキンマンション：世界の真ん中にあるゲットーの人類学』

ゴードン・マシューズ／宮川陽子・訳／青土社

世界各地から亡命希望者、交易人、セックスワーカー、バックパッカーなどが集まる香港の複合ビル「チョンキンマンション」。同ビルを拠点とする、もうひとつのグローバリゼーションのダイナミズムを描き出す。

『アジアで出会ったアフリカ人：タンザニア人交易人の移動とコミュニティ』

栗田和明／昭和堂

香港、中国、タイ、そしてアフリカ諸国（ザンビア、マラウイ）と行き来するタンザニア交易人たちの生活史と、移動先を点と点で結ぶコミュニティ。移住者＝定住者ではなく、移動する者の視点から見たコミュニティを鮮やかに論じる。

『抵抗する都市：ナイロビ 移民の世界から』

松田素二／岩波書店

ケニアの首都ナイロビで暮らす出稼ぎ民たち。ハードなレジスタンスとは異なるソフトなレジスタンスの可能性とそれを通じた都市の飼い慣らし方を論じる。アフリカ都市について学びたい人にとっての必読書。

『実践 日々のアナキズム：世界に抗う土着の秩序の作り方』

ジェームズ・C.スコット／清水展、日下渉、中溝和弥・訳／岩波書店

上からの管理や支配、近代化の強要に対して、日常的抵抗によって不服従を表明したり互酬的に協力したりすることによって自律的・自生的な秩序を構築していく、「日常に遍在する実践」としてのアナキズムの可能性。スコットの思想が凝縮された著作だ。

『プロトタイプシティ：深圳と世界的イノベーション』

高須正和、高口康太・編著／KADOKAWA

連続的価値創造の時代からプロトタイプを駆動することによる非連続的価値創造の時代。計画を立てるよりも、まずは試しにやってみる。プロトタイプ駆動を通じて、予想もつかないような新たな製品やサービスが生み出されていく深圳の産業のエコシステムはおもしろい。

小川さんのお仕事を読む

『都市を生きぬくための狡知：タンザニアの零細商人マチンガの民族誌』
小川さやか／世界思想社

『「その日暮らし」の人類学：もう一つの資本主義経済』
小川さやか／光文社新書

『チョンキンマンションのボスは知っている：アングラ経済の人類学』
小川さやか／春秋社

中川理さんの選書

Selection & Text by Osamu Nakagawa

『負債論：貨幣と暴力の5000年』

デヴィッド・グレーバー／酒井隆史・監訳／以文社

言わずと知れたグレーバーの主著。700ページ以上を読み通すのがつらいという方は、第5章だけでも読んでみては？　「基盤的コミュニズム」という考え方に触れると、贈与というものに対する見方が変わるかもしれません。

『ゾミア：脱国家の世界史』

ジェームズ・C・スコット／佐藤仁・監訳／みすず書房

遅れた人びととしてではなく、国家を逃れて自由な生き方を求める人びととして東南アジアの山地民をとらえ直すという大胆な発想で、読者を魅了する1冊。まずスコットの思想を手早く知りたいという方は、『実践 日々のアナキズム』（岩波書店）から入るのもよし。

『マツタケ：不確定な時代を生きる術』

アナ・チン／赤嶺淳・訳／みすず書房

「マルチスピーシーズ民族誌」を代表する作品ということになっていますが、難しく考える必要はありません。伐採された森にマツタケが生えるように、資本主義によって壊された世界の片隅にも多様で自由な生き方が生まれることを、断片の連なりによって見事に描き出す1冊です。

『歴史入門』

フェルナン・ブローデル／金塚貞文・訳／中央公論新社

物質生活、市場経済、資本主義の三層構造で歴史をとらえるブローデルの考え方のエッセンスが、この1冊にコンパクトに示されています。市場経済と資本主義を対立物としてとらえるという考え方に最初は違和感があるかもしれませんが、この本を読むとなるほどと思えるようになるはずです。

『築地』

テオドル・ベスター／和波雅子、福岡伸一・訳／木楽舎

市場＝自己利益の追求＋社会関係の欠如？　いまはなき築地市場をアメリカの文化人類学者が研究した本書は、市場で働く人びとの鮮やかな描写を通して、そんなイメージを吹き飛ばしてくれます。市場もまた社会関係に「埋め込まれて」いて、そこでは独特の価値が日々上演されているのです。

中川さんのお仕事を読む

『移動する人々：多様性から考える』

石井正子、中川理、マーク・カプリオ、奥野克巳・編著／晃洋書房

『不確実性の人類学：デリバティブ金融時代の言語の失敗』

アルジュン・アパドゥライ／中川理、中空萌・訳／以文社

『やきもち焼きの土器つくり』

クロード・レヴィ=ストロース／渡辺公三・訳／みすず書房

料理に用いられる火と土器つくりの起源をめぐって南北アメリカ大陸の神話群を追跡する、『神話論理』シリーズの短編。人間と動物という区別を超えてヨタカやナマケモノが活躍し、さまざまなエピソードの変奏を通じて自然から文化への移行が探求される。

『森は考える：人間的なるものを超えた人類学』

エドゥアルド・コーン／奥野克巳、近藤宏、近藤祉秋、二文字屋脩・訳／亜紀書房

アマゾン川上流域に暮らすルナの人びとと動植物の関わりを詳細に描き、それらが構成する記号論的プロセスとして森の「思考」を捉えようとする野心的著作。そこでは、人間と動物のあいだをつなぐ「ルナ・プーマ」（ジャガー人間）が重要な役割を担っている。

『日本ロボット創世期1920〜1938』

井上晴樹／NTT出版

大正後期から昭和初期にわたるロボット・ブームの変遷を、新聞記事を中心とした膨大な資料をもとに描きだす。ロボットが「女中さん」の仕事を代替するという大正の未来予想は、「AIが仕事を奪う」という令和の未来予想と何が違うのか。

『私が死んでもレシピは残る：小林カツ代伝』

中原一歩／文春文庫

料理研究家として多忙な日々を送りながらも、妻であり母である自分にかかる重い負担に強い疑問を感じた小林カツ代は「美味しくて時間のかからない」レシピの数々を生み出していった。その影響は、意識せずとも私たちの現在の食生活に広く及んでいる。

『日本人はなぜキツネにだまされなくなったのか』

内山節／講談社現代新書

1965年を境に、キツネにだまされたという語りが消えていくのはなぜか。自然環境が活用すべき資源や保護すべき対象となることで私たちが獲得した自由は、だましだまされる相手として動物と関わることができないという不自由を伴っている。

久保さんのお仕事を読む

『機械カニバリズム：人間なきあとの人類学へ』

久保明教／講談社選書メチエ

『「家庭料理」という戦場：暮らしはデザインできるか？』

久保明教／コトニ社

『ブルーノ・ラトゥールの取説』

久保明教／月曜社

『ロボットの人類学：二〇世紀日本の機械と人間』

久保明教／世界思想社

コクヨ野外学習センターの10×10冊

Selected by Shotaro Yamashita, Kei Harada, Kei Wakabayashi

恐るべき管理社会

『服従の心理』スタンレー・ミルグラム／山形浩生・訳／河出文庫

『自発的隷従論』エティエンヌ・ド・ラ・ボエシ／西谷修・監修／山上浩嗣・訳／ちくま学芸文庫

『管理される心：感情が商品になるとき』A・R・ホックシールド／石川准、室伏亜希・訳／世界思想社

『人間はガジェットではない』ジャロン・ラニアー／井口耕二・訳／ハヤカワ新書juice

『健康禍：人間的医学の終焉と強制的健康主義の台頭』ペトル・シュクラバーネク／大脇幸志郎・訳／生活の医療社

『フーコー・コレクション〈6〉生政治・統治』ミシェル・フーコー／小林康夫、石田英敬、松浦寿輝・編／ちくま学芸文庫

『官僚制のユートピア：テクノロジー、構造的愚かさ、リベラリズムの鉄則』デヴィッド・グレーバー／酒井隆史・訳／以文社

『責任という虚構』小坂井敏晶／ちくま学芸文庫

『アンセム』アイン・ランド／佐々木一郎・訳／Evolving

『自由の牢獄』ミヒャエル・エンデ／田村都志夫・訳／岩波現代文庫

オルタナティブな経済

『経済と自由：文明の転換』カール・ポランニー／福田邦夫、池田昭光、東風谷太一、佐久間寛・訳／ちくま学芸文庫

『呪われた部分：全般経済学試論・蕩尽』ジョルジュ・バタイユ／酒井健・訳／ちくま学芸文庫

『緑の資本論』中沢新一／ちくま学芸文庫

『絶望を希望に変える経済学：社会の重大問題をどう解決するか』アビジット・V・バナジー、エステル・デュフロ／村井章子・訳／日本経済新聞出版

『貧困と闘う知：教育、医療、金融、ガバナンス』エステル・デュフロ／峯陽一、コザ・アリーン・訳／みすず書房

『増補 複雑系経済学入門』塩沢由典／ちくま学芸文庫

『シルビオ・ゲゼル入門：減価する貨幣とは何か』廣田裕之／アルテ

『ラディカル・マーケット 脱・私有財産の世紀：公正な社会への資本主義と民主主義改革』エリック・A・ポズナー、E・グレン・ワイル／安田洋祐・監訳、遠藤真美・訳／東洋経済新報社

『財政赤字の神話：MMTと国民のための経済の誕生』ステファニー・ケルトン／土方奈美・訳／早川書房

『脱成長』セルジュ・ラトゥーシュ／中野佳裕・訳／白水社文庫クセジュ

市場と商人

『市場を創る：バザールからネット取引まで』ジョン・マクミラン／瀧澤弘和、木村友二・訳／NTT出版
『商人たちの共和国：世界最古のスーク、アレッポ〈新版〉』黒田美代子／藤原書店
『大坂堂島米市場：江戸幕府vs市場経済』高槻泰郎／講談社現代新書
『隊商都市』ミカエル・ロストフツェフ／青柳正規・訳／ちくま学芸文庫
『市場と会計：人間行為の視点から』吉田寛／春秋社
『沖縄の市場〈マチグヮー〉文化誌：シシマチの技法と新商品から見る沖縄の現在』小松かおり／ボーダーインク
『江戸商売図絵』三谷一馬／中公文庫
『小商いのすすめ：「経済成長」から「縮小均衡」の時代へ』平川克美／ミシマ社
『東京のヤミ市』松平誠／講談社学術文庫
『ヤバい社会学：1日だけのギャング・リーダー』スディール・ヴェンカテッシュ／望月衛・訳／東洋経済新報社

日本はつらいよ

『企業中心社会を超えて：現代日本を〈ジェンダー〉で読む』大沢真理／岩波現代文庫
『1940年体制：さらば戦時経済〈増補版〉』野口悠紀雄／東洋経済新報社
『竹中平蔵 市場と権力：「改革」に憑かれた経済学者の肖像』佐々木実／講談社文庫
『ブラック企業：日本を食いつぶす妖怪』今野晴貴／文春新書
『近代家族の成立と終焉 新版』上野千鶴子／岩波現代文庫
『隠された奴隷制』植村邦彦／集英社新書
『沖縄から貧困がなくならない本当の理由』樋口耕太郎／光文社新書
『セラピー文化の社会学：ネットワークビジネス・自己啓発・トラウマ』小池靖／勁草書房
『「集団主義」という錯覚：日本人論の思い違いとその由来』高野陽太郎／新曜社
『人間使い捨て国家』明石順平／角川新書

企業社会のこれまで・これから

『組織の限界』ケネス・J・アロー／村上泰亮・訳／ちくま学芸文庫
『社会分業論』エミール・デュルケーム／田原音和・訳／ちくま学芸文庫
『勤勉革命：資本主義を生んだ17世紀の消費行動』ヤン・ド・フリース／吉田敦、東風谷太一・訳／筑摩書房
『企業・市場・法』ロナルド・H・コース／宮澤健一、後藤晃、藤垣芳文・訳／ちくま学芸文庫
『会社はこれからどうなるのか』岩井克人／平凡社
『ハイエク主義の「企業の社会的責任」論』楠茂樹／勁草書房
『洗脳するマネジメント：企業文化を操作せよ』ギデオン・クンダ／金井壽宏・監修／樫村志保・訳／日経BP

いまどきの会社と働き方

『日本社会のしくみ：雇用・教育・福祉の歴史社会学』小熊英二／講談社現代新書
『増補 学校と工場：二十世紀日本の人的資源』猪木武徳／ちくま学芸文庫
『人口減少社会のデザイン』広井良典／東洋経済新報社
『ティール組織：マネジメントの常識を覆す次世代型組織の出現』フレデリック・ラルー／鈴木立哉・訳／英治出版
『恐れのない組織：「心理的安全性」が学習・イノベーション・成長をもたらす』エイミー・C・エドモンドソン／野津智子・訳／英治出版
『新版 社員をサーフィンに行かせよう：パタゴニア経営のすべて』イヴォン・シュイナード／井口耕二・訳／ダイヤモンド社
『NO RULES：世界一「自由」な会社、NETFLIX』リード・ヘイスティングス、エリン・メイヤー／土方奈美・訳／日本経済新聞出版
『計画と無計画のあいだ：「自由が丘のほがらかな出版社」の話』三島邦弘／河出文庫
『ノマド：漂流する高齢労働者たち』ジェシカ・ブルーダー／鈴木素子・訳／春秋社
『Uberland ウーバーランド：アルゴリズムはいかに働き方を変えているか』アレックス・ローゼンブラット／飯嶋貴子・訳／青土社
『アマゾン化する未来：ベゾノミクスが世界を埋め尽くす』ブライアン・デュメイン／小林啓倫・訳／ダイヤモンド社
『ネクスト・シェア：ポスト資本主義を生み出す「協同」プラットフォーム』ネイサン・シュナイダー／月谷真紀・訳／東洋経済新報社
『JobPicks 未来が描ける仕事図鑑』JobPicks編集部・編著／ニューズピックス

テクノロジーと生

『活動的生』ハンナ・アーレント／森一郎・訳／みすず書房
『ロボット：RUR』カレル・チャペック／阿部賢一・訳／中公文庫
『我々は人間なのか？：デザインと人間をめぐる考古学的覚書き』ビアトリス・コロミーナ、マーク・ウィグリー／牧尾晴喜・訳／BNN新社
『生まれながらのサイボーグ：心・テクノロジー・知能の未来』アンディ・クラーク／呉羽真、久木田水生、西尾香苗・訳／春秋社
『ホモ・デウス：テクノロジーとサピエンスの未来』ユヴァル・ノア・ハラリ／柴田裕之・訳／河出書房新社
『プラットフォームの経済学：機械は人と企業の未来をどう変える？』アンドリュー・マカフィー、エリック・ブリニョルフソン／村井章子・訳／日経BP
『AI世界秩序：米中が支配する「雇用なき未来」』李開復／上野元美・訳／日本経済新聞出版
『プライバシー・パラドックス：データ監視社会と「わたし」の再発明』武邑光裕／黒鳥社
『LIFE SHIFT（ライフ・シフト）：100年時代の人生戦略』リンダ・グラットン、アンドリュー・スコット／池村千秋・訳／東洋経済新社
『闇の自己啓発』江永泉、木澤佐登志、ひでシス、役所暁／早川書房

考える手とからだ

『暗黙知の次元』マイケル・ポランニー／高橋勇夫・訳／ちくま学芸文庫
『クラフツマン：作ることは考えることである』リチャード・セネット／高橋勇夫・訳／筑摩書房
『手の倫理』伊藤亜紗／講談社選書メチエ

『タコの心身問題：頭足類から考える意識の起源』ピーター・ゴドフリー＝スミス／夏目大・訳／みすず書房
『天然知能』郡司ペギオ幸夫／講談社選書メチエ
『「間合い」とは何か：二人称的身体論』諏訪正樹・編著、伝康晴、坂井田瑠衣、高梨克也・著／春秋社
『竹とんぼからの発想：手が考えて作る』秋岡芳夫／復刊ドットコム
『世界の台所探検：料理から暮らしと社会がみえる』岡根谷実里／青幻舎
『岡﨑乾二郎 視覚のカイソウ』岡﨑乾二郎ほか・著／ナナロク社
『ハイパーハードボイルドグルメリポート』上出遼平／朝日新聞出版

ケアという仕事

『病むことについて〔新装版〕』ヴァージニア・ウルフ／川本静子・訳／みすず書房
『ケアするのは誰か？：新しい民主主義のかたちへ』ジョアン・C・トロント／岡野八代・訳／白澤社
『ひとりで暮らす、ひとりを支える：フィンランド高齢者ケアのエスノグラフィー』髙橋絵里香／青土社
『家族はなぜ介護してしまうのか：認知症の社会学』木下衆／世界思想社
『ナラティヴと共同性：自助グループ・当事者研究・オープンダイアローグ』野口裕二／青土社
『ヒトはなぜ協力するのか』マイケル・トマセロ／橋彌和秀・訳／勁草書房
『子どもたちの階級闘争：ブロークン・ブリテンの無料託児所から』ブレイディみかこ／みすず書房
『男が介護する：家族のケアの実態と支援の取り組み』津止正敏／中公新書
『弱いロボット』岡田美智男／医学書院
『脱病院化社会：医療の限界』イヴァン・イリッチ／金子嗣郎・訳／晶文社

隷属に抗って

『哲学の起源』柄谷行人／岩波現代文庫
『アナーキスト人類学のための断章』デヴィッド・グレーバー／高祖岩三郎・訳／以文社
『アナキズムの歴史：支配に抗する思想と運動』ルース・キンナ／米山裕子・訳／河出書房新社
『〈新装〉増補修訂版 相互扶助論』ピョートル・クロポトキン／大杉栄・訳／同時代社
『隷従への道』フリードリヒ・ハイエク／村井章子・訳／日経BP
『実践 日々のアナキズム：世界に抗う土着の秩序の作り方』ジェームズ・C・スコット／清水展、日下渉、中溝和弥・訳／岩波書店
『日常的実践のポイエティーク』ミシェル・ド・セルトー／山田登世子・訳／ちくま学芸文庫
『ルポ 雇用なしで生きる：スペイン発「もうひとつの生き方」への挑戦』工藤律子／岩波書店
『独立国家のつくりかた』坂口恭平／講談社現代新書
『吉里吉里人』井上ひさし／新潮文庫

あとがき

これは「発信」ではない

山下正太郎（コクヨ野外学習センター センター長）

本書は、コクヨ野外学習センターのポッドキャスト「働くことの人類学」のシーズン01（2020年7月〜2021年2月）に新コンテンツを加え、書籍化したものである。文化人類学者たちの軽妙な語りの後に野暮な解説は不要なので、ここではコクヨ野外学習センター開設の経緯や展望についてまとめてみたい。

コクヨ野外学習センターは、コクヨ ワークスタイル研究所と黒鳥社によるメディアリサーチユニットとして2020年7月に設立された。開設当初から、なぜ文具やオフィス家具のメーカーとして認知されるコクヨが、文化人類学や雑貨に関する音声コンテンツを発信しているのか？との疑問の声が方々から聞こえてきた。

実はこの活動の主眼は「発信」にはない。あくまでこれはR&Dの一環であり、革新的なサービスや商品を生み出すための社会変化を捉える活動である。コクヨは100年以上にわたり「仕事」「道具」のあり方について考え続け、子どもから大人まで幅広く愛される商品を世に出してきた自負がある。しかし、社会の複雑さが増すにつれ、自分たちは誰のための道具をつくっているのか、本当にそれを欲している人たちは誰なのか、確信をもつことが難しくなってきている。

さらにブクブクと膨れあがったサプライチェーンは、ユーザー視点よりもますます自社の論理を優先させ、変化への対応をいよいよ困難なものとする。典型的な大企業病である。自身に染み付いてしまった文脈から離れ、もう一度、社会で起こっていることにセンスメイクするためのインターフェースを再構築することが必要だというところに問題意識の根幹はある。加えて、長年『WORKSIGHT』という海外ワークプレイスを紹介するメディアで取材・編集をした経験から、インターフェースとして社会の文脈を把握できるメディアユニットに可能性を感じてきたという経緯もある。

こうした考えを、メディアのあり様について鋭い論説を展開されていた黒鳥社の若林さんに提案したところ、意気投合しこのユニットは発足した。旧来のオウンドメディアが発信に比重を置き、社内に外部から仕入れたナレッジや温度感を還元する経路を絶ってしまっているという若林さんの指摘には、我が意を得たりという思いであった。そして新しいユニットを構成していく上で、重要な参照元となったのが、ＩＫＥＡが２０１６年に設立した新しいライフスタイルのリサーチ・実験・メディア発信を行うユニット「SPACE10」だ。ユニークな点は、自社のしがらみから離れるために活動のすべてを外部パートナーと共同で行っていることであった。

つまり、自社のしがらみから離れて外部を探究していきながら、それを内部に還元するというふたつのことをやってのける必要があった。

「働くことの人類学」は、その第1弾のプロジェクトとして、松村さんをホストとして、働くことの意味や常識を脱構築することを試みたものだ。ここまで読んでいただければおわかりだと思うが、有益な情報を発信するということが第一義では決してない。このコンテンツが一番勉強になったのは、ほかならぬユニットメンバー、コクヨのサプライチェーンに関わる者たちだった。

嬉しい誤算としては、社会が反応してくれたことだった。リスナーのために発信しているものではないが、発信への反応は、私たちの手応えが本当に社会で求められている事象であるという証左になる。そして２０２１年晩夏には「働くことの人類学 シーズン02」がスタートする予定だ。残念ながら、これもウケようなんてさらさら思ってはいない。引き続き、私たちの学習意欲向上にお力添えいただければ幸いです。

最後に、既存の文脈から離れるどころか思いもよらない未踏の地にまでご案内いただいた、松村圭一郎さん、ご登場いただいたみなさま、そして知のスパーリング相手としていつも伴走いただいている若林恵さんはじめ黒鳥社のメンバーに厚く御礼を申し上げたい。

２０２１年６月３日

編者プロフィール

松村圭一郎｜Keiichiro Matsumura

文化人類学者／岡山大学文学部准教授

エチオピアの農村や中東の都市でフィールドワークを続け、富の所有と分配、貧困や開発援助、海外出稼ぎなどについて研究。著書に『所有と分配の人類学』(世界思想社)、『基本の30冊　文化人類学』(人文書院)、『うしろめたさの人類学』(ミシマ社)、編著に『文化人類学の思考法』(世界思想社)など。東京ドキュメンタリー映画祭2018の短編部門で『マッガビット〜雨を待つ季節』、同映画祭2020の特集「映像の民族誌」で『アッバ・オリの一日』が上映される。『ちゃぶ台』で「はじめてのアナキズム」、『群像』で「旋回する人類学」、西日本新聞で「人類学者のレンズ」を連載中。

山下正太郎｜Shotaro Yamashita

コクヨ野外学習センター センター長／コクヨ ワークスタイル研究所所長

コクヨ株式会社に入社後、戦略的ワークスタイル実現のためのコンサルティング業務に従事。2011年、グローバルな働き方とオフィス環境のためのメディア『WORKSIGHT』を創刊。同年、未来の働き方を考える研究機関「WORKSIGHT LAB.」(現ワークスタイル研究所)を立ち上げる。2016〜2017年、英ロイヤル・カレッジ・オブ・アート ヘレン・ハムリン・センター・フォー・デザイン客員研究員。2019年より京都工芸繊維大学特任准教授を兼任。2020年、キュレーションニュースレター『MeThreee』創刊。主な著書として『WORKSIGHT 2011-2021：Way of Work, Spaces for Work』(2021)。

若林恵｜Kei Wakabayashi

コクヨ野外学習センター・キャプテン／黒鳥社コンテンツディレクター

平凡社『月刊太陽』編集部を経て2000年にフリー編集者として独立。以後、雑誌、書籍、展覧会の図録などの編集を多数手がける。音楽ジャーナリストとしても活動。2012年に『WIRED』日本版編集長就任、2017年退任。2018年、黒鳥社設立。著書『さよなら未来』(岩波書店・2018年4月刊行)、責任編集『次世代ガバメント：小さくて大きい政府のつくり方』(責任編集)、『こんにちは未来』(佐久間裕美子と共著)、『週刊だえん問答 コロナの迷宮』。「こんにちは未来」「blkswn jukebox」「音読ブラックスワン」などのポッドキャストの企画制作でも知られる。

コクヨ野外学習センター｜KOKUYO Centre for Field Research

コクヨ ワークスタイル研究所と黒鳥社がコラボレーションして展開するリサーチユニット／メディア。ポッドキャスト番組〈働くことの人類学〉、〈新・雑貨論〉、〈耳の野外学習〉を制作・配信。
https://anchor.fm/kcfr

働くことの人類学【活字版】
仕事と自由をめぐる8つの対話

2021年6月28日　第1版1刷　発行
2022年10月1日　3刷　発行

編　者　松村圭一郎・コクヨ野外学習センター
発行人　土屋継
発　行　株式会社黒鳥社
東京都港区虎ノ門3-7-5 虎ノ門ROOTS 21ビル1階
ウェブサイト https://blkswn.tokyo　メール info@blkswn.tokyo

画　安藤智
AD・デザイン　藤田裕美
DTP　勝矢国弘
校　閲　校正集団「ハムと斧」
文字起こし　越善晴彩
編　集　原田圭　山下正太郎　若林恵
協　力　鳥嶋七実
制作管理・販売　川村洋介
印刷・製本　株式会社シナノパブリッシングプレス

ISBN978-4-9911260-6-2　Printed in Japan